COLLECTION « BEST-SELLERS »

WILLIAM LANDAY

BOSTON REQUIEM

roman

traduit de l'américain par Michèle Garène

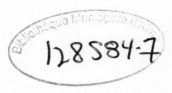

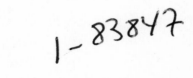

ROBERT LAFFONT

Titre original : MISSION FLATS

ISBN 2-221-09591-X
(édition originale ISBN : 0-385-33614-4 Delacorte Press, New York)

Pour Susan

Prologue

À l'image, une femme se prélasse sur une bouée en caoutchouc, les doigts dans l'eau, le visage offert au soleil. La bouée a la forme d'un beignet. Elle dessine des ronds paresseux. La plage est dans le cadre, à gauche. La femme est enceinte ; la chemise en madras sur son maillot de bain ne dissimule pas son ventre gonflé. Elle lève la tête, fait face à la caméra et sa bouche forme les mots « Arrête ! Arrête ce truc ! Regarde-moi ». La caméra remue ; l'opérateur rit, manifestement. La femme lève les yeux au ciel et agite le poing, le geste de la contrariété dans un film muet. Elle adresse un « Bonjour, Ben » silencieux à la caméra, puis éclate de rire à son tour avant de reposer la tête sur la bouée pour dériver encore un peu.

La femme est ma mère et le bébé dans son ventre, c'est moi. On est au début de l'été 1971. Je naîtrai un mois après.

Ce petit film en huit millimètres (de deux ou trois minutes maxi) figurait parmi les biens les plus précieux de ma mère. Elle le conservait dans une boîte Kodak jaune fourrée sous ses soutiens-gorge et ses bas dans le tiroir supérieur de sa commode où, selon elle, les voleurs n'auraient pas l'idée d'aller fouiller. Les voleurs ne couraient pas les rues dans notre ville et les rares qu'elle comptait ne s'intéressaient pas aux vieux films de femmes enceintes. Mais maman était convaincue de sa valeur et de temps à autre elle ne pouvait résister à l'envie de vérifier la présence de la boîte au fond du tiroir. Les jours de pluie, elle sortait un projecteur Bell et Howell pesant bien ses dix kilos pour projeter le film sur le mur du salon. Debout près du mur, elle désignait son ventre et annonçait avec des traces d'accent de Boston : « Te voilà, Ben ! Te voilà ! » Ce bout de pellicule la faisait parfois sombrer dans la tristesse et le désespoir. Nous avons dû le regarder une bonne centaine de fois. Il défile encore dans ma tête, familier, mon film Zapruder [1] à moi. Je ne sais pas exactement pourquoi ma mère l'aimait tant. Je suppose que, pour elle, il symbolisait une transition, le passage de l'adolescence à la maternité.

Moi, je ne l'ai jamais aimé. Il a quelque chose de troublant. Il montre le monde avant moi, sans moi, et pourtant c'est un monde complet. Ma création n'a encore rien de nécessaire ni d'inévitable. Personne ne m'a rencontré, personne ne me connaît. Je n'existe pas. Une femme – non ma mère mais celle qui va devenir ma mère – agite la main et m'appelle par mon prénom, mais qui appelle-t-elle ? Elle m'attend, dans tous les sens du terme. Pourtant c'est une attente fragile. Les événements se ramifient, se divisent et se multiplient, et elle et moi pourrions ne jamais nous rencontrer. Et elle ? Qui est cette femme disparue pour moi ? Non pas ma mère assurément, rien d'aussi réel que ça. Elle n'est qu'une idée, un pictogramme sur le mur du salon. Elle est ma conception.

Cela fait treize mois que ma mère est morte et je n'ai pas pris la peine de vérifier la présence de cette petite bobine dans son reliquaire jaune. Peut-être un jour la trouverai-je ainsi que le projecteur et visionnerai-je de nouveau le film. Et maman sera là. Jeune et joyeuse, vivante et entière.

Je suppose que c'est une bonne entrée en matière pour cette histoire – une jolie jeune femme enceinte sur un lac par une chaude journée d'été. Après tout, une histoire quelle qu'elle soit n'a pas de début dans l'absolu. Elle ne commence qu'au moment où vous vous y intéressez.

Cinq ans et demi plus tard. Une heure vingt-neuf du matin, le 11 mars 1977.

Une voiture de police de Boston longe au pas Washington Avenue dans un quartier du nom de Mission Flats. Les pneus

---

1. Zapruder est l'amateur qui a filmé l'assassinat de Kennedy à Dallas en 1963.

crissent : sur du sable, de la glace. Une voie aérienne enjambe la rue. Lumière phosphorescente. La voiture s'arrête devant un bar baptisé le Kilmarnock Pub, au rez-de-chaussée d'un petit immeuble recroquevillé dans l'ombre.

Dans la voiture, un policier – son nom n'a pas d'importance – essuie du poing la condensation sur sa vitre latérale, puis examine les enseignes au néon éclairées dans la vitrine. GUINNESS, BASS, une enseigne générique avec la promesse d'avoir du BON TEMPS. Le dernier arrêt devant le Kilmarnock date de vingt-neuf minutes. Les enseignes sont généralement éteintes à cette heure.

Bon, maintenant prenez ce policier. S'il ne remarque ni le bar ni les enseignes au néon, rien de ce qui suit ne se produira jamais. À cet instant, plusieurs possibilités – une histoire de rechange, une centaine d'histoires de rechange – s'offrent à lui. Il peut tout simplement ignorer les enseignes et poursuivre sa patrouille dans Washington Avenue. Après tout, y a-t-il vraiment quelque chose de suspect ici ? Est-il si inhabituel qu'un barman oublie d'éteindre des lumières à l'heure de la fermeture ? Ou encore, l'officier de police peut réclamer des renforts. Un bar à l'heure de la fermeture est une tentation pour des braqueurs. Comme on y paie comptant, la caisse est pleine, et les portes sont encore ouvertes. Pas de gardien, rien qu'un barman et des ivrognes. Oui, peut-être devrait-il attendre des renforts. On est à Mission Flats, rappelez-vous ; par ici, la prudence paie. Mais, après tout, un flic de service entre minuit et huit heures du matin vérifie parfois cinquante commerces avant de dépointer. Il ne peut pas réclamer des renforts à chaque fois. Non, dans ce cas, il n'y a pas de raison que notre policier le fasse. Il va prendre la bonne décision et pourtant – comment expliquer ce qui suit ? Un manque de pot. Une coïncidence. D'innombrables ramifications et séquences aléatoires l'ont amené à cet endroit en cet instant. C'est la fin d'une histoire, ou de plusieurs, et le début d'une autre, ou de plusieurs autres.

Pensez également à ceci. Pendant que l'officier de police s'attarde devant le Kilmarnock Pub, qu'il tripote sa radio en se demandant s'il doit intervenir, j'ai cinq ans, je dors dans mon lit dans l'ouest du Maine, à quelque cinq cents kilomètres de là.

Revenons à notre policier. Il décide d'entrer, de donner l'ordre au barman de fermer, voire de le menacer de le signaler à la Commission de répression de l'alcool. Pas de quoi en faire un plat. Il signale sa position au commissariat : « Bravo-quatre-sept-trois, je suis au Kilmarnock dans Mission Ave. Bravo-quatre-sept-trois, charlie-robert. » Pas d'inquiétude dans sa voix. La routine.

Et le policier tombe en plein vol à main armée.

À l'intérieur du Kilmarnock, un homme sec et musclé, un drogué du nom de Darryl Sikes, lui colle un Beretta neuf millimètres contre la tempe. Sikes est défoncé à la coke, il a alimenté son trip aux amphétamines et l'a arrosé de Jack Daniel's.

Le policier lève les mains en l'air.

Devant ce geste, Sikes titube de rire. *Hahahahahaha.* Son esprit bourdonne ; il a un ronron dans les oreilles qui lui fait l'effet du ronflement électrique d'un amplificateur de guitare. *Monte le son ! Monte le son, bordel ! Hahahahahaha.*

Son acolyte est un dénommé Frank Fasulo. Fasulo n'est pas aussi grand que Sikes. Il s'en faut de beaucoup. Frank Fasulo est maître de lui. Il tient un fusil à pompe au canon scié. Il le braque sur le policier et lui ordonne de se déshabiller. Il lui menotte les mains derrière le dos et l'oblige à se mettre à genoux.

Nu, le policier frissonne.

Frank Fasulo et Darryl Sikes jubilent. Sikes ramasse la chemise d'uniforme par terre et l'enfile par-dessus son sweat. *Hahahaha !* Ils effectuent une petite danse de la victoire autour du bar. Ils balancent un coup de pied dans les vêtements du policier, qui s'envolent – une paire de chaussettes, un slip constellé d'urine, des chaussures noires. Fasulo tire dans le plafond, recharge et tire, recharge et tire.

On force le policier à faire une fellation à Fasulo. À l'instant de l'orgasme, Fasulo tire dans la tête du policier.

Neuf jours après le meurtre du Kilmarnock. Il est quatre heures du matin ; c'est une nuit d'hiver glaciale, au froid mordant. Le vent balaie le plancher du Tobin Bridge, où la température ne dépasse pas les quinze degrés au-dessous de zéro.

Frank Fasulo saute du pont et fait lentement la roue dans l'air, jambes et bras écartés. Il lui faudra trois secondes pour atteindre la surface de la Mystic River à environ quarante-cinq mètres en dessous. Il heurtera l'eau à une vitesse d'environ cent douze kilomètres à l'heure. À cette vitesse, toucher de l'eau ou du béton n'est pas très différent.

Qu'est-ce qui traverse l'esprit de Fasulo pendant qu'il fend l'air ? Aperçoit-il le mur noir d'eau qui se rue vers lui ? Pense-t-il à son complice, Darryl Sikes, ou au policier assassiné ? Pense-t-il que son suicide mettra fin à l'affaire du Kilmarnock ?

Frank Fasulo l'ignore, mais, depuis neuf jours, il tombe sous la définition première du mot *hors-la-loi*. Aujourd'hui, ce terme s'applique à n'importe quel criminel. Dans l'ancien droit anglais, il avait un sens plus précis. Si un tribunal vous déclarait hors la loi, vous vous retrouviez littéralement en dehors de la loi – c'est-à-dire que la loi ne vous protégeait plus. Un hors-la-loi pouvait se faire voler, voire tuer sans que l'auteur du délit soit puni. Il n'était à l'abri nulle part en Angleterre. Il en va de même pour Frank Fasulo. La police de Boston ne cherche ni à l'arrêter ni à le juger. Elle veut le voir mort. À l'abri nulle part.

Ils ont rattrapé Darryl Sikes exactement deux jours après le meurtre. Il se cachait dans le vieux Madison Hotel, près du jardin public de Boston. Quatre flics ont surgi dans la chambre et lui ont tiré quarante et une cartouches dans le corps. Toute l'équipe a juré que Sikes s'apprêtait à dégainer ; on n'a jamais retrouvé d'arme.

Maintenant, c'est le tour de Fasulo. La police tient à le coincer encore plus que Sikes. C'est Fasulo qui a... enfin, la plupart d'entre eux n'arrivent même pas à le dire.

Et où Fasulo peut-il s'enfuir ? Tout organisme chargé de faire respecter la loi dans le monde le renverra à la police de Boston pour meurtre.

Il faut donc que cela se termine ainsi. C'est la seule certitude qu'ait Frank Fasulo. Dans sa chute, dans les trois secondes où il sent son corps s'accélérer et le vent lui retirer sa veste tel un hôte prévenant, voici sa seule pensée : il n'y avait pas d'autre solution – un flic devait finir par lui mettre la main dessus tôt ou tard.

Dix ans plus tard. 17 août 1987, deux heures vingt-deux du matin.

Nous sommes de nouveau dans Mission Flats, dans le genre d'immeuble en bois logeant trois familles que les Bostoniens appellent un trois-étages. Sur le palier du deuxième étage, huit policiers sont accroupis. Les yeux rivés sur une porte, ils tendent l'oreille comme si elle risquait de leur parler.

La porte est laquée rouge. Il y a deux petits trous dans le chambranle, juste au-dessus du niveau des yeux, là où une mezouza était jadis fixée avec des petits clous en or. Il y a un demi-siècle, ce quartier était à majorité juif. La mezouza a disparu depuis longtemps. Aujourd'hui, l'appartement sert de planque à un gang baptisé le Mission Posse.

Il ne fait aucun doute que la porte a été renforcée d'une manière ou d'une autre. Elle est probablement bloquée par un dispositif de fortune, une planche coincée à un angle de quarante-cinq degrés entre le battant et le sol, maintenue en place par des blocs de bois boulonnés au plancher. Pour entrer dans l'appartement, la police sera obligée de faire exploser la porte. Cela pourrait prendre quinze secondes ou plusieurs minutes – une éternité : le temps de foutre la cocaïne aux chiottes, de brûler des listes de créanciers, de jeter balances et sacs par des trous dans les murs. Trop long. Une porte métallique, on pourrait juger, prédire sa résistance. Les minces plient, se déforment et sortent rapidement de leur cadre. Les épaisses se cabossent, pas plus, et la seule solution est d'essayer de briser les gonds, la serrure ou toute la porte. Mais ces antiquités en bois ? Difficile à dire. Celle-là a l'air solide.

Son aspect ne plaît pas à Julio Vega. Il jette un coup d'œil à son partenaire, un inspecteur des stupéfiants de la zone A-3 du nom d'Artie Trudell, et secoue la tête. Le message de Vega : *On ne fabrique plus des portes comme ça.*

Trudell, un mastodonte avec une barbe orange, sourit à Vega et fait jouer ses biceps.

Vega et Trudell sont excités, nerveux. C'est une première, cette descente dont ils sont seuls responsables. La cible est un acteur d'importance : le gang est le premier négociant de poudre du coin, et de loin. Le mandat de perquisition est également leur œuvre, fondé sur leur propre enquête – deux semaines de surveillance et un flot de renseignements d'un informateur confidentiel approuvé par Martin Gittens lui-même. Blindé, le mandat.

L'inspecteur Julio Vega pourrait devenir blindé lui aussi avec quelques autres affaires comme celle-là. Vega a un projet. Il va se présenter à l'examen de brigadier à l'automne, travailler deux années encore sur des affaires de drogue, puis poser sa candidature aux enquêtes spéciales, voire à la criminelle. Bien entendu, Vega garde ses ambitions pour lui parce que son partenaire, ce grand rouquin d'Artie Trudell, ne les pige pas.

Trudell ne rêve pas d'entrer à la Crim ou ailleurs. Il est content de s'occuper d'affaires de drogue. Il y a des types comme ça. Ils préfèrent les affaires où il n'y a pas de victimes, avec des suspects aussi aguerris que leurs adversaires de la police. C'est plus propre ainsi. Vega a tenté d'insuffler un peu d'ambition à Trudell. Il lui a dit qu'il ne grimperait pas les échelons sans travailler à des affaires avec victimes. Il a même laissé entendre une fois que Trudell devrait présenter l'examen de brigadier, mais Artie s'était contenté d'en rire. « Quoi ? Et renoncer à tout ça ? » Ce jour-là, ils étaient assis dans une vieille Crown Vic à contempler le paysage lunaire de Mission Avenue dans les Flats – une enfilade de taudis gris et délabrés. Comment on fait avec un mec pareil ?

Qu'il aille se faire voir. Qu'Artie passe sa vie à pourchasser des accros au crack dans les Flats. Qu'il y pourrisse. Mais pas Julio Vega. Vega est un joueur. Il grimpe les échelons, lui. Si, si... L'inspecteur Vega peut rêver toute la journée de la criminelle ou de l'Unité des enquêtes spéciales, mais d'abord il faut qu'il fasse ses preuves. Qu'il récolte quelques scalps à montrer au bureau du divisionnaire. Il lui faut cette affaire.

Vega et Trudell sont plantés telles des sentinelles à côté de la porte de l'appartement.

Les autres hommes évitent le plus possible la zone dans l'axe de la porte, mais le palier est petit, et ils se retrouvent en rang d'oignons dans l'escalier menant à l'étage supérieur. Il y a quatre uniformes parmi eux. Le reste – les gars des stups – porte jeans, baskets et gilets en Kevlar. Banal. Rien de l'accoutrement de style commando des autres unités. On est dans les Flats ; ces types ont déjà démoli des portes.

Pendant plusieurs secondes, les hommes restent à l'affût du moindre bruit dans l'appartement et, n'entendant rien, se tournent vers Vega, censé donner le signal.

Vega s'agenouille contre le mur, puis adresse un signe de tête à Trudell.

Le costaud se plante devant la porte. La température dans le hall frise les trente degrés. Trudell transpire dans son gilet.

Son T-shirt est taché, sa barbe humide ; des vrilles orange luisent sous son menton. Le grand policier sourit, peut-être de nervosité. Il tient un tuyau en acier d'un mètre cinquante coincé au creux de son bras droit. Ensuite, les journaux parleront de *bélier*, mais en fait il s'agit seulement d'un bout de tuyau d'eau rempli de béton et agrémenté de deux poignées en forme de L.

Vega montre cinq doigts, puis quatre, trois, deux – à un, il désigne Trudell.

Trudell enfonce la porte avec le tuyau. L'escalier se remplit de l'écho d'une grosse caisse.

La porte ne bouge pas.

Trudell recule, enfonce de nouveau le tuyau dans la porte.

La porte tremble mais tient bon.

Les autres flics observent la scène, de plus en plus mal à l'aise. « Allez, le grand », l'encourage Vega.

Un troisième coup. Bruit de grosse caisse.

Un quatrième – rendant cette fois un son différent, un craquement.

L'un des panneaux du haut saute – explosé –, un coup de feu est tiré de l'intérieur de l'appartement – le sang gicle du front de Trudell, une brume rouge...

un bout de cuir chevelu

et Trudell est couché sur le dos, le sommet du crâne béant.

Le tuyau s'écrase par terre.

Les flics font un bond en arrière, s'aplatissent sur les marches, les uns contre les autres. « Artie », hurle l'un d'eux. Un autre : « Ils sont armés. »

Vega fixe le corps de Trudell. Il y a du sang partout. Le mur est éclaboussé de gouttelettes rouges, une mare de sang s'étend sous la tête de Trudell. Le tuyau gît en plein devant la porte. Vega veut le ramasser mais ses jambes refusent de bouger.

Première partie

On peut mesurer la qualité de la civilisation d'une nation aux méthodes qu'elle utilise pour faire appliquer son droit pénal.

Miranda v. Arizona, 1996

1.

Une fois Maurice Oulette tenta de se tuer, mais il ne réussit qu'à s'arracher le côté droit du maxillaire. Un médecin de Boston put lui réaliser une prothèse, avec des résultats loin d'être parfaits. Se retrouvant après l'opération avec un visage qui semblait avoir fondu, Maurice se donna beaucoup de mal pour le dissimuler. Plus jeune (Maurice avait dix-neuf ans à l'époque de l'accident), il portait un foulard sur le nez comme un braqueur de banque dans un vieux western. Cela conféra à ce type plutôt timide et terne une allure fringante qui parut le satisfaire un moment. Mais il finit par se lasser de ce masque de braqueur de banque. Il n'arrêtait pas de le relever pour respirer ou pour boire. Il s'en débarrassa donc un jour et, depuis, il est aussi peu complexé que peut l'être un homme dépourvu de mâchoire.

La plupart des gens en ville acceptent la difformité de Maurice comme s'il n'était pas plus inhabituel de ne pas avoir de mâchoire que d'être myope ou gaucher. Ils sont même un peu protecteurs à son égard ; ils s'appliquent à le regarder dans les yeux et à l'appeler par son prénom. Si les estivants le dévisagent, qu'il s'agisse d'enfants ou d'adultes, vous pouvez être sûr qu'ils ont droit à un coup d'œil dénué d'aménité de la part de Red Caffrey ou de Ginny Thurler ou de quiconque assiste à la scène, un regard qui intime l'ordre de détourner les yeux. Versailles est une ville agréable de ce point de vue. Dans le temps, je la considérais comme une immense dionée avec des rues collantes et des ailes en mouvement qui prenait au piège des jeunes comme moi et les y maintenait jusqu'à ce qu'il soit trop tard pour envisager de s'installer ailleurs. Mais les gens de Versailles n'ont jamais lâché ni Maurice Oulette ni moi.

Ils m'ont nommé chef de la police quand j'avais vingt-quatre ans. Pendant quelques mois, moi, Benjamin Wilmot Truman, je fus le plus jeune chef de la police des États-Unis. Enfin, c'est du moins ce qu'on pensait dans le coin. Mon règne fut bref ; plus tard, cette même année, *USA Today* publiait un article sur un jeune de vingt-deux ans qui venait d'être élu shérif quelque part en Oregon. Non que ma distinction m'ait fait plaisir. En vérité, je n'ai jamais voulu être flic, et encore moins chef de la police de Versailles.

Quoi qu'il en soit, Maurice habitait la maison de bardeaux blancs de son défunt père, survivant grâce à des chèques de l'aide sociale et aux repas gratuits que lui offraient de temps à autre les deux petits restaurants concurrents de la ville. Comme il avait reçu des indemnités du centre des services sociaux du Maine condamnés pour avoir négligé son cas quand il s'était tiré dans la mâchoire, il s'en sortait plutôt bien. Mais, pour des raisons que personne ne comprenait, ces dernières années Maurice mettait de moins en moins le nez hors de chez lui. En ville, tout le monde s'accordait pour dire qu'il devenait un peu ermite, voire un peu dingue. Mais comme il n'avait jamais fait de mal à personne (sinon à lui-même), on estimait que quoi que Maurice Oulette fabrique là-bas, c'était ses oignons.

J'avais tendance à abonder dans ce sens, à une exception près. De temps à autre, sans prévenir, Maurice décidait de prendre pour cible les lampadaires de la Route 2, au grand dam des automobilistes roulant entre Millers Falls, chef-lieu de Mattaquisett, et Versailles. (Ça se prononce Ver-seiles.) Ces jours-là, Maurice avait généralement abusé de Wild Turkey, ce qui explique peut-être son manque de discernement et son incapacité de viser juste. Ce soir du 10 octobre 1997 l'appel nous parvint vers dix heures : Peggy Butler se plaignait que « M. Oulette tir[ât] de nouveau dans les voitures ». Je lui assurai que Maurice ne tirait pas dans les voitures mais dans les lampadaires et qu'il risquait peu de toucher un véhicule. « Ah, ah, laissez-moi rigoler », fit Peggy.

J'allai constater *de visu.* À deux kilomètres de la maison, on entendait déjà les déflagrations. Des coups de fusil secs à intervalles réguliers, toutes les quinze secondes environ. Malheureusement il fallait que j'emprunte la Route 2 pour arriver à destination, en d'autres termes que je passe dans la ligne de mire de Maurice. J'allumai les clignotants, la barre lumineuse, les projecteurs orientables, tout ce que comptait le véhicule en matière d'éclairage – on aurait cru un char de mardi gras – dans l'espoir que Maurice cesserait de tirer une minute. Je voulais qu'il sache qu'il ne s'agissait que de la police.

Je garai la Bronco à cheval sur la pelouse, toutes lumières allumées. De l'arrière de la maison, je criai : « Maurice, c'est Ben Truman. » Pas de réaction. « Hé, Rambo, tu veux bien arrêter de tirer une seconde ? » Toujours pas de réponse mais pas de coups de feu non plus, ce que je pris pour un signe positif.

— Attention, j'arrive, annonçai-je. Ne tire pas, Maurice.

Petit rectangle d'herbes folles, de sable et d'aiguilles de pin, la cour était jonchée de détritus de toute sorte : un sèche-linge squelettique, un but de hockey sur roulettes, un casier de lait. Au fond, une vieille Chevy Nova reposait sur le ventre, ses roues ayant été transplantées sur une autre Chevy Nova pourrie des années avant. La voiture conservait sa plaque d'immatriculation du Maine, ornée de son fameux homard et de sa devise : L'ÉTAT DES VACANCES.

Maurice se trouvait au bout de la cour avec un fusil au creux du bras. On aurait dit un chasseur de la haute prenant une pause dans sa traque des cailles. Il portait des bottes, un bleu taché d'huile, une veste de flanelle rouge et une casquette de base-ball enfoncée jusqu'aux yeux. Il se tenait tête baissée, ce qui n'avait rien d'exceptionnel. On s'habituait à s'adresser au bouton sur sa casquette.

Je braquai ma torche sur lui.

— Bonsoir, Maurice.

— Bonsoir, chef, répondit la casquette.

— Qu'est-ce qui se passe ici ?

— Je tire, c'est tout.

— C'est ce que je vois. Tu as flanqué une trouille bleue à Peggy Butler. Tu veux bien me dire sur quoi tu tires, bordel ?

— Ces lumières là-bas.

Maurice désigna la Route 2 de la tête sans lever les yeux. Nous restâmes un moment ainsi à opiner tous les deux du bonnet.

— Tu en as touché ?

— Non, chef.

— Un problème avec le fusil ?

Il haussa les épaules.

— Bon, jetons-y un coup d'œil, Maurice.

Il me tendit son arme, un vieux Remington que j'avais confisqué une bonne dizaine de fois. Je vérifiai s'il y avait une cartouche dans la chambre, puis récupérai une balle fichée dans un poteau de la clôture en bordure du champ.

— Le fusil, ça va, peut-être que c'est toi qui as un problème.

Maurice lâcha un petit murmure joyeux.

Je palpai sa veste. La boîte de cartouches était dans sa poche, au milieu des boules de Kleenex que Maurice y entassait comme des marrons. Je trouvai aussi un paquet de Marlboro.

— Bon Dieu, Maurice, jamais tu vides tes poches ?

J'embarquai ses munitions, mais lui rendis ses cigarettes.

— Tu veux bien que je jette un coup d'œil chez toi pour voir comment tu t'en sors ?

Il leva enfin les yeux. Les greffes de peau sur sa mâchoire concave prenaient des reflets argentés à la lueur de ma torche.

— Je suis en état d'arrestation ?

— Non.

— Alors d'accord.

J'entrai par la porte de derrière. Maurice ne bougea pas, planté les bras ballants comme un gosse qu'on vient de réprimander.

La cuisine puait les légumes bouillis et l'odeur corporelle. Une bouteille de Jim Beam trônait sur la table, à moitié vide. Le réfrigérateur ne renfermait qu'une vieille boîte de levure. Dans les placards, quelques conserves (spaghetti, maïs), une poignée de paquets de soupe déshydratée et un trou minuscule qui servait de passage à des termites.

— Maurice, lui criai-je, l'assistante sociale est venue te voir ?

— Me souviens pas.

Du canon du fusil, je poussai la porte de la salle de bains que j'éclairai de ma torche. La baignoire et les toilettes avaient jauni. Deux mégots de cigarette flottaient dans la cuvette. Sous le lavabo, la moisissure avait rongé le mur. Le bout de contreplaqué cloué dessus pour boucher l'orifice ne le masquait pas complètement.

Je fermai la maison.

— Maurice, tu te rappelles ce qu'on appelle la détention dans l'intérêt de la personne ?

— Oui.

— Qu'est-ce que c'est ?

— C'est quand vous me mettez en prison mais que je ne suis pas en état d'arrestation.

— C'est ça. Et tu te rappelles pourquoi il faut que je fasse ça ?

— C'est dans mon intérêt, je suppose. C'est pour ça que ça s'appelle comme ça.

— Oui. Exactement. C'est donc ce que nous allons faire, Maurice, te mettre en détention dans l'intérêt de la personne avant que tu ne tues quelqu'un en canardant des lampadaires.

— J'en ai pas touché.

— Eh bien, Maurice, c'est pas ça qui me console. Tu vois, si tu touchais ce que tu visais...

Il m'offrit un visage vide d'expression.

— Écoute, l'important, c'est que tu ne peux pas tirer dedans. C'est du matériel urbain qui appartient à la ville. Tu te rends compte si tu touchais une voiture ?

— J'ai jamais touché de voitures.

Ces conversations avec Maurice ne vont jamais plus loin et celle-là arrivait presque à son terme. On ne savait pas trop si Maurice était simplement lent ou un peu timbré. Quoi qu'il en soit, il n'avait pas volé un peu de marge de manœuvre. Il avait survécu à un ouragan d'émotions que personne ne pouvait imaginer et il avait les cicatrices pour le prouver.

Il me regarda. Au clair de lune, avec son côté droit dans l'ombre, il avait un visage presque normal. Le genre de visage mince aux yeux bruns courant par ici. Le visage d'un voyageur ou d'un bûcheron sur une vieille photo sépia.

— Tu as faim, Maurice ?

— Un peu.

— Tu as mangé ?

— Hier.

— Tu veux aller à l'Owl ?

— Je croyais que vous m'embarquiez ?

— C'est vrai.

— Je récupère mon fusil ?

— Non. Je vais te le confisquer avant que tu descendes quelqu'un. Moi, par exemple.

— Chef Truman, je vais pas vous descendre.

— Eh bien, tant mieux. Mais je vais tout de même le garder parce que – et n'y vois pas de manque de respect, Maurice – tu n'es pas vraiment un as du tir.

— Le juge vous obligera à me le rendre. J'ai mon permis.

— T'es avocat maintenant ?

Maurice produisit son petit rire, proche d'un gémissement.

— Ouais, ça doit être ça.

Les quelques clients de l'Owl étaient tous assis au bar devant des demis de Bud, les yeux rivés sur une partie de hockey à la télé. Phil Lamphier, propriétaire des lieux et en morte saison l'unique barman, lisait un journal, accoudé au bout du petit comptoir en L. Maurice et moi nous glissâmes sur des tabourets dans la petite barre du L, face aux autres.

Un murmure de « Salut, Ben » monta du groupe, en revanche Diane Harned mit un moment avant de m'accueillir d'un « chef Truman ». Elle m'adressa un petit sourire suffisant avant de se retourner vers la télé. Diane avait été belle dans le temps, mais elle s'était comme décolorée. Ses cheveux blonds avaient viré au jaune paille. Des ombres de raton laveur s'étaient formées sous ses yeux. Cela ne l'empêchait pas d'afficher une arrogance de jolie fille. Quoi qu'il en soit Diane et moi nous retrouvions de temps en temps. Nous avions une sorte d'entente.

Maurice demanda un Jim Beam, commande que j'annulai aussitôt.

— Nous prendrons deux Cokes, dis-je à Phil qui grimaça.

— Tu as arrêté Al Capone ? demanda Jimmy Lownes.

— Non. Comme le chauffage est en panne chez Maurice, il va rester au poste jusqu'à ce qu'on le lui remette en route. Nous nous sommes dit que nous commencerions par manger un morceau.

Diane m'adressa un regard sceptique mais ne commenta pas.

— C'est mes impôts qui paient pour ce dîner ? plaisanta Jimmy.

— Non, c'est moi qui invite.

— Alors ce sont les impôts, Ben, dit Bob Burke. Ce sont les impôts qui paient ton salaire, techniquement.

— Le tien aussi, répliqua Diane, techniquement.

Burke, qui travaillait pour la ville à l'entretien des bâtiments publics, eut l'air penaud. Mais je n'avais pas besoin de Diane pour me défendre.

— Il ne faut pas des masses d'impôts pour financer mon salaire. En plus, dès qu'ils auront trouvé un nouveau chef, je cesserai de toucher des indemnités. Et je me barrerai enfin de ce trou.

— Et pour aller où ? ronchonna Diane.

— Je me disais que je voyagerais peut-être un peu.

— Non mais, tu t'entends. Et où est-ce que tu penses aller ?

— À Prague.

— À Prague. (Elle prononça le mot comme pour la première fois.) Je ne sais même pas où c'est.

— C'est en Tchécoslovaquie.

Diane renifla de nouveau, méprisante.

— C'est en République tchèque maintenant, intervint Bobby Burke. C'est comme ça qu'ils l'appellent aux Jeux olympiques, la République tchèque.

Burke était imbattable pour ce genre de banalités. Il vivotait en lessivant les sols à l'école primaire, mais il était capable de vous citer le nom de toutes les premières dames, de tous les assassins de président et des huit États entourant le Missouri. Un type comme ça vous jette un froid dans une conversation.

— Ben, insista Diane, pourquoi voudrais-tu aller à Prague ?

Il y avait de la nervosité dans sa voix. Jimmy Lownes lui donna un petit coup de coude et s'exclama, « Oh, oh », comme si elle était jalouse. Mais ce n'était pas ça.

— Pourquoi voudrais-je aller à Prague ? Parce que c'est beau.

— Et qu'est-ce tu feras une fois là-bas ?

— Je me baladerai, je pense. Je visiterai la ville.

— Tu vas seulement... *te balader* ?

— C'était ce que je pensais faire, oui.

Cela n'avait rien d'un projet grandiose, je l'admets. Mais il me semblait que je tirais des plans depuis trop longtemps, attendant l'Occasion. J'ai toujours été de ces types qui réfléchissent longtemps et agissent lentement, le genre qui étouffe chaque idée sous le doute et l'inquiétude. Il était temps de me libérer de tout cela. Je me disais que je pourrais au moins arriver à Prague avant que mes incertitudes ne me rattrapent. Je n'allais certainement pas pourrir à Versailles, Maine.

— T'emmènes Maurice avec toi ? demanda Jimmy.

— Ben voyons. Qu'est-ce que t'en dis, Maurice ? Tu veux m'accompagner à Prague ?

Maurice leva le nez et m'adressa son sourire timide avec la bouche fermée.

— Peut-être que je vais venir aussi, annonça Jimmy.

— Et comment donc, grogna Diane.

— Bon sang de bois, dit Jimmy, pourquoi pas ?

— Pourquoi pas ? Mais regardez-vous !

Nous nous exécutâmes sans que personne remarque quoi que ce soit de particulier.

— C'est juste que vous autres, vous êtes pas vraiment des gens du style Prague.

— Qu'est-ce que ça veut dire, « des gens du style Prague » ? (Jimmy Lownes aurait été incapable de trouver Prague sur une carte, même si vous lui aviez accordé une semaine pour chercher. Mais son indignation n'était pas feinte.) On est des gens, non ? Il nous reste plus qu'à aller à Prague pour devenir des gens du style Prague.

— Allons, Jimmy, qu'est-ce que toi, tu irais fiche à Prague ? insista Diane.

— Comme Ben, je me baladerais. Peut-être même que ça me plairait, qui sait ? Peut-être que j'y resterais. Pour te montrer le genre Prague que je suis.

— Ils ont de la bonne bière là-bas, intervint Bob Burke. De la Pilsner.

— Tu vois, ça me plaît déjà.

Jimmy leva sa bouteille de Bud, sans qu'on sache s'il portait un toast à Prague, à Bobby Burke, ou juste à la bière.

— Tu pourrais venir, Diane, proposai-je. Cela te plairait peut-être aussi.

— J'ai une meilleure idée, Ben. Je vais rentrer chez moi et jeter mon fric par la fenêtre.

— Très bien, d'accord. Maurice, Jimmy et moi. Prague ou rien.

Maurice et moi trinquâmes, pour sceller notre accord.

Mais Diane refusait de lâcher prise. Évoquer un départ touche toujours un nerf sensible chez elle.

— Oh Ben, quel con tu fais ! Et depuis toujours. Tu n'iras jamais nulle part et tu le sais. Un jour, c'est la Californie, le lendemain, c'est New York, et maintenant Prague. C'est quoi la prochaine destination ? Tombouctou ? Je vais te dire, je te parie un truc : dans dix ans, tu seras toujours assis sur le même tabouret à délirer sur Prague ou Dieu sait quoi.

— Fiche-lui la paix, Diane, lança Phil Lamphier. Si Ben veut aller à Prague ou ailleurs, rien ne l'en empêche.

Quelque chose dans mon expression dut faire comprendre à Diane qu'elle était allée trop loin parce qu'elle détourna les yeux, préférant tripoter un paquet de cigarettes plutôt que de me regarder en face.

— Allons, Ben, je rigole, c'est tout. (Elle alluma une cigarette, en s'efforçant de ressembler à Barbara Stanwyck. On aurait plutôt dit Mae West.) Tu es fâché ?

— Non.

— Peut-être que je devrais venir au poste ce soir. Mon chauffage ne marche pas non plus.

Cette déclaration fut accueillie par un chœur de braillements de Lownes et de Burke. Même Maurice mugit sous la visière de sa casquette.

— Diane, agresser un officier de police est un délit.

— Très bien. Arrête-moi.

Elle tendit les poignets pour que je lui passe les menottes et les hommes ululèrent.

Maurice et moi traînâmes à l'Owl pendant une bonne heure. Phil nous réchauffa deux tourtes surgelées à la viande et aux légumes, et Maurice dévora la sienne si vite que j'eus peur qu'il n'avale sa fourchette. Je lui proposai la moitié de la mienne mais il refusa, si bien que nous rapportâmes le reste au poste et il le termina là-bas. Il passa la nuit dans la cellule. Il y a un matelas dedans et cela ne pouvait pas être pire que sa maison bourrée de courants d'air. Je laissai la porte ouverte pour lui permettre de se rendre aux toilettes dans le couloir, mais je m'installai sur une chaise placée en travers en posant les pieds sur le chambranle pour que Maurice ne puisse pas sortir sans me réveiller. Le risque n'était pas qu'il blesse quelqu'un, mais qu'il se blesse alors qu'il était ivre et théoriquement en détention dans l'intérêt de la personne. On n'est jamais à l'abri d'une merde.

Je restai éveillé sur cette chaise jusque bien après trois heures, à écouter Maurice. Il faisait plus de bruit dans son sommeil que la plupart à l'état de veille, murmurant, ronflant, pétant. Mais c'est moins Maurice que le reste qui m'empêcha de dormir. Il fallait que je me tire de Versailles, que je me débarrasse de cette dionée agrippée à ma cheville. Il fallait que je me tire, surtout maintenant.

2.

À l'école élémentaire Rufus King, le lendemain matin, je fis traverser la Route 2 aux mômes. Je les saluai tous par leur prénom – j'y mets un point d'honneur. Les uns après les autres, ils piaillèrent : « Bonjour, chef Truman ». Un garçon me lança de son accent traînant : « Qu'est-ce qui est arrivé à vos cheveux ? » J'avais dormi au poste avec la tête contre le mur, voilà ce qui était arrivé à mes cheveux. Je fusillai le môme du regard et le menaçai de l'arrêter, ce qui le fit pouffer et glousser.

Je me rendis ensuite au tribunal d'instance du comté d'Acadie pour vérifier les arrestations effectuées dans les villes voisines. Le tribunal se trouve à Millers Falls, à vingt minutes de voiture. Je n'avais pas d'arrestations à signaler mais j'y allai quand même. J'y trouvai le bavardage habituel entre les greffiers et les policiers. Selon une rumeur, un môme du lycée régional vendait de la marijuana qu'il stockait dans son casier. Le chef de Mattaquisett, Gary Finbow, avait même préparé un mandat de perquisition pour le casier. Il me demanda de le relire. Je le parcourus, entourai quelques fautes d'orthographe, et lui dis qu'il ferait mieux de parler aux parents du gamin et d'oublier l'histoire. « Pourquoi irais-tu bousiller ses chances d'entrer à l'université pour un ou deux joints ? » Devant son regard, je n'insistai pas. Cela n'avance à rien de se lancer dans des explications avec des types comme Gary. Autant tenter d'expliquer *Hamlet* à un clébard.

Retour au poste. Le sentiment d'ennui et de lassitude – d'effilochage – était palpable à présent. Assis à l'accueil, Dick

Ginoux, mon second, lisait le numéro de la veille d'*USA Today*. Tenant le journal à bout de bras, il le déchiffrait par-dessus ses lunettes. Il ne leva qu'un instant les yeux de sa page.

— Bonjour, chef.

— Quoi de neuf, Dick ?

— Hum ? Demi Moore s'est rasé le crâne. Ce doit être pour un film.

— Non, je veux dire ici.

— Ah. (Dick baissa son journal et balaya du regard le bureau vide.) Rien.

Âgé de cinquante ans et des poussières, Dick Ginoux avait un long visage chevalin. Sa seule contribution au maintien de l'ordre local était d'occuper le bureau du dispatcheur avec son journal. Cela le rendait à peu près aussi utile qu'une plante en pot.

Il retira ses lunettes et me dévisagea avec une expression paternelle à vous ficher des frissons dans le dos.

— Ça va, Ben ?

— Un peu fatigué, c'est tout.

— Tu es sûr ?

— Oui.

J'examinai la salle. Les trois mêmes bureaux. Le même fichier. Les mêmes fenêtres sales. Soudain, mais très vivement, je ne me sentis pas de taille à passer le reste de la matinée en ces lieux.

— Tu sais, Dick ? Je vais sortir un moment.

— Pour aller où ?

— Je ne sais pas trop.

Dick avança sa lèvre inférieure avec une expression soucieuse mais ne commenta pas.

— Hé, Dick, je peux te poser une question ? Tu as déjà songé à devenir chef un jour ?

— Pourquoi je ferais un truc pareil ?

— Parce que tu ferais un bon chef.

— Peut-être, mais nous avons déjà un chef, Ben. C'est toi.

— D'accord, mais si je n'étais pas là.

— Je ne te suis pas. Pourquoi tu ne serais pas là ? Où tu vas ?

— Nulle part. Je dis juste : si.

— Si quoi ?

— Si... laisse tomber.

— Parfait, chef. (Dick rechaussa ses lunettes et revint à son journal.) *Paarfait.*

Je m'étais mis dans l'idée d'aller vérifier les bungalows près du lac, une tâche que je remettais depuis des semaines, mais je décidai d'abord de passer par la maison pour faire un brin de toilette. Je savais que mon père y serait. Peut-être était-ce là la vraie raison de ma visite, lui faire savoir ce que je mijotais. Avec le recul, j'ai du mal à me rappeler ce que je pensais. Papa et moi connaissions une cohabitation malaisée depuis quelque temps. Ma mère était morte huit semaines plus tôt et, dans le chaos qui avait suivi son décès, nous avions très peu parlé. Maman avait toujours été le lien entre nous, celle qui interprétait, expliquait, éclaircissait. Celle qui effaçait les rancœurs. À présent nous avions besoin d'elle plus que jamais.

Je le trouvai dans la cuisine, devant la cuisinière. Claude Truman avait toujours été un type costaud, large d'épaules et malgré son âge – soixante-sept ans – il conservait une indéniable présence physique. Il se tenait les pieds écartés devant la cuisinière comme si celle-là menaçait de se ruer sur lui. Il se retourna, mais ne pipa mot.

— Qu'est-ce que tu fais ?

Pas de réaction.

Je jetai un coup d'œil par-dessus son épaule.

— Des œufs. On appelle ça des œufs.

Papa était dans un état lamentable. Il portait une chemise en flanelle sale sur son pantalon. Il ne s'était pas rasé depuis des jours.

— Qu'est-ce qui t'est arrivé la nuit dernière ?

— J'suis resté au poste. Il a fallu que je mette Maurice en détention dans l'intérêt de la personne sinon il aurait gelé dans sa baraque.

— Les postes de police sont pas des hôtels, grommela-t-il. (Il chercha une assiette relativement propre au milieu de la vaisselle sale empilée dans l'évier et y fit glisser ses œufs.) Tu aurais dû téléphoner.

Papa se fit de la place sur la table, en repoussant, entre autres, une bouteille de Miller.

Je pris la bouteille vide.

— Qu'est-ce que c'est que ce truc ?

Il me regarda d'un sale œil.

— J'aurais peut-être dû te coller en détention, dis-je.

— Tu peux toujours essayer.

— Où l'as-tu trouvée ?

— Quelle différence ? Nous sommes dans un pays libre. Aucune loi ne m'interdit de boire une bière.

Je secouai la tête, exactement comme ma mère le faisait, et balançai la bouteille dans la poubelle.

— Non. Aucune loi ne l'interdit.

Il me lança un regard noir pour bien marquer sa petite victoire, puis se tourna vers ses œufs dont il creva et étala les jaunes.

— Papa, je vais au lac vérifier les bungalows.

— Eh bien vas-y.

— Eh bien vas-y ? C'est tout ? Tu ne veux pas parler avant que je parte ?

— De quoi ?

— De cette bouteille, par exemple. Peut-être qu'aujourd'hui n'est pas un bon jour.

— Va donc faire ce que tu as à faire, Ben. Je peux me débrouiller tout seul.

Il tripatouillait ses œufs, le teint presque aussi gris que ses cheveux. Il n'était finalement qu'un vieil homme de plus essayant de savoir quoi faire de sa peau, comment remplir le reste de ses jours. La pensée me vint, comme à tous les fils observant leur père : était-il moi ? Était-ce l'homme que j'étais en train de devenir ? J'avais toujours estimé davantage tenir de ma mère que de mon père : j'étais un Wilmot, pas un Truman. Mais j'étais aussi son fils. J'avais ses battoirs, sinon son tempérament de brute. Qu'est-ce que je devais exactement à ce vieillard ?

Je montai à l'étage faire ma toilette. La maison – celle-là même où j'avais grandi – était modeste, avec juste deux petites chambres et une salle de bains au premier. Ça puait un peu : papa ne lavait pas régulièrement ses vêtements. Je m'aspergeai le visage d'eau glacée et enfilai une chemise d'uniforme propre. Le tissu godaillait autour de l'insigne POLICE DE VERSAILLES sur l'épaule, et il était impossible de l'aplatir au fer, même après avoir paralysé le truc avec de l'amidon en bombe. Debout devant la glace de la chambre de mes parents, je lissai cette imperfection.

Glissée dans le coin inférieur droit du cadre se trouvait une vieille photo de mon père revêtu de ce même uniforme et affichant une expression sinistre. Le vrai Claude Truman. Le Chef. Poings serrés sur les hanches, poitrail puissant, cheveux en brosse, un sourire aussi avenant qu'une grimace. « Un homme et demi », voilà comment il se décrivait. Le cliché devait dater du début des années 1980, vers l'époque où ma mère avait banni une bonne fois pour toutes l'alcool de la maison. J'avais neuf ans le soir où c'est arrivé et à l'époque je crus que c'était ma faute, du moins en partie. J'étais celui qui avait privé papa de ses privilèges en matière d'alcool.

Ce soir-là il rentra dans une de ses humeurs de dogue et s'effondra dans son fauteuil devant la télé. L'ivresse n'arrangeait pas mon père. Il devenait très silencieux, aussi menaçant que le bourdonnement émis par les lignes à haute tension. J'avais tout intérêt à me tenir tranquille. Mais je ne résistai pas à l'arme qu'il lâcha sur la table avec son portefeuille et ses clés. Un gros .38 généralement entr'aperçu sur sa commode ou caché sous son manteau. Il était là, bien visible. Je m'approchai lentement, hypnotisé – j'avais seulement l'intention de le toucher, afin de satisfaire ma fascination pour sa surface huileuse, sa crosse texturée – et avançai un doigt. Mon oreille explosa. Une douleur insupportable envahit mon tympan : mon père venait de me gifler du plat de la main parce qu'il savait que cela me ferait un mal de chien sans laisser de trace visible. Je m'entendis hurler dans le lointain. À travers le rugissement dans mon oreille, sa voix me parvint : « Arrête de gueuler ! » et « Tu veux te tuer ? » et « Que cela te serve de leçon ! » – parce que sa violence avait toujours un objectif supérieur.

Maman était blême. Elle vida toutes les bouteilles et lui intima l'ordre de ne plus jamais rapporter d'alcool « chez elle » et de ne plus jamais rentrer avec une haleine alcoolisée. Il y eut des cris, mais il ne lui résista pas. Il déchargea sa colère sur les murs de la cuisine en les bourrant de coups de poing, mettant les planches à nu sous le plâtre. De mon lit à l'étage, je sentis les secousses.

Mais papa avait dû comprendre aussi qu'il était temps d'arrêter. Sa propension à boire et ses sautes d'humeur n'étaient un secret pour personne. Dans une certaine mesure, j'en suis certain, le respect exagéré que lui témoignaient les gens – les étalages d'estime et d'amitié pour le chef de la police – tenaient des faux hommages rendus aux brutes.

Au cours des dix-huit années suivantes – jusqu'à la mort de ma mère – il resta sobre. Sa réputation d'homme violent persista, mais petit à petit les Versaillais en vinrent à voir ses colères du même œil que lui : la plupart de ceux qu'il frappait, engueulait ou maltraitait ne l'avaient pas volé.

Je rangeai la vieille photo de papa dans le cadre du miroir. C'était du passé maintenant.

En partant, je lui descendis une chemise propre que j'accrochai dans la cuisine. Je le laissai jouer avec ses œufs dans son assiette.

Le lac Mattaquisett a en gros la forme d'un sablier. Il s'étend sur environ deux kilomètres le long d'un axe nord-sud. Le côté sud est le plus petit des deux, bien qu'il s'agisse de la partie à laquelle se réfèrent les gens quand ils parlent du lac. À son extrémité se trouve l'ancien « pavillon de pêche » de la famille Whitney de New York. Il s'agit d'un bungalow dans le style rustique apprécié par les habitants d'une certaine classe de Manhattan amoureux de la nature avant la Dépression. À présent propriété d'un fonds en fidéicommis, l'habitation domine cette extrémité du lac. Un sentier descend de la maison à travers la pénombre verdoyante des pins pour émerger, cinq cents mètres plus loin, dans la lumière vive au bord de l'eau. L'endroit n'est généralement occupé qu'en août, quand l'invasion de moustiques s'est un peu calmée. D'autres habitations plus modestes s'éparpillent sur les rives du lac, mais elles n'ont rien de comparable au pavillon Whitney et, comme conscientes de leur infériorité, elles se cachent de la route et on ne peut vraiment les apercevoir que de l'eau. L'extrémité nord du lac est bien moins bâtie et moins courue. On n'y trouve que des bungalows en bois posés sur de courts piliers en béton. Ils sont loués à la semaine de Memorial Day à Labor Day, à des employés de Portland ou de Boston. À des gens *d'ailleurs.* Les « chics types », on les appelle, des gens des plaines – des touristes, la force vitale de notre coin.

Je m'efforçais d'accorder autant d'attention aux maisons des deux extrémités du lac, non par sympathie pour les trimardeurs, mais parce que les petits bungalows risquaient davantage d'être cambriolés que les habitations plus grandioses. Les bungalows attiraient les mômes en quête d'un coin pour faire la fête. Il suffisait pour y entrer de faire sauter le moraillon qui tenait le cadenas. Un démonte-pneu faisait généralement l'affaire. Je les passais donc en revue toutes les deux semaines, appelais les propriétaires en cas d'infraction, veillais à ce qu'on répare les gonds et les cadres de fenêtre cassés. Je ramassais même les bouteilles de bière, les bouts de joint et les préservatifs qui traînaient par terre.

Le bungalow où je trouvai le corps était le quatrième auquel je jetai un œil ce matin-là.

J'aurais pu passer devant sans m'arrêter puisqu'il était évident de loin que l'extérieur n'avait pas subi de dégâts. Porte intacte, fenêtres protégées par des volets en bois cadenassés. Mais il s'en échappait une odeur qui devint carrément irrespirable quand je m'approchai – une puanteur âcre d'ammoniac, l'odeur caractéristique de la pourriture. Je la connaissais ; c'était celle que dégageaient les cerfs heurtés par des voitures sur la Route 2 ou la Post Road. En l'occurrence, je me dis que ce ne devait pas être l'explication de cette pestilence. Je n'avais jamais vu d'élan mourir dans son lit.

Je pris un levier dans la Bronco et fracturai la porte.

Bourdonnement de mouches.

L'odeur était insoutenable. Les muscles du fond de ma gorge se contractèrent. N'ayant pas de mouchoir à me coller sous le nez comme le font les inspecteurs dans les films, je me fourrai le visage au creux de mon bras. Ahanant, j'éclairai l'obscurité de ma torche.

Un tas de vêtements par terre se révéla être un corps. Un homme recroquevillé sur le côté. Il ne portait qu'un short kaki et un T-shirt. Les jambes nues étaient coquille d'œuf avec des marbrures roses là où la peau touchait le sol. Au-dessus des jambes enflées, le T-shirt remonté dévoilait un ventre blanc ballonné. Des poils roux frisés rejoignaient le nombril. L'œil gauche me regardait ; le droit avait disparu, remplacé par une croûte de sang séché. Au-dessus, du tissu s'échappait d'une fente dans le cuir chevelu. Le plancher était taché d'une auréole de sang séché autour de la tête démolie. La tache paraissait noire à la lueur de la torche. Près de la tête gisait la moitié gauche d'une paire de lunettes.

La pièce se mit à tourner. Je respirai fort dans les plis de ma manche. Le bungalow était inoccupé, fermé pour l'hiver, les tiroirs de commode entrebâillés et les matelas roulés et ficelés.

J'avançai. Près du corps, un portefeuille. Et une liasse de billets froissés, peut-être cinquante dollars en tout. Je m'agenouillai et, du bout d'un stylo à bille, ouvris le portefeuille. Il contenait une étoile en or à cinq branches gravée des mots ROBERT M. DANZIGER SUBSTITUT DU PROCUREUR – COMTÉ DU SUSSEX.

3.

Le cliché veut que nous soyons blasés vis-à-vis de la violence, que les films et la télé nous endurcissent. La violence et les blessures réelles ne sont pas censées nous choquer parce que nous avons expérimenté l'hyperréalisme de la violence cinématographique. La vérité est l'exact contraire. La violence cinématographique – tous ces sacs d'hémoglobine qui explosent et ces poses de mort, tous ces acteurs qui retiennent leur souffle, tout ce réalisme artistique – ne fait qu'accentuer le choc que provoque un vrai cadavre. En fait, l'étrangeté primale d'un corps mort réside justement dans sa réalité – dans sa proximité.

Le cadavre de Robert Danziger m'horrifia. Il agressait les sens. Cette fente luisante dans le cuir chevelu. Le torse dilaté et décoloré. La peau caoutchouteuse et tendue sur les mollets enflés. La puanteur irrespirable qui s'attardait telle de la fumée dans les sinus. Je m'enfonçai dans les bois assez loin du bungalow pour vomir. Mais cela ne calma pas mon vertige. Je m'allongeai sur les aiguilles de pin et fermai les yeux.

L'après-midi, ce fut une invasion de policiers d'État, de substituts du procureur de Portland et même d'Augusta. Le procureur de l'État en charge de l'enquête était un politicien larvaire du nom de Gregg Cravish. Il avait l'aspect artificiel et cireux d'un présentateur de jeux télévisés. Même les pattes-d'oie sur ses tempes semblaient avoir été placées là intentionnellement pour conférer un peu de gravité à son visage trop parfait. Cravish expliqua que les flics d'État s'occuperaient de l'enquête.

Selon la législation du Maine, tous les meurtres relèvent de la compétence du bureau du procureur.

— Procédure standard, m'assura le présentateur de jeux télévisés en me pressant légèrement l'épaule. Mais nous aurons sans aucun doute besoin de votre aide.

Je me contentai donc d'observer.

Une équipe de techniciens de la police d'État s'abattit sur le bungalow et le terrain alentour tels des archéologues sur un site de fouilles. Le présentateur de jeux télé jeta de temps à autre un coup d'œil par la porte du bungalow mais passa le plus clair de son temps adossé à une voiture, l'air de s'ennuyer ferme.

On finit par me demander de barrer toutes les routes d'accès au bungalow. Sinon, il était évident que mon boulot consistait surtout à ne me mêler de rien. Je plaçai un flic à deux kilomètres sur la route du nord et je couvris moi-même la route dans la direction opposée. Des voitures passèrent – des policiers, d'autres présentateurs de jeux télé, le légiste venu chercher le corps. Ils me saluèrent de la main. Je leur rendis leur salut avant de me remettre à nettoyer les éclaboussures de vomi sur mes chaussures avec un kleenex mouillé de salive. La nausée s'estompa, remplacée par un mal au crâne. Je compris alors que je ne pouvais pas me contenter d'attendre. Il fallait que j'agisse. En effet, deux solutions s'offraient à moi : ou je laissais l'enquête se dérouler sans moi, comme cela en prenait tournure, ou je m'infiltrais dedans d'une manière ou d'une autre. La première – renoncer à l'affaire – n'était pas vraiment une option. J'étais déjà impliqué, que je le veuille ou non. Je ne pouvais pas tourner le dos à un homicide dans ma propre ville.

Il était midi passé quand je retournai au bungalow, déterminé à occuper la place qui me revenait de droit dans l'enquête. Cravish et son équipe étaient déjà en train de remballer leur matériel dans des malles qu'ils chargeaient dans des camionnettes. Ils avaient rassemblé suffisamment de fibres, de photos et de cadavres pour les occuper un moment. Tel un gros cadeau de Noël, le bungalow était enrubanné du cordon jaune réglementaire et on avait tendu un autre ruban entre les poteaux en bois autour du bâtiment pour dissuader quiconque de s'approcher. Je pus aller et venir sans qu'on me remarque. Pour les présentateurs de jeux télévisés, j'étais invisible.

Le cadavre gisait sur un brancard en acier, oublié. À l'air, son odeur s'était un peu dissipée, assez du moins pour qu'elle ne me donne plus le tournis. Je me surpris à m'en approcher, fasciné. L'attrait du macabre. Les membres nus, boursouflés, livides et glabres. Le visage déformé par la blessure fatale. Elle paraissait inhumaine, cette créature. Un escargot privé de sa coquille, condamné à se tortiller sans protection, à brûler au soleil.

Je fixais le cadavre quand Cravish et un autre homme vinrent se planter de l'autre côté du brancard. Le nouveau était petit, mais il avait un aspect raide et combatif, un vrai coq. Cravish le présenta : Edmund Kurth de la criminelle de Boston.

— Boston ?

Le Bostonien Kurth me dévisagea. Il semblait chercher en moi des signes de stupidité rurale. Je devrais préciser tout de suite qu'Ed Kurth me déconcerta dès cette première rencontre. Le genre d'homme qu'on cherche à tout prix à éviter. Un visage sévère et anguleux dominé par un nez étroit et des yeux sombres. Une peau marquée par l'acné. Des sourcils épais qui lui donnaient en permanence un air renfrogné, comme si on venait de lui filer une ruade dans le dos.

— La victime était procureur à Boston, m'expliqua Cravish. Il glissa un regard à Kurth : *Vous voyez à qui j'ai affaire ?*

— Boston, répétai-je à personne en particulier.

Kurth se pencha sur le corps, l'examinant avec le même regard fixe qu'il avait braqué sur moi. Il enfila des gants chirurgicaux en caoutchouc et palpa la chose d'un doigt comme s'il tentait de la réveiller. J'observai son visage lorsqu'il se retrouva nez à nez avec les restes de Bob Danziger. J'attendais une réaction, un tressaillement. Mais l'inspecteur resta de marbre. À en juger par son expression, on avait du mal à savoir s'il contemplait l'orbite éclatée d'un homme mort ou s'il fouillait dans sa boîte à gants en quête d'une carte.

— Eh bien, c'est peut-être pour ça qu'on l'a tué, risquai-je, soucieux de montrer mes instincts de limier. Parce qu'il était procureur.

Kurth ne releva pas.

— *Si* on l'a tué, bafouillai-je. C'est vrai, il pourrait s'agir d'un suicide. (Ça, c'était une idée. Dans la formation aux lieux de crime, me rappelais-je vaguement, on apprenait que les suicidés par balle tiraient invariablement ou dans la tempe, ou bien dans la bouche ou entre les deux yeux. Que cet homme ait pu se tuer me parut une observation profonde, même si je la communiquai avec un calme calculé – sur un ton qui suggérait, *oui, monsieur, les homicides, ça me connaît.*) Peut-être qu'il a voulu se tuer, qu'il a hésité, et qu'il a fini par se tirer dans l'œil.

— Il ne s'est pas tué, officier, dit Kurth sans lever les yeux.

— En fait, c'est *chef. Chef* Truman.

— *Chef* Truman. Il n'y a pas d'arme ici.

— Ah, pas d'arme.

Mes oreilles devinrent brûlantes.

Un petit sourire plissa les lèvres du présentateur de jeux télé.

— Peut-être qu'il a inséré la balle manuellement.

— Cela sortirait de l'ordinaire, m'informa Kurth.

— Je plaisantais.

Il me jeta un regard mauvais comme si j'étais le dernier des ploucs, puis se tourna vers la créature sur le brancard qu'il semblait juger moins repoussante.

Le présentateur de jeux télé désigna le corps d'un geste.

— Il avait des liens avec cette région ? me demanda-t-il.

— Pas à ma connaissance. Il m'est arrivé d'échanger quelques mots avec lui quand il était ici...

— Vous le connaissiez ?

— Non. J'ai bavardé avec lui, c'est tout. Il avait l'air sympa. Du genre... doux. Je ne m'attendais certainement pas à...

— De quoi avez-vous bavardé ?

— De rien en fait. Nous avons simplement discuté un moment. On voit beaucoup de touristes par ici. Je ne m'occupe pas d'eux la plupart du temps. (Je désignai de la tête les collines autour du lac. Les arbres étaient barbouillés de jaune et de rouge.) Ils viennent admirer le feuillage.

— Il était donc en vacances, c'est tout ?

— Je pense, oui. Tu parles de vacances...

Nous étions là à opiner du bonnet devant le corps de Danzinger. Je me rappelais avoir rencontré ce Bob Danziger. Il m'avait timidement salué de la main, avec un sourire presque dissimulé par les avant-toits de ses moustaches. Nous nous étions croisés sur le trottoir devant le poste. *Bonjour*, avait-il dit, *vous devez être le chef Truman...*

— J'aimerais participer..., commençai-je, m'adressant au présentateur de jeux télé.

Un portable pépia à sa ceinture. Il leva un doigt pour réclamer le silence pendant qu'il décrochait.

— Gregg Cravish. (Il garda le doigt en l'air en répondant par monosyllabes.) Oui. Je ne sais pas encore. D'accord. Très bien.

— J'aimerais jouer un rôle dans cette enquête, répétai-je lorsqu'il en eut fini.

— Bien entendu. Vous avez découvert le corps. Vous êtes un témoin important.

— C'est ça, un témoin, bien sûr. Je voulais dire que j'aimerais faire davantage que de bloquer la route.

— Sécuriser la scène est important, chef. J'ai surtout pas besoin de me faire O.J. Simpsonifier devant un jury. Si la scène du crime est contaminée...

Cravish me regarda d'un air menaçant, m'accusant déjà des pires méfaits.

— Écoutez, ce type est mort dans ma ville. Et comme je l'ai dit, je l'ai rencontré une fois. Je dis juste que j'aimerais rester dans le coup, c'est tout. Je suis censé être le chef ici.

Le présentateur de jeux télé fit signe qu'il comprenait.

— D'accord, bien sûr, on vous gardera dans le coup.

Mais son expression disait : J'ai compris. Vous êtes censé être le chef et cela la ficherait mal que tous ces gens des plaines vous retirent votre propre affaire. Alors je vais vous faire plaisir, je vais vous autoriser à rester dans les parages.

Kurth se redressa.

— Officier, est-ce que la presse est au courant ?

— La presse ?

— Oui, la presse – les journaux, la télé.

— Je sais ce qu'est la presse. C'est juste qu'on n'en a pas vraiment ici. Il y a bien un journal, mais c'est plutôt une feuille destinée à la communauté. David Cornwell le fabrique tout seul. Il y parle surtout des écoles et de la météo. Le reste, il l'invente.

— Ne lui donnez aucun renseignement, ordonna Kurth.

— Il faut bien que je lui dise quelque chose. Dans une ville comme la nôtre...

— Alors taisez les détails. Ou convainquez-le de les passer sous silence. Acceptera-t-il ?

— Je pense, oui. Je ne le lui ai jamais demandé.

— Eh bien c'est le moment ou jamais.

La conversation qu'Edmund Kurth voulut bien me consacrer s'arrêta là. Il retira ses gants d'un coup sec, les lâcha sur le brancard et s'éloigna sans un mot.

— Monsieur Kurth ?

Il s'immobilisa.

Je le regardai en clignant des yeux. Une phrase me monta aux lèvres sans les franchir : *C'est chef Truman, pas agent.*

— Non, rien.

Kurth hésita. Il devait se demander s'il fallait m'ignorer complètement ou m'arracher le cœur et me le fourrer encore battant sous le nez. Finalement, il hocha la tête et poursuivit son chemin.

— Bonne journée, murmurai-je, dès qu'il fut hors de portée de voix.

En quelques minutes la caravane de véhicules officiels – voitures de patrouille, des Taurus dernier modèle, un camping-car transformé portant l'inscription SERVICES TECHNIQUES DE LA CRIMINELLE, une camionnette noire du bureau du légiste – démarra. La clairière autour du bungalow retrouva son calme. Les plongeons *kwoukaient* au-dessus du lac.

Dick Ginoux sortit de l'ombre des bois. Je compris qu'il s'y était caché jusqu'au départ des inconnus. Il me rejoignit alors que la caravane dévalait la route d'accès. Les aiguilles de pin crissaient sous ses pas.

— Qu'est-ce qu'on fait maintenant, chef ?

— Je ne sais pas, Dick.

4.

Kurth se trompait sur un point : impossible de taire l'affaire, c'était une chose infaisable dans un coin pareil. Il n'y a pas de secrets à Versailles, Maine. Les renseignements parcourent la ville tels des frissons sur une toile d'araignée. Des détails du meurtre commencèrent à circuler le jour même et en vingt-quatre heures la plupart des Versaillais se faisaient une assez bonne idée de ce que nous avions découvert dans cette cabine. Heureusement, les gens du coin ne s'affolent pas facilement et l'affaire suscita plus de curiosité que de peur. On ne parlait que de ça à l'Owl et chez McCarron. Le lendemain matin de la découverte du corps, Jimmy Lownes se glissa près de moi à l'Owl et me confia qu'il « s'y connaissait un peu en armes », si cela m'intéressait. Bobby Burke supplia qu'on l'autorise à jeter un coup d'œil à l'intérieur de la cabine. Personne n'était immunisé.

— Dis-moi à quoi ça ressemblait, m'interrogea Diane.

Cela se passait pendant notre partie de poker, un rituel où l'on misait royalement vingt-cinq *cents*, qui avait lieu au poste pour m'aider à supporter la permanence du dimanche soir. Diane était généralement la joueuse la plus sérieuse de la table. Elle fumait des Merits à la chaîne, jouait de manière conservatrice et perdait rarement quand elle misait sur une grosse cagnotte. Mais ce soir-là, même Diane était distraite, même elle avait le virus.

— À quoi ressemblait quoi ?

— Le corps.

— Ça a dû être un truc horrible, grogna Jimmy Lownes.

Il retira sa casquette pour se gratter le crâne d'étonnement.

— Je ne peux pas en parler.

— Qu'est-ce que tu racontes, tu ne peux pas en parler ? (Diane était vexée.) Toute la ville en parle ! Tu es le seul à ne pas le faire.

— Je ne peux pas. On m'a dit de la fermer.

— Oh Ben, quelle lavette tu fais !

— Hé, on joue au poker oui ou non ?

Bien entendu, ils n'en avaient rien à secouer du poker, mais comme il aurait paru inconvenant d'abandonner la partie, ils acquiescèrent, non sans quelques murmures de réticence.

— Voilà, c'est mieux. Sept cartes.

— Je parie qu'il était aussi raide qu'une planche.

— Bon sang, Jimmy, j'en ai marre de me répéter. On ne parle pas de ça.

— Je ne te demande rien, Ben. Je dis seulement : je parie qu'il était aussi raide qu'une planche.

— Et comment je saurais s'il était raide ? Je ne l'ai pas touché ! (Je distribuai les cartes, conscient de leurs regards sur moi.) Jimmy, à toi de miser.

— Ça puait ?

— Mise.

Jimmy vérifia son jeu, et le reste de la table s'empressa de l'imiter.

— D'accord, je mise deux dollars.

J'avançai deux jetons bleus.

— Quoi, tu ne peux même pas nous dire si ça puait ?

— D'accord, Diane, ça puait.

— Non, mais ça puait comment ?

— Tu veux vraiment le savoir ?

Elle posa ses cartes, exaspérée.

— Oui, vraiment.

— Vous savez, intervint Dick. Le Chef n'a jamais eu d'affaire de meurtre.

Mon père avait pris sa retraite, à contrecœur, en 1995, mais deux ans plus tard quand on parlait du Chef, on faisait toujours référence à lui, pas à moi.

— Dick, expliquai-je. Le Chef n'a jamais travaillé sur une

affaire de meurtre parce que personne ne s'est jamais fait assassiner ici. Cela ne me rend pas plus spécial pour autant.

— Bon, j'ai jamais dit que tu étais spécial, Ben. J'ai juste dit que le Chef a jamais eu d'affaire comme celle-là.

— Jimmy, c'est deux dollars si tu veux continuer.

— Qu'est-ce que tu vas faire maintenant ? insista Diane.

— Nous attendons que le procureur trie ce qu'ils ont trouvé dans la cabine.

— Tu vas te contenter d'attendre ? C'est débile.

— La plupart des meurtres sont résolus dans les premières vingt-quatre heures, tu sais, Ben. (Ça, c'était Bobby Burke avec une de ses vérités vraies.)

— Écoute, on n'est pas au Club des cinq. Tu ne peux pas enquêter sur un meurtre tout seul, rien que parce que t'en as envie. Il existe des lois. Le procureur a la compétence. Ce n'est pas mon affaire.

— Peut-être, mais ça s'est produit ici, répliqua Bobby.

— Et tu as découvert le corps, Ben.

— Peu importe. Ce n'est pas mon affaire.

— Le Chef s'en serait emparé, interjecta Dick. Tu pourrais lui demander de t'aider, comme... comment on appelle ça déjà – consultant.

Je levai les yeux au ciel.

— Je n'ai pas tant besoin d'aide que ça. En plus, il refuserait de travailler pour moi.

— Tu lui as déjà demandé ?

Je répondis par un illogisme.

— Hé, l'un de vous sait-il où il a pu se procurer une bière ?

— Claude avait de la bière ?

— Une de ces grandes bouteilles. Où se l'est-il procurée ?

— N'importe où. C'est jamais que de la bière.

— Ce n'est pas jamais que de la bière. Si vous apprenez qui la lui a vendue, vous me le faites savoir.

— Et après ? Tu vas arrêter quelqu'un pour avoir vendu de la bière à ton vieux ?

— Je vais avoir une conversation avec lui, c'est tout.

— Eh bien, soupira Dick, nous ramenant à une image plus ancienne et plus hardie de mon père. Le Chef n'aurait jamais écouté un prétentiard d'avocat yuppie. Non monsieur. J'aimerais bien voir ce môme dire à ton vieux : « Ce n'est pas votre affaire. » Le Chef lui aurait passé un savon.

— Dick, il aurait écouté parce qu'il le fallait, comme moi.

— En tout cas, riposta Diane, ta mère n'aurait pas écouté. (Elle souffla de la fumée de cigarette.) Pourquoi elle serait allée écouter un avocat ? Elle écoutait jamais personne.

Il y eut un instant lourd de sens pendant lequel les quatre attendirent ma réaction. C'était assez risqué de mentionner ma mère. Depuis sa mort dix semaines avant, je me drapais dans un vertueux stoïcisme yankee. Peu importait si mon chagrin se teintait d'un truc en plus, une touche de culpabilité et de honte – plus que la dose habituelle. Mais, à ma propre surprise, le commentaire de Diane ne déclencha pas la vieille bouffée de tristesse. Nous pensions la même chose : si le présentateur de jeux télé avait essayé de dissuader Anne Truman avec le despotisme dont il avait fait preuve avec moi...

— Elle lui aurait botté le cul, conclus-je.

Que je vous décrive ma mère : vers 1977, par une matinée froide du début du printemps. Le temps était humide. Dans notre cuisine ce matin-là, on sentait l'obscurité dehors, les odeurs de pluie et de boue. Assise à la table, maman lisait un livre relié. Elle était déjà habillée et ses cheveux noués sur sa nuque révélaient les petits trous vides de ses oreilles percées. J'étais assis près d'elle. Devant mon petit déjeuner préféré du moment, des Apple Jacks et un verre de lait. Le verre était une concession de ma mère qui avait récemment renoncé à m'obliger à avaler le lait imbuvable du bol avec sa légère émulsion de débris de céréales. Il subsistait une certaine gêne entre nous à cause de cette querelle. J'avais très envie de boire le lait souillé pour lui faire plaisir, mais je ne m'y résolvais pas. (Ces globules amibiennes d'huile d'Apple Jacks...)

— Qu'est-ce que tu lis ?

— Un livre.

— Quel livre ?

— Un livre pour adultes.

— Comment ça s'appelle ?

Elle me montra la couverture.

— Il te plaît ?

— Oui, Ben.

— Pourquoi ?

— Parce que j'apprends des choses.

— À quel sujet ?

— C'est un livre d'histoire. J'apprends des choses sur le passé.

— Pourquoi ?

— Pourquoi quoi ?

— Pourquoi vouloir apprendre ça ?

— Pour m'améliorer.

— Comment ça t'améliorer ?

Elle me regarda. Yeux bleu-gris, pattes-d'oie.

— Pour devenir mieux.

Papa arriva au volant de sa camionnette. La permanence de nuit était censée durer de minuit à huit heures, mais papa semblait toujours rentrer plus tôt. Il se racla la gorge avant d'entrer. Il s'assit à la table en nous adressant des petits saluts muets à ma mère et moi.

Tu as vu ! Je lançai un coup d'œil à maman : *Il est au courant ?* Il y avait une tache blanche sur ses épais cheveux bruns. En plein au-dessus de son front. De la poudre blanche, comme du talc. *Maman, tu la vois ?*

— Papa, tu as...

— Ben. Ma mère m'intima du regard l'ordre de me taire.

— Qu'est-ce qu'il y a, Ben ? dit mon père.

— Euh, rien.

Le visage de maman était devenu un petit peu blanc lui aussi. Ses lèvres serrées se réduisaient à une ligne.

Papa nous fit passer une boîte de beignets de la boutique Hunny Dip en ville. La boîte était illustrée d'un pot de miel brun débordant d'un épais liquide doré. Un beignet flottait au-dessus du pot, dégoulinant de ce truc.

— Voilà. De chez Hunny Dip, comme vous aimez.

— Non, merci.

— Allons, Anne, cela ne va pas te tuer.

— Non, Claude.

Au ton de maman, on devinait qu'elle était furieuse qu'il rapporte ces beignets.

J'en pris un au glaçage au chocolat, ce qui fit plaisir à mon père. Il enveloppa ma mâchoire de sa paluche aux doigts épais et la secoua. Ses doigts avaient une drôle d'odeur acidulée de chlore. Il y avait aussi de la poudre blanche sur le poignet de sa chemise.

— Bon gars. C'est rien qu'un beignet, nom de Dieu.

— Ne le touche pas, Claude.

— Ne pas le toucher ? Pourquoi ?

Ses yeux bleus étaient mi-clos, comme si elle voulait priver son mari du plaisir de regarder droit dedans.

— Ben, prends ton beignet et va à côté.

— Mais je n'ai pas encore fini...

— Ben.

— Et mes céréales ?

— Tu ferais mieux d'y aller, Ben, dit docilement papa.

Ma mère était une femme petite, un mètre soixante, et mince. Malgré ça, elle était capable de dominer son mari. Il semblait prendre plaisir à se soumettre à elle. C'était un jeu, une de ses blagues : de tous les gens à mener par le bout du nez le grand Claude Truman, cette petite furie...

Une fois que je fus sorti de la pièce – alors que j'écoutais de la salle de télé voisine, je l'entendis dire... *chez moi...*

— Quoi ?

— J'ai dit, sors de chez moi, tout de suite.

— Annie, mais qu'est-ce qui te prend ?

— Claude, tu as du sucre en poudre sur les cheveux. C'est une petite ville, Claude. Tu étais obligé de me mettre ça sous le nez ?

— Sous le nez...

— Claude, ça suffit. Arrête de me prendre pour une gourde, pour la seule à ne pas être au courant. J'ai oublié d'être bête, Claude.

Je ne comprenais pas vraiment ce qui se passait ce matin-là, mais je savais – je pense que je l'avais toujours su – que leur couple était précaire. Le caractère emporté de papa, ses habitudes sexuelles de lapin, son ego et la forte personnalité de maman rendaient leur mariage explosif. Pas un mauvais mariage, mais un mariage instable. Parfois ils se comportaient comme des amoureux ; ils disparaissaient à l'étage pour des siestes le dimanche après-midi, s'embrassaient sur la bouche, ou encore riaient de quelque incident obscur de leur histoire secrète. À d'autres occasions, la tension entre eux était manifeste, comme une corde qui gémit sous une lourde charge.

Enfant, je supposais que ce devait être ça le véritable amour – que l'amour devenait naturellement instable au-dessus d'une certaine température.

Je poussai un peu la porte pour les espionner et me fis repérer tout de suite.

Papa m'aperçut – les yeux écarquillés, le beignet collé aux doigts – et quelque chose, un petit souffle de honte lui échappa. À mon étonnement, il céda immédiatement à ma mère en se contentant de lui demander :

— Quand est-ce que je pourrai revenir ?

— Quand je serai prête.

— Allez, Annie. Dis-moi quand.

— Dans une semaine. Ensuite on verra.

— Anne, où est-ce que je suis censé aller ? Je suis épuisé.

— Va au poste. Va où tu voudras, je m'en fiche. Partout sauf au magasin de beignets.

Plus tard ce matin-là, après le départ de papa, maman se rendit en ville avec moi pour rapporter la boîte de beignets. L'amie de papa, Liz Lofgren, était de service ce matin-là et maman attendit que la boutique soit vide pour l'informer qu'elle ferait bien de laisser le Chef Truman tranquille si elle tenait à avoir la paix. Liz fit mine de ne pas comprendre, mais quand maman ajouta « Vous n'avez pas intérêt à m'avoir contre vous », elle parut être d'accord.

Anne Wilmot Truman avait grandi à Boston et elle resta à jamais marquée par cette ville. Cela s'entendait dans sa voix, ses *r* mutilés et ses étranges expressions familières archaïques (elle ne disait pas un soda, mais un tonic, par exemple). Cependant l'empreinte la plus profonde fut celle que lui laissa son père, un battant du nom de Joe Wilmot.

Joe s'était sorti à la force du poignet d'un taudis de Dorchester. Dans les années 1930 et 1940, il créa une petite chaîne d'épiceries à Boston, une réussite respectable sinon spectaculaire. Cela suffit cependant à le propulser en banlieue chic. Mais, même après avoir réussi, Joe ne parvint jamais tout à fait à se débarrasser du sentiment que ses nouveaux voisins – tous ces fils de WASP et ces troisièmes du nom avec leurs matchs de tennis et leurs vêtements froissés – possédaient quelque chose qui lui manquait, quelque chose de plus que l'argent. Une façon d'être surtout : ils étaient chez eux au milieu des grandes pelouses vertes et des rues ombragées d'arbres. Faute d'un meilleur terme, Joe appelait ça « de la classe » et il savait que cela resterait toujours hors de sa portée. Bien entendu, c'est la frustration de tous les arrivistes. Ils ne peuvent acquérir de la classe parce qu'ils sont incapables de se voir avec. C'est un manque d'imagination. Ils sont les anti-Gatsby.

Joe réagit donc comme tous les aspirants Gatsby : il tenta d'inculquer ce truc hors d'atteinte à sa fille. Après tout, c'était Boston à l'époque de ce Gatsby réel, Joe Kennedy. Et qu'avait appris le vieux Kennedy sinon que la classe n'est accordée qu'à la deuxième génération ? Joe Wilmot inscrivit donc Anne dans une école privée et, lorsqu'il jugea que l'éducation prodiguée là-bas ne suffisait pas, il compensa en la payant pour qu'elle s'éduque elle-même : quelques pièces pour un bon port de tête, si elle lisait Yeats ou Joyce et apprenait un lied de Mozart au piano. Ce système dura bien au-delà de son adolescence. À Winsor School et à Radcliff – entre des spectacles de danse, des leçons de diction et un semestre à Paris – Annie pouvait toujours gagner un dollar en récitant une tirade de Shakespeare. Un jeu auquel le père et la fille se prêtèrent sur la voie du raffinement.

Puis l'impensable se produisit. Il avait pour nom Claude Truman.

Un policier – un flic ! – aux poignets épais issu d'un trou paumé du Maine. Ils n'avaient rien en commun. Ce que maman pouvait bien lui trouver, personne n'arrivait à le comprendre. Selon moi, c'est justement sa brusquerie musclée qui rendit Claude Truman séduisant. Il était sûr de lui et fort, un élan au printemps. Il était différent. Pas bête, loin de là. Mais en même temps c'était un homme qui prenait John Cheever pour un joueur de hockey et Ionesco pour une société. Cela dut être un soulagement pour Annie de ne plus être obligée de travailler aussi dur. Qui sait ? Peut-être que Versailles, Maine, lui parut exotique. Bien entendu, elle n'y avait jamais mis les pieds, mais *l'idée* du comté d'Acadie avait dû lui paraître romantique – *la forêt primitive* et tout ça – surtout pour une jeune femme érudite, cultivée à l'extrême. Son père interdit à Annie de fréquenter Claude Truman, mais elle le défia, et le couple se maria trois mois après sa rencontre. Il avait trente-sept ans, elle, vingt-neuf.

Elle paya le prix fort. Son père et elle eurent une dispute féroce et le fossé entre eux ne se combla jamais. Elle l'appelait de temps à autre ; après avoir raccroché, elle se réfugiait généralement dans sa chambre pour pleurer. À sa mort, Joe légua à sa fille de quoi financer mes études ainsi qu'un petit supplément pour elle, mais pas le pactole qu'elle aurait reçu si elle avait respecté son plan.

Maman entretint une tradition de la famille Wilmot. Lorsque j'étais petit, elle me payait quand j'apportais la preuve d'un désir de progresser. Un dollar pour apprendre la tirade « notre heureuse petite bande » de *Henri V* et un autre pour la réciter avant le dîner. Cinquante *cents* pour la lecture d'un roman (digne de ce nom), un dollar pour une biographie. Cinq dollars pour écouter avec elle jusqu'au bout, sur PBS, *Moi, Claudius.*

Le jour où maman mit papa à la porte pour être rentré avec du sucre de beignet dans les cheveux, elle repoussa les meubles de la cuisine et me demanda si j'acceptais de danser contre un dollar. Elle mit un disque de Frank Sinatra dans la pièce de la télé, laissa la porte ouverte pour qu'on puisse l'entendre, puis elle m'expliqua comment placer mes mains et danser le box step.

Je posai ma main gauche sur sa hanche et levai la droite en l'air pour qu'elle y glisse la sienne.

— Et maintenant ?

— Fais un pas avec ton pied.

— Lequel ?

— Celui que tu veux, Ben. Je te suivrai.

— Pourquoi ?

— C'est comme ça que ça marche. L'homme mène. Contente-toi de faire un pas vers l'extérieur.

Nous dansâmes au son de « Summer Wind » et de « Luck Be a Lady ».

— Tu veux parler de ce qui s'est passé ce matin ?

— Non.

— Tu as une question à me poser ?

J'étais préoccupé par la complexité du box step – *Regarde ta partenaire, jamais tes pieds ; tiens-toi droit, comme si une ficelle sortant du sommet de ton crâne te tirait vers le haut tout en restant con-cen-tré sur le rythme.*

— Non, pas de question.

Elle serra ma tête un peu trop fort contre son ventre et souffla « Mon Ben », ce qui signifiait qu'elle était triste mais ne voulait pas que je le sache.

— Tu ne peux pas miser ça. C'est ton insigne.

— Bien sûr que si. Cela a de la valeur, non ? C'est de l'or.

— Ce n'est pas de l'or. Et puis qu'est-ce que j'en ferais ? Je le ferais fondre ?

— Non, tu pourrais le porter, Diane. C'est un bijou.

— Ben, je ne vais pas me balader en arborant ton fichu insigne.

— Pourquoi pas ? Tu peux être le nouveau chef.

Elle leva les yeux au ciel.

— Allez, mise de l'argent ou retire-toi. C'est comme ça que ça marche. De la monnaie américaine.

— Le cours légal pour toutes les dettes publiques ou privées, ajouta Bobby Burke.

Le pot se montait à un peu moins de cinquante dollars, ce qui est le top de ce qu'il peut atteindre dans ce jeu. J'avais trois reines ; il ne me restait plus que Diane à battre. Ce n'était pas le moment d'abandonner. Je fis appel à Dick.

— Cet insigne vaut cinquante dollars ou non ? Dis-lui, Dick. Ces trucs coûtent vingt-cinq, trente dollars. Je peux te montrer le catalogue.

— C'est quand tu l'achètes neuf, objecta-t-il.

— Dick, c'est pas une Buick. Peu importe son kilométrage.

— C'est à Diane de voir. Si elle veut le prendre, elle peut.

— Bon Dieu, Dick, t'as rien dans le bide. Tu as peur de Diane ?

— Ouais.

— Diane...

— Non.

— Diane, écoute.

— Non.

— Écoute, si tu le prends, tu peux l'arborer en ville et me faire passer pour un idiot. Qu'est-ce que tu en dis ?

Elle secoua la tête.

— Mise ton froc. Ça, je prends.

— Pas question que je mise mon froc.

— Tu ne dois pas avoir un très bon jeu.
— Ça n'a rien à voir.
— Montre, alors.
— Diane, je ne mise pas mon pantalon.
— Qu'est-ce que tu as d'autre ?
— Rien. C'est tout ce que j'ai.

Elle prit l'insigne et le fit tourner dans sa main en fronçant les sourcils. Je crus un instant qu'elle allait mordre dedans pour vérifier si c'était pas du toc.

— Je prends. Peut-être que je le transformerai en boucle d'oreille ou un truc dans ce genre. Je le porterai en ville comme ça tout le monde saura que t'es un perdant.

Elle le balança dans le pot.

— Ben, demanda Dick, est-ce que cela fait de Diane notre nouveau chef ?

— Elle n'a pas encore gagné, Dick.

— D'accord, mais après ? Est-ce qu'elle sera le nouveau chef ?

— On dirait.

Sa bouche prit un pli profondément soucieux.

Diane posa ses cartes sur la table. Deux paires, rois et sept.

Il me traversa l'esprit qu'il ne me restait plus qu'à me retirer. Poser mes cartes, laisser Diane embarquer le pot et l'insigne. Une fin ignominieuse pour ma carrière dans les forces de l'ordre, mais bon, une fin est une fin. Et puis, je n'ai pas souvent l'occasion de battre Diane. Je posai mes trois reines et tirai le pot vers moi, environ quarante-cinq dollars plus un insigne doré.

— Tu ne m'aurais pas laissé le garder de toute façon, grommela-t-elle.

Je haussai les épaules. *Hé, on ne sait jamais.*

Diane sortit du lit et s'approcha de la fenêtre. Une grande fille callipyge avec une allure de sportive. J'aimais l'observer. Les plantes de ses pieds traînèrent sur le sol. À la fenêtre elle alluma une cigarette et tira distraitement dessus, les bras croisés sur son ventre. Elle paraissait perdue dans ses pensées, sa nudité oubliée, sans rapport avec ce qui l'occupait. Dehors, les collines se détachaient sur le ciel baigné de lune.

— Qu'est-ce qui ne va pas, Diane ? Je me redressai sur un coude.

Elle fit un vague signe de tête mais ne répondit pas. Le bout de sa cigarette trouait la pénombre d'une lueur orange.

— Il ne t'est jamais venu à l'idée que ça, c'est peut-être tout ce que nous connaîtrons jamais ?

— Quoi ? tu veux dire (je remuai un doigt entre nous) ça ?

— Non ! Ça va, Ben.

— Je voulais simplement dire...

— Je sais ce que tu voulais dire. (Elle secoua la tête.) Moi, je voulais dire : et si tout ça c'est tout ce que j'aurai jamais ? Un petit appartement merdique, une petite ville merdique. Cette vie merdique. Ce semblant de vie.

Mon cou commençant à se raidir, je m'assis.

— Tu peux tout changer. Si cet endroit te convient pas, tu peux aller où tu veux.

— Non, toi tu peux aller où tu veux. C'est différent pour toi, Ben. Ça l'a toujours été. Tu as toujours pu aller où tu voulais. Pas moi.

— Bien sûr que si.

— Ben, arrête. S'il te plaît. Je ne te demande pas de me remonter le moral.

— Oh !

Je glissai un œil vers la pendule, deux heures dix-sept du matin.

— Nous ne sommes pas tous comme toi, Ben. Tu as pu choisir. Tu es intelligent, tu as fréquenté une université chic, un lycée chic. Tu t'en tireras où que tu ailles. Tu n'es même pas aussi moche que je le prétends. En fait... (Elle me regarda avant de se retourner vers la fenêtre.) Tu n'es pas si mal.

— Toi non plus.

— Ben voyons.

— Je le pense, Diane.

— Dans le temps peut-être. Maintenant je ne suis même pas mal.

— Ce n'est pas vrai.

Elle rejeta ça d'un geste de la main.

— Ben, dis-moi ce que tu vas faire quand tu vas partir d'ici.

— Rentrer, je pense. J'ai une réunion à Portland demain.

Elle secoua de nouveau la tête, l'image de la souffrance.

— Non, quand tu quitteras cette putain de ville.

— Oh. Je ne sais pas. Je reprendrai mes études, je crois. Peut-être que je partirai à l'aventure quelque part.

— Exact. Prague.

— Tu pourrais venir, tu sais. Rien ne te retient ici.

— Je ne sais pas pour Prague. (Elle glissa une main sur sa hanche, lissant les vêtements qui n'y étaient pas. Un geste pour occuper l'espace. Une fois prête, elle reprit :) Je croyais que tu voulais être professeur. C'est pas dans ce but que tu as fait des études ? D'anglais ou je ne sais quoi ?

— Histoire.

— Tu as un nom qui convient pour un professeur d'histoire. Professeur Benjamin Truman. Très intellectuel.

— Cela ne se produira probablement pas, Diane.

— Mais si.

— Je n'ai même pas terminé ma licence. Il faut bien plus que ça.

— Tu parles comme si tu avais abandonné. Tu as été rappelé ici. C'est différent. Tu es revenu pour aider ta mère et maintenant elle est morte... Tu n'es pas obligé de rester, tu n'as plus de raison d'être ici. Tu devrais reprendre tes études et participer à la vie étudiante. C'est ça, ton truc. (Elle tira sur sa cigarette, contempla les collines puis, comme si elle venait de prendre une décision, se tourna vers moi.) Tu devrais aller à Prague. J'ai un peu d'argent, si c'est ce qui t'arrête.

— Non, Diane, ce n'est pas une question d'argent.

— Bien, alors débrouille-toi pour y aller. Va à Prague, puis reprends tes études. Tu sais ces types – Bobby et Jimmy, même Phil, tous ces mecs –, ils t'admirent. Ils veulent te voir faire toutes ces conneries dont tu parles.

Je n'avais pas de réponse à ça.

— Ça les rendra heureux de te savoir ailleurs. Rien que t'imaginer là-bas, comme si tu volais. C'est important.

— Et toi, Diane ? Cela te rendrait heureuse que je parte ?

— Je m'en remettrais. Il y aura un nouveau chef après toi. Peut-être que je m'en servirai pour le cul, comme avec toi. Peut-être qu'il ne sera pas aussi prude que toi.

— Ils engageront peut-être une femme. Ça arrive maintenant.

— Ce serait bien ma chance.

Le silence s'installa un moment.

— Peut-être que nous devrions arrêter cette histoire, Ben. Cela commence à prendre des allures de mauvaise idée. (Le bout de sa cigarette voletait devant la fenêtre telle une luciole.) On a tous les deux des trucs à faire.

5.

Lundi 13 octobre. Dix heures du matin.

Nous nous réunîmes dans le bureau du procureur de Portland, à deux heures de route de Versailles. L'assistance se composait de vingt à vingt-cinq personnes, un nombre qui nécessita une installation, un peu comme au théâtre. À la tête de la salle – sur scène, quoi – se trouvait l'inspecteur de la brigade criminelle de Boston, Edmund Kurth. Bras croisés, il observait les gens qui cherchaient leur place. Il avait toujours cette intensité lumineuse. On aurait dit qu'il brûlait de faire sauter le chapeau de quelqu'un.

Le public se composait principalement de policiers de l'État du Maine et du Massachusetts, des costauds aux cheveux ras et au sourire amical. Il y avait également des procureurs du bureau du ministre de la Justice du Maine. Cela avait été un long week-end pour les hommes de loi ; ils avaient le teint gris, l'air hagard. Cravish, le présentateur de jeux télé, était planté à l'écart.

Je me glissai dans la dernière rangée de chaises pliantes métalliques, me faisant vaguement l'effet de venir écouter aux portes. Mon invitation à cette réunion n'était qu'une formalité, une courtoisie à l'égard de la police locale. Aucune illusion là-dessus. Mon boulot était de me déplacer, de pointer et de rentrer chez moi. Je n'avais même pas pris la peine de revêtir mon uniforme. Je portais un jean et un sweat. (La tenue était plus qu'une expression de mon statut d'outsider. En vérité, l'uniforme de la police de Versailles est dans le plus pur style péquenaud et j'essaie de ne pas l'arborer plus que nécessaire. Il se compose d'une chemise beige, d'un pantalon marron avec une rayure beige sur le côté, et d'un chapeau ridicule du genre Smokey l'ours, que mon père tient à qualifier de « chapeau de campagne ». Je déteste l'ensemble, mais surtout le chapeau – comment exiger d'un citoyen qu'il respecte un policier affublé d'un couvre-chef pareil !)

Kurth s'efforça de rester immobile pendant que les policiers de l'État et les procureurs s'installaient. Les muscles de son visage frémissaient sous sa peau. Au bout d'un moment – avant que le public n'ait fini de s'asseoir – il en eut marre d'attendre. Il s'approcha d'un tableau en liège à gauche de la scène, y fixa des photos de l'identité judiciaire et annonça :

— Voilà l'homme qu'on cherche : Harold Braxton.

Je me dévissai le cou pour voir les classiques clichés anthropométriques montrant le suspect de face et de profil. Afro-américain, Braxton semblait être âgé d'une vingtaine d'années. Il avait les cheveux rasés sur les côtés et ce qui en restait sur le sommet du crâne était réuni en une petite touffe. Un style plus tibétain que hip-hop. Une peau lisse et aussi sombre que celle d'un phoque.

— C'est une vraie bête sauvage et nous allons le traquer, ajouta Kurth.

Le public s'agita, mal à l'aise. Kurth n'était pas du coin et les gendarmes du Maine n'appréciaient pas qu'il vienne leur faire la leçon, encore moins qu'il leur dicte leur conduite. Son ton mélodramatique fit lever quelques yeux au ciel ; même parmi les types du Massachusetts.

— Vous avez des preuves ? finit par demander un homme plus âgé. Ou devons-nous vous prendre au mot ?

Il eut un sourire suffisant, fier de son sarcasme.

Kurth esquissa un sourire qui mourut sur ses lèvres.

— Des preuves.

Il s'approcha de sa serviette, en sortit une épaisse chemise en kraft, fouilla dedans, en tira des photos, puis retourna au tableau en liège. D'abord un cliché en couleurs du visage mutilé de Danziger, dont l'œil droit et le front disparaissaient sous un pâté de sang séché.

— Notre victime, Robert Danziger. (Il ajouta deux rangées

de photos semblables.) Vincent Marzano. Kevin Epps. (En prononçant chaque nom, Kurth enfonçait une punaise dans le cliché correspondant.) Theo Harden. Keith Boyce. David Huang.

Les victimes étaient toutes jeunes, âgées d'une vingtaine d'années. Marzano était blanc, Huang asiatique, les autres noirs. Tous portaient la même tache sombre sur une moitié du visage. Les traits de Harden étaient flous sous le sang.

— Ils ont tous reçu une balle dans l'œil tirée par une arme de gros calibre, genre .44, nous informa Kurth. C'est sa signature. (Il s'appuya à l'une des tables. Il voulait avoir l'air détendu, mais il ressemblait davantage à une planche posée contre le mur d'une grange.) Harold Braxton dirige un gang qui s'appelle le Mission Posse. Ils trafiquent pas mal dans la poudre, se font un paquet de fric et ils sont pratiquement prêts à tout pour défendre leur bizness. Tous ces types (il désigna les photos) ont menacé le turf de Braxton d'une manière ou d'une autre. Certains coopéraient avec la police. D'autres ont essayé de se faire leur trou dans le quartier de Braxton.

— Pourquoi une balle dans l'œil ?

— C'est un message. À Mission Flats tout le monde comprend. Ça veut dire, fermez les yeux, ne regardez pas ce que nous faisons. (Kurth fixa le type qui l'avait asticoté quelques instants avant.) Voilà ce qu'on appelle des preuves.

— Et Braxton n'a jamais été poursuivi ?

— Personne ne parle.

— Mais pourquoi Danziger ? demanda un des policiers de l'État.

— Bob Danziger avait une affaire en cours contre un membre du gang de Braxton : vol de voiture à main armée. Rien d'extraordinaire sinon que le prévenu était le second de Braxton. Le procès devait commencer il y a deux semaines, début octobre, ce qui est à peu près l'époque où Danziger a été assassiné. Voilà votre mobile – pas de procureur, pas de procès pour le pote de Braxton. Braxton protège les siens.

— Pourquoi le tuer dans le Maine ? demanda l'un des procureurs.

— C'est là que Danziger se trouvait quand ils lui ont mis la main dessus. En vacances, apparemment.

— Ce ne sont que des preuves indirectes, lança quelqu'un.

— Bien sûr, fit Kurth en haussant les épaules. C'est un homicide ; le témoin le mieux placé est mort.

Cravish se frotta le menton et fronça les sourcils.

— Je ne suis pas convaincu, inspecteur Kurth. Pourquoi un dealer irait-il assassiner un substitut du procureur ? Cela ne tient pas debout. Il y en aura toujours un autre pour le remplacer, etc. Le gouvernement est le gang le plus puissant. Pourquoi lui déclarer la guerre ? En plus, j'ai déjà poursuivi des types comme ça. Ils ne considèrent pas le procureur comme un ennemi. Ça se passe entre pros, ils le savent.

Le présentateur était fier d'annoncer qu'il avait poursuivi de gros bonnets. Une expression dédaigneuse passa sur son visage.

— Monsieur Cravish, répondit Kurth d'une voix traînante, je ne pense pas que vous ayez jamais poursuivi quelqu'un comme Braxton.

— Oh, mais si, j'en suis certain.

— Vraiment ?

De sa serviette, Kurth tira deux nouveaux clichés qu'il punaisa sur le tableau à côté des autres. Le premier représentait un homme à l'air jovial avec une barbe orange. Le second était plus difficile à identifier. Il représentait un objet sombre accroché au bout d'une corde au-dessus d'une allée défoncée. Cela aurait pu être un sac à linge.

— Qu'est-ce que c'est que ce truc ? s'exclama un gendarme.

Kurth, pensant que la question faisait référence à l'homme à la barbe – ou du moins faisant semblant –, désigna la première photo :

— Voici Artie Trudell. Il était flic. Il y a environ dix ans Trudell a participé à une descente dans les Flats. Braxton était coincé dans un appartement. Comme il était piégé, il a fait exploser la tête de Trudell. Il a tiré une fois à travers la porte d'entrée, tuant Trudell, puis il s'est enfui par une porte de derrière.

Il y eut un silence. Par respect pour le flic tombé, tout le monde hésitait à réclamer des éclaircissements à propos du second cliché.

— Et ça, là ? finit par hasarder quelqu'un. Qu'est-ce que c'est ?

— Un chien, répondit Kurth.

L'image devint claire – la carcasse d'un animal suspendu par les pattes arrière. La tête du chien était cachée par un bout de peau qui pendait de sa nuque comme la cape de Superman. Pour on ne sait quelle raison, cette photo paraissait plus macabre que les autres, dont les sujets étaient simplement humains.

— Braxton et son gang possédaient un pit-bull. Comme ils voulaient voir à quel point il pouvait être mauvais, ils ont attaché ce chien avant de lâcher le pit-bull dessus. Voilà ce qu'il en est resté.

— Mais... pourquoi ?

— Pourquoi ? (Kurth secoua la tête.) Parce que Braxton est une putain de bête sauvage, voilà pourquoi.

Il y eut un frémissement dans la salle. L'assistance était visiblement mal à l'aise.

Kurth nous fixa de son regard reptilien.

— Écoutez-moi, vous pouvez toujours lever les yeux au ciel, mais c'est ce que font des mecs comme Braxton. Pourquoi ? Il n'y a pas de pourquoi. C'est comme si on demandait : pourquoi les requins dévorent-ils les nageurs ? ou pourquoi les ours bouffent-ils les randonneurs ? C'est ce que font les prédateurs. Ce type est un prédateur.

Kurth retira les photos une à une et les rangea dans sa serviette. Puis il s'interrompit pour partager une réflexion philosophique, ou du moins la pensée la plus philosophique qu'il ait jamais émise.

— Le système n'est pas conçu pour gêner un type comme ça, qui tue sans même y penser. Le système suppose que le crime est logique, que les gens agissent par choix. Nous construisons donc des prisons pour les dissuader ou bien nous proposons des programmes pour les réhabiliter. La carotte et le bâton, pour que tous ces gens fassent le bon choix. Le système n'est pas adapté à un Harold Braxton, parce qu'il ne se soucie pas des conséquences. Il ne choisit pas de tuer ; il tue, c'est tout. Il ne réfléchit pas. Il s'en fiche. Il n'y a donc qu'une chose à faire avec lui : l'éliminer de la circulation. Nous le savons tous autant que nous sommes.

L'assistance, flics et avocats, tiqua devant la franchise de Kurth – la police parce qu'il n'y avait pas de distance ironique en l'occurrence, rien du cynisme tranquille dont se drapent les flics lorsqu'ils sont confrontés aux risques réels de leur job ; les avocats parce que Kurth ne partageait pas leur malaise de bon aloi en réclamant qu'on retire Braxton de la circulation. Kurth était trop franc. Pourtant personne ne souleva d'objection. Aucun de nous ne voulait être intimidé par Edmund Kurth, l'homme des plaines, mais nous l'étions.

Après la réunion, Kurth s'approcha de moi et me tendit quelques photos d'identification, dont celles de Braxton. Il me demanda de les montrer à Versailles, pour trouver un témoin susceptible de situer Braxton dans le coin. Cette requête fut délivrée dans le plus pur style Kurth : les dents serrées, le corps penché en avant, les petits muscles de son visage jouant visiblement sous sa peau. Le plus troublant, c'était son habitude de vous fixer sans jamais ciller. Je détournai le regard dans l'espoir d'échapper au sien mais il me fixait toujours.

Étonnamment, malgré toute cette tension, Kurth dégageait une étrange séduction. Il était comme possédé d'une détermination magnifique. Avec le recul, je vois bien que ce n'était rien d'autre que la franchise d'un homme convaincu que sa cause était juste – coincer Braxton –, mais à l'époque il donnait l'impression qu'on l'avait mis dans une confidence. Pour Kurth, toutes les tergiversations morales qui sous-tendent le travail de la police – la criminalité n'est pas assimilable au mal ; le système de justice criminelle peut être pire que le crime qu'il est censé guérir ; conclusion, le travail de la police en soi est une entreprise ambiguë sur le plan moral –, tout cela était balayé par la malveillance écrasante de Harold Braxton. Braxton était le mal, donc Kurth devait forcément être le bien. Aussi simple que ça. C'était ce grand raccourci moral qui permettait à Kurth de s'exprimer par absolus. Braxton n'était pas seulement perturbé ou désespéré, ni atteint d'un quelconque trouble du comportement ; il se réduisait à une bête sauvage, une menace à détruire. Je doute que Kurth ait jamais compris que c'était justement à Braxton qu'il devait son art de la simplification. En fait, je doute que Kurth se soit jamais soucié de complexités morales. Mais sans Braxton, Kurth n'aurait pas eu ce sentiment de partir en croisade. Il aurait été Achab sans Moby Dick, sans monstre à pourchasser.

Je fis ce que Kurth avait demandé. Je montrai les clichés

dans Versailles pendant les deux jours suivants. Je ne savais pas trop si j'avais envie de trouver un voisin capable de témoigner contre Braxton et je fus soulagé quand personne à Versailles ne reconnut sa photo. Je procédai également à une vérification sur la victime, avec un succès limité. Certains se rappelaient avoir parlé avec Bob Danziger, d'autres reconnurent sa photo. Mais aucun des locataires de septembre des bungalows du lac, rentrés à présent chez eux à New York et dans le Massachusetts, ne se souvint d'un fait précis au sujet de Danziger. Et personne n'avait une idée du temps que le corps avait passé à se dessécher dans le bungalow fermé à clé, bien que le bureau du procureur l'évaluât plus tard à deux ou trois semaines. Finalement mon enquête ne déboucha sur rien. Selon toutes les apparences, Robert Danziger n'avait aucun lien avec Versailles. À croire qu'il y était venu dans le seul but d'y mourir.

Mais j'étais accro quand même. Accro au récit de Kurth comme à celui que je composais dans ma tête, ma propre version de Harold Braxton, le superprédateur urbain. Je rangeai son cliché d'identification dans le fichier, et les jours suivants, je me surpris à l'étudier, tentant de découvrir des indices du matériau prédateur mortel que Kurth avait décrit. En vain. Sur la photo, Braxton paraissait plutôt inoffensif. Il n'avait pas pris la pose. Au contraire, il semblait passif, voire endormi. En un mot, il avait un aspect ordinaire, ce qui ne faisait qu'ajouter à ma fascination : comment Harold Braxton – l'animal à abattre de Kurth – pouvait-il paraître aussi banal ? Peut-être est-ce toujours le cas. Nos méchants nous déçoivent toujours. Ils n'ont jamais la tête de l'emploi. Vous vous souvenez des vieilles photos d'actualité d'Eichmann assis dans ce tribunal de Tel-Aviv, clignant les yeux derrière des verres épais tel un horloger à moitié aveugle ? « Quelle déception », s'était exclamé tout le monde. Quelle « banalité ». Nous attendons de nos monstres qu'ils en jettent davantage.

6.

Pendant ces premiers jours angoissés, le bungalow du lac Mattaquisett resta sous bonne garde vingt-quatre heures sur vingt-quatre. Dick et moi, avec deux autres agents, nous sommes partagé la tâche par roulement pour que personne ne fasse le guet deux nuits de suite. Il n'y avait pas grand-chose à faire sur place, il faut bien l'avouer, surtout la nuit. Une fois, des mômes ont descendu la route d'accès pour faire demi-tour dès qu'ils ont aperçu la Bronco de la police garée devant. C'est à peu près tout. Il n'y avait pas foule pour contaminer cette scène de crime – Cravish ne se ferait pas O.J. Simpsonifier cette fois. Je n'étais pas un très bon garde de toute façon. J'avais tendance à passer le plus clair de mon temps au bord de l'eau, à écouter le clapotis et le murmure à mes pieds ou à fixer les endroits nus dans les arbres en face.

Nous autres Versaillais n'avons que quelques mois pour profiter de notre lac. L'été, nous sommes trop occupés à gagner douze mois de revenus en douze semaines. L'hiver, le lac gèle et se couvre de neige. Il ne reste que cette poignée de précieuses semaines où le lac est là rien que pour nous. Fin octobre, début novembre, c'est une période magique. La saison des feuilles est finie. La profusion de feuillage rouge et jaune s'est évanouie et ses admirateurs sont partis pour le sud du Vermont, le New Hampshire et le Massachusetts en quête de « couleurs ». L'air commence à sentir l'hiver. L'eau est bleu silex. Le lac n'appartient qu'à nous, brièvement.

Pendant ces longues gardes silencieuses, mes pensées se

tournèrent inévitablement vers ma mère. Je la voyais nager, les bras tournant telles les ailes alanguies d'un moulin, s'éloigner vers le milieu du lac où la balise blanche de son bonnet s'évanouissait parmi les ombres étincelantes des nuages qui glissaient sur l'eau et au-dessus des arbres.

Elle nageait dans le lac pratiquement tous les jours de mai à fin septembre. Et ce n'était pas un mince exploit. Au début du printemps, le lac Mattaquisett est suffisamment froid pour vous faire crever d'une attaque. Plaisanter à propos de la température de l'eau (et, entre hommes, sur son effet sur les parties génitales) est un rite de printemps par ici. Mais maman n'avait peur de rien. Elle plongeait comme une otarie et nageait comme un poisson. Son corps glissait sur la surface, sans friction, à l'aller et au retour, traversant le lac à l'endroit resserré de sa forme de sablier. On voyait qu'elle était fière de son style, de ce naturel acquis au prix d'heures de dur labeur dans la piscine de son adolescence. Elle sortait de l'eau radieuse et, entre deux respirations rauques, défiait tous ceux qui se présentaient : « Qui fait la course avec moi ? »

C'est pour elle que je suis revenu à Versailles. J'ai dit que j'étais piégé ici, mais ce n'est pas vrai. J'ai choisi de revenir et, même avec le recul, même en sachant à quoi mènerait cette décision, je recommencerais. C'était un choix qui n'en était pas un, mais il a été simple à faire malgré tout.

En décembre 1994 – pas tout à fait trois ans avant le meurtre Danziger –, j'étudiais l'histoire à l'université de Boston. Je n'étais qu'en deuxième année de licence, mais tout pour moi tournait autour du monde universitaire. Je n'avais pas tardé à me joindre à la lutte à mort que se livrent tous les étudiants de ce diplôme pour décrocher les objectifs habituels : bourses et publications. Le Graal ultime, un poste de prof en voie de titularisation, était une obsession – une preuve du chemin parcouru depuis Versailles, Maine. Rien d'autre ne paraissait compter. Je vivais dans un appartement en sous-sol à Allston, un appartement horrible même au regard des critères d'un étudiant – crasseux, froid, humide. Avec une unique fenêtre au niveau du trottoir offrant une vue imprenable sur les jeux de jambes des passants. Une tache d'humidité courait le long de la moitié inférieure du mur tel un lambris, vestige d'une ancienne inondation. J'avais aussi une petite amie, une étudiante boursière en doctorat du nom de Sandra Lowenstein. Elle était jaunâtre et mince comme un oiseau en décembre. Sandra, qui parlait beaucoup de Gramsci et de Marx, arborait des lunettes à lourde monture noire pour bien montrer son engagement vis-à-vis de la cause. Peut-être sortait-elle avec moi pour les mêmes raisons : une sorte de sacrifice corporel au *lumpenproletariat* du coin paumé qu'est le Maine. Ce qui me convenait très bien parce que j'avais fait une croix sur mon passé de prolo. J'en étais sorti. La grosse dionée ne m'avait pas eu finalement. Versailles se résumait à un souvenir, une histoire pittoresque que je raconterais un jour à mes amis autour d'un cocktail à Cambridge, Newhaven ou ailleurs.

À ce moment-là, je soupçonnais déjà ma mère de souffrir de la maladie d'Alzheimer. Maladie peut-être difficile à diagnostiquer, notamment dans des cas précoces comme le sien. Les symptômes imitent à la perfection les effets prosaïques ordinaires du vieillissement – oubli, exemples banals de confusion. Mais finalement les signes devinrent trop visibles pour qu'on puisse les ignorer. À l'automne 1994, papa m'appelait toutes les semaines pour se plaindre d'elle. Elle avait laissé les lumières ou le four allumés toute la nuit. Elle avait vidé le réservoir de la voiture en oubliant de couper le moteur, ce qui l'avait obligé à repartir au poste afin d'y remplir un jerrican. Exaspéré, il me répétait : « Ta mère n'est plus là. »

Je comprenais non sans parvenir à minimiser la chose. Ou du moins à compartimenter, pour reprendre l'euphémisme. (On compartimente pour ne pas dire on ignore.) Peut-être était-ce juste une manifestation de l'égoïsme d'un gamin de vingt ans et des poussières qui ne supportait pas qu'on tente de le tirer du cocon de la vie estudiantine, mais, plus certainement, cela tenait au fait que je ne pouvais accepter que maman ne soit « plus là ». Les comptes rendus de papa ne collaient pas avec mon image d'Annie Truman qui, à mes yeux, était toujours et bien là.

Mais à mon retour pour Noël cette année-là – après une absence de six mois –, la réalité de la chose, le glissement, me sauta au visage.

Au début les changements ne me frappèrent pas. À voir ma mère, vous n'auriez rien remarqué de manifestement déplacé.

Elle restait une femme élégante, mince sans efforts et « soignée » (son expression, pas la mienne). Elle arborait des lunettes neuves griffées, pour lesquelles elle avait effectué deux fois le long voyage jusqu'à Portland, le premier pour les commander, le second pour aller les récupérer. Son regard bleu vif n'avait pas pâli. Son visage, lui, était un peu plus marqué par l'âge. Elle avait la peau tirée sur les pommettes. Pourtant elle était toujours extraordinairement jolie.

Puis je notai de petites différences subtiles. Elle parlait moins et résistait à toute tentative de conversation. Elle semblait avoir décidé que parler risquait de la plonger dans l'embarras et que le plus sûr était d'en dire le moins possible. Il lui arrivait d'avoir des trous de mémoire, rien de choquant, mais cela lui ressemblait peu. (Tous les matins elle m'accueillait d'un « Ben ! » comme si elle s'étonnait de me voir à la maison.) En outre, on la sentait éteinte et ailleurs, ce qui surprenait parce que jamais de sa vie Anne Truman n'avait été ni éteinte ni ailleurs, loin de là.

Comme l'université est pratiquement fermée pendant les vacances, je passai plusieurs semaines à la maison en ce mois de décembre. La coutume familiale voulait que je travaille comme intérimaire au poste, mais mon vrai boulot consistait à veiller sur maman. À ce moment-là, Claude Truman en avait pratiquement soupé de sa femme. Dès le départ, il s'est montré spectaculairement peu doué pour s'occuper d'un malade atteint de l'Alzheimer. Il était toujours le Chef, approchant de la fin de son règne glorieux, flottant sur un galion d'autosatisfaction. Suis-je trop méchant en l'occurrence ? Peut-être. La maladie d'Al impose un fardeau au conjoint et peut-être n'est-il pas raisonnable d'exiger de chacun d'être à la hauteur du défi. Disons que Claude avait toujours été capable de se nourrir de l'intérieur et maintenant il ne pouvait tout simplement pas comprendre comment sa femme, qui avait jadis eu le même talent, était mystérieusement devenue aussi vorace.

Ainsi pendant quelques semaines, revêtu d'un uniforme, je jouai les gardes du corps d'Annie Truman, un arrangement assez heureux. Je m'initiai aux diverses stratégies improvisées par papa pour la protéger. La maison disparaissait sous les post-it jaunes – VÉRIFIER FOUR, ÉTEINDRE LES LUMIÈRES, CLÉS SUR LA TABLE DU TÉLÉPHONE – et je me mis à ajouter mes propres post-it plutôt que de harceler maman, ce qui blessait son amour-propre léonin. Pour l'empêcher de vagabonder, je l'emmenais faire de longues promenades chaque matin et chaque après-midi jusqu'à l'épuiser. On me suggéra même d'installer une seconde serrure sur toutes les portes de la maison, à verrouiller de l'intérieur. Pas question. Cela sentait trop l'emprisonnement. Mais je cachai les clés de la voiture, au cas où.

Les moments les plus durs se produisaient pendant de simples conversations.

— Est-ce que tu as...

— Est-ce que j'ai quoi, maman ?

— Peu importe. Ce n'est pas important.

— Non, de quoi s'agit-il ?

— Je ne sais pas – je n'arrive pas...

— Continue, maman, ça va. Est-ce que j'ai quoi ?

— Ben.

— Oui.

— Qu'est-ce que tu...

— Je suis à l'université, maman.

— Bien sûr. Bien sûr je le savais.

Chercher ses mots la rendait particulièrement furieuse. Elle ne cessait de s'interrompre au beau milieu d'une phrase, incapable de retrouver le terme dont elle avait besoin. Si nous marchions, elle s'immobilisait et fixait ses pieds, les poings contre son front, pendant qu'elle se creusait la tête en quête des outils manquants. J'appris à ne pas lui souffler de suggestions, parce que cela la contrariait encore plus. « Chut ! Chut ! » sifflait-elle en levant une main pour m'arrêter.

Malgré tout, j'avais toujours l'intention de rentrer à Boston à la fin de mes vacances. Je me persuadai que la maladie de l'oubli n'était qu'un simple désagrément. Elle n'en était encore qu'à une phase précoce (elle n'avait que cinquante-six ans) et Annie Truman surmonterait cette phase comme elle avait surmonté tout le reste.

Il fallut une catastrophe pour m'ouvrir les yeux.

Le 24 décembre 1994 fut une journée extrêmement froide. À huit heures du matin, le thermomètre affichait moins quinze. Le ciel était gris et bas, avec un vent cinglant. La neige craquait sur le toit, dans la cour, sur les branches des arbres.

Ce matin-là, vu le temps, on annula la promenade. Vers

onze heures, Dick Ginoux téléphona pour dire qu'on improvisait une fête de Noël au poste. Sandwichs et bière (jus d'orange sans sucre pour le Chef). Je déclinai l'invitation, mais maman insista : « C'est la veille de Noël, Ben. Va donc t'amuser pour une fois. » La température extérieure avait grimpé de quelques degrés, pourtant il faisait tellement moche que je détestais l'idée de la laisser seule à la maison. Mais ce ne serait que pour une heure ou deux. « Je ne suis pas une enfant », m'assura-t-elle.

À mon retour vers deux heures, la maison était silencieuse. J'appelai sans obtenir de réponse. La chambre de maman était vide, le lit fait à la perfection.

Pour ne pas céder à la panique, je me persuadai qu'elle avait dû s'égarer dans la maison. Une fois je l'avais trouvée debout dans le couloir, se demandant quelle porte donnait sur sa chambre ; peut-être était-elle en proie au même trouble. Mais faire le tour de la maison ne fut qu'une perte de temps. Son manteau, son chapeau et ses mitaines en laine avaient disparu.

Dans le jardin, je criai son nom.

Pas de réponse. Le vent sifflait à mes oreilles.

Mon anxiété se transforma en terreur.

Comment avais-je pu la laisser ? Quel imbécile je faisais !

Je criai son nom. Le froid avalait mes appels. Pas de traces. Elle avait peut-être emprunté la route qu'on venait de dégager.

Ou alors elle était partie dans la forêt qui borde notre petite rue. On a l'impression qu'un bras invisible écarte le rideau d'arbres pour révéler notre demeure blottie dans son ombre. Elle pouvait être n'importe où dans ces bois.

Quel imbécile je faisais !

Je téléphonai au poste. Personne en ville ne l'avait vue. En moins de quelques minutes, vingt types, puis cinquante partaient à sa recherche.

— Tout ira bien, Ben, me dit papa.

— Le soleil se couche à cinq heures.

Pourquoi n'avais-je pas insisté pour une promenade ce matin ? Nous aurions dû marcher jusqu'à l'épuisement.

Je fonçai dans les bois que nous parcourions régulièrement et que ma mère arpentait depuis toujours. Au milieu des arbres, il faisait sombre, mais le froid paraissait plus supportable à l'abri du vent. À force de courir en criant son nom, je me retrouvai bientôt avec un maillot de corps moite de sueur.

Pas de réponse. Juste le crissement de mes bottes dans la neige.

Je portais une radio à la ceinture. De temps à autre un homme m'appelait pour signaler que maman restait introuvable.

Je suivis tous les sentiers familiers. D'autres hommes cherchaient non loin. J'entendais leurs cris « Annie ! » et les miens, plus affolés, « Maman ! ». La lumière s'assombrit à l'approche du crépuscule.

Il était impensable qu'elle puisse mourir de cette façon. Qu'une existence aussi remarquable connaisse une fin si abrupte et stupide.

Je sillonnai la forêt pendant deux heures, à travers les pins plantés aussi serrés que des cheveux sur un immense cuir chevelu. La nuit tombait. Je me dis que c'était stupide de courir ainsi en criant comme un fou au milieu des arbres. Il vaudrait mieux organiser les recherches. Qui dirigeait les opérations ? Ils ne se rendaient donc pas compte ? Ces bois s'étendaient sur des kilomètres dans toutes les directions, en s'épaississant jusqu'à devenir impénétrables. Nous ne la retrouverions jamais en nous fiant au hasard.

Je m'arrêtai pour réfléchir. Où allions-nous nous promener ? Où irait-elle ?

Réfléchis.

Je commençais à mesurer la signification de la maladie d'Alzheimer. Derrière ce nom teuton austère se dissimulait un risque mortel. Elle s'était *égarée*, au sens clinique du terme ; elle avait été victime d'une *catastrophe.*

Maîtrise tes émotions. Où irait-elle ?

Un merle voleta entre les branches.

Elle irait vers le lac. J'en eus soudain la certitude écrasante. Elle suivrait la route jusqu'au lac Mattaquisett, attirée par quelque souvenir d'un été disparu – un engramme non encore effacé, une nano-pensée survivant tel un arc de courant électrique qui franchit une synapse abîmée quelque part. Le lac, *son* lac. S'il n'avait pas fait si froid, si nous n'avions pas été à la veille de Noël, les routes n'auraient pas été aussi vides et quelqu'un l'aurait vue marcher. Elle aurait été repérée par le radar de la petite ville et sa position n'aurait jamais été un mystère pour personne. Mais elle n'avait pas choisi un bon jour pour vagabonder.

Je remontai le sentier au pas de course, frôlant les doigts des arbres.

Vers la maison, la voiture.

Au volant, je sentis cette certitude grandir en moi. Elle était là-bas, je le savais. Je fonçai sur la Post Road. J'étais un policier, un vrai cette fois, se précipitant vers une urgence.

Au crépuscule, je la trouvai recroquevillée sur la route en terre qui fait le tour du lac. Les « chics types » l'empruntent pour rejoindre leur location d'été. En hiver elle est abandonnée et suffisamment éloignée de la maison pour que personne ne songe à la chercher là-bas. Personne ne pensait qu'elle pouvait marcher aussi loin.

Je m'agenouillai pour la soulever. Elle tremblait de tous ses membres. Elle croisa ses bras sur sa poitrine pour que je puisse la serrer contre moi. Elle avait les lèvres bleues, le regard terrifié.

Dans la pénombre, l'eau paraissait noire. Ce lac avait été le décor de tant de joyeuses journées ensoleillées. Il était sinistre à présent. Profond, glacial, primal.

Je la portai jusqu'à la voiture pour la réchauffer. Sa joue contre la mienne avait une consistance de caoutchouc froid.

— Je... je me suis perdue.

Sa mâchoire tremblait, elle avait du mal à articuler.

— Maman, tu as emprunté cette route dix mille fois.

— Je me suis perdue.

Je compris qu'elle sous-entendait davantage. Elle ne voulait pas dire qu'elle s'était perdue, ni même qu'elle avait frôlé la catastrophe. Elle venait d'avoir un aperçu du cours effroyable de sa maladie. La maladie n'était plus théorique. Inéluctablement, tout ce qu'elle avait jamais appris s'effacerait ; elle ne saurait plus ni mâcher, ni avaler des aliments, ni s'exprimer. Puis arriverait la fin quand son cerveau perdrait sa capacité de réguler les fonctions corporelles essentielles, quand elle serait clouée au lit et mourrait des maladies courantes chez les grabataires – crise cardiaque, infections, malnutrition, pneumonie. Par bonheur – et ce fut un bonheur – ma mère mourut avant de connaître l'étendue des dégâts causés par l'Alzheimer. Mais elle avait vécu des épisodes sans doute plus terribles – notamment en cette veille de Noël, alors qu'elle gisait tremblante sur la route glacée –, elle avait compris qu'elle finirait ainsi, que son cerveau avait commencé à s'encombrer de plaques et d'enchevêtrements fibreux, que ses neurones avaient commencé à mourir par dizaines de milliers, à s'éteindre telles les lumières d'un bateau en train de couler. Elle serait dépouillée. Son corps, sans cerveau, continuerait à fonctionner pendant des années, voire des décennies. Elle deviendrait balbutiante, démente, incontinente. Une folle.

— Qu'est-ce... que je vais faire ?

— Je ne sais pas, maman.

Quand papa arriva quelques minutes plus tard, il ouvrit la portière du passager à la volée comme s'il voulait l'arracher de ses gonds. Il enfouit sa tête au creux de son cou et l'embrassa en marmonnant : « Jésus, Annie. Jésus. »

Le lendemain matin, j'abandonnai l'université et entrai dans la police de Versailles.

7.

Il devenait inévitable que je jette un coup d'œil dans le bungalow. Il représentait une tentation constante, enrubanné qu'il était de jaune vif tel un gros cadeau attendant d'être ouvert. Les présentateurs de jeux télévisés avaient déjà fondu dessus comme un essaim de guêpes et emporté tout ce qui était vaguement pertinent. Quel mal y avait-il à jeter un petit coup d'œil ? Je cédai, finalement, par un mercredi après-midi ensoleillé, le 15 octobre.

Bien sûr, comme j'avais moi-même brisé la serrure lors de ma découverte du corps, je n'eus aucune difficulté à arracher le ruban et à pousser la porte. La puanteur aigre m'agressa les narines mais ne m'obligea pas à partir en titubant dans les bois pour vomir, comme quatre jours plus tôt. Les techniciens avaient travaillé à l'intérieur. Il y avait des trous dans le plancher à la place des planches sciées et emportées pour analyse. La position du corps était signalée non par une silhouette tracée à la craie, mais à l'aide de petits cônes, probablement dans le but de préserver la surface en dessous. Une fois mes yeux habitués à l'obscurité, je vis les éclaboussures de sang. Du sang partout, une quantité incompréhensible, un flot de sang, trop pour provenir d'un seul corps. D'autres taches souillaient les murs, dues aux poudres servant à révéler les empreintes et les mouchetures de sang cachées. Quelque part dans l'ombre un insecte bourdonnait par à-coups, tel un petit avion rencontrant des problèmes de moteur.

Je fis le tour des lieux en prenant soin de ne déranger ni les cônes ni les marques. Tant que vous n'avez pas vu une scène pareille, vous ne pouvez pas imaginer la quantité de liquide que contient une tête humaine. Celle de Danziger avait explosé tel un ballon rempli d'eau. Près du corps, le sol disparaissait sous une immense tache ovale sombre. Laquelle était cernée de grosses éclaboussures, puis de larmes bien dessinées. Au-delà, le sang n'était plus qu'une brume sur le mur. De délicates microgouttes. Je levai un doigt pour les toucher, pour sentir les minuscules bosses de braille qu'elles formaient.

— Hum, hum ! Je m'abstiendrais si j'étais vous, fit une voix derrière moi.

À un centimètre du mur éclaboussé de sang, ma main se figea.

En me tournant, je découvris un homme très grand et efflanqué planté sur le seuil. Dans le contre-jour, il était difficile de distinguer ses traits. Il portait une veste en flanelle et une casquette qui lui donnait des allures de docker, un de ces durs qui tabassent Brando dans *Sur les quais.*

— Ça va. Je suis flic.

— Peu m'importe que vous soyez J. Edgar Hoover. Vous touchez ce sang, vous altérez le lieu du crime.

— J. Edgar Hoo... je n'ai touché à rien.

— Touché à rien ? Mon gars, vous marchez là-dedans comme à la parade. Vous n'avez pas la moindre idée de ce que vous avez dérangé.

Je revins sur mes pas avec le même soin exquis que j'avais pris pour entrer dans le bungalow.

— Ne renversez rien, conseilla le géant, peu impressionné.

— Je m'appelle Ben Truman, lui dis-je dans la cour jonchée d'aiguilles de pin. Je suis le chef de la police d'ici.

— Eh bien, Ben Truman, vous ne resterez pas longtemps chef si vous continuez dans cette voie. On ne vous a donc rien appris à l'école ?

— L'histoire.

— L'histoire. Ah.

Nous nous tûmes tous les deux en songeant à l'inutilité de ma formation.

— Vous cherchiez quelque chose ?

— Je voulais juste jeter un coup d'œil. Ça va. Je suis flic moi aussi.

— Vous travaillez sur cette affaire ?

— Non, non. Ça me démangeait, c'est tout.

— D'accord. Mais n'entrez pas. Nous ne sommes pas à la parade, vous savez.

Du seuil du bungalow, il examina la pièce. Les mains toujours fourrées dans les poches de sa veste. Au bout d'une minute ou deux, il vira brusquement sur lui-même, me remercia et s'éloigna.

— Une minute ! Hé, attendez ! Vous avez fini ? Je croyais que vous vouliez jeter un coup d'œil.

— Je viens de le faire.

— Mais vous ne pouvez rien voir de là.

— Mais si, Ben Truman.

Il m'adressa un petit clin d'œil et tourna les talons.

— Attendez une seconde. Vous avez fait tout ce chemin rien que... Qui êtes-vous d'ailleurs ?

— Je vous l'ai dit, je suis policier. Plus exactement un policier à la retraite. Mais comme on dit, un policier à la retraite, c'est comme une pute à la retraite – elle peut arrêter de travailler mais elle ne cessera jamais d'être une putain. Nous serons toujours des policiers, vous et moi. C'est la nature du boulot, Ben Truman.

Il était là, les mains dans les poches, à attendre la question suivante.

Mais la plaisanterie – dont la sagesse comme l'humour m'échappaient – m'avait distrait, de même que son emploi du terme archaïque de policier. Quand *policier* avait-il été viré de la langue au profit de l'antiseptique mais neutre *agent de police* ou le terme argotique vaguement irrespectueux de *flic* ? Ce mot de policier appartient à un passé plus prosaïque – le gentil à la tunique aux boutons de laiton, voilà ce qu'on appelait un policier. Mais cet homme avait utilisé ce terme tout naturellement. Il était plus âgé, soixante-cinq ou soixante-dix ans, et j'eus le sentiment qu'il devait utiliser d'autres anachronismes.

— Eh bien, bonne chance.

Il pensait manifestement que c'était mon affaire. Une méprise bienvenue sur le moment. Flatteuse. Mais je savais que je n'avais qu'une vague idée du travail d'un inspecteur de la criminelle. Et si ce type était un inspecteur... pourquoi ne pas le lui demander ?

— Qu'est-ce que vous avez vu là-dedans ?

Son visage enregistra le fait que je n'étais pas inspecteur de la criminelle ni une autre espèce d'inspecteur. Il fronça les sourcils. Qui qu'il fût, il n'était pas venu pour prendre un novice en main.

— La même chose que vous. Sauf que je n'ai pas marché dedans.

— Je n'ai marché sur rien. De toute façon, il n'y avait rien à voir.

— Rien à voir ? Alors dites-moi, que s'est-il passé ici ?

— Un type s'est fait descendre.

— Ça d'accord. Et puis ?

— Et puis quoi ?

— Un type s'est fait descendre, puis on a bougé le corps. Il va falloir que vous compreniez pourquoi.

— Comment savez-vous qu'on a bougé le corps ?

— Je le sais parce que j'ai regardé. Regardez encore, Ben Truman. Réfléchissez.

— Non, montrez-moi. Qu'est-ce que vous avez vu là-dedans. Montrez-moi.

— Vous montrer, pourquoi ?

— Parce que je suis curieux. Je suis... curieux, c'est tout.

— J'ai cru que vous prétendiez être policier. (Il me contempla un instant avant d'ajouter :) Venez. (Nous nous approchâmes du seuil où il s'immobilisa derrière moi.) Dites-moi ce que vous voyez.

— Je vois un bungalow avec du sang partout. Des cônes à l'emplacement du corps. Des petits signes pour montrer où on a trouvé des indices.

— Oui, ça c'est l'évidence. Mais qu'est-ce qui cloche ici ? Où est l'intrus ? Observez le sang. Les éclaboussures.

Je fixai docilement le schéma baroque de taches et de figures compliquées.

— Que savez-vous des schémas d'éclaboussures ?

— Rien. Je n'ai jamais...

— Bien, cela n'a rien de mystérieux. Quand du sang ou tout autre liquide tombe droit, il s'étale de façon régulière. Vous obtenez une tache qui forme un cercle avec des éclaboussures autour, les mêmes dans toutes les directions. Mais quand il vient frapper une surface inclinée, il s'étale. Si bien qu'au lieu d'une tache ronde, il laisse une tache de la forme d'une larme.

L'extrémité large de la larme est le point d'impact, puis le sang s'effile, de plus en plus mince à mesure qu'il s'éloigne du point d'origine. On peut tirer des tas de conclusions de ces taches. Si vous avez une tache ronde sur le sol, c'est le résultat de la gravité. C'est ce qu'on appelle le saignement passif. Une victime blessée va laisser plein de taches de ce genre en bougeant alors que le sang coule de ses blessures. Ici bien entendu on n'en voit pas beaucoup, parce que la victime est morte sur le coup. Mais regardez ces taches, celles qui ressemblent à des petites queues de comète. Le sang a giclé (il fit un geste) comme ça. Ces cônes se trouvent *derrière* les éclaboussures. Le corps n'a pas pu tomber ici. À voir comment ces cônes sont placés, on dirait que le sang a giclé vers la victime, ce qui bien sûr est impossible. Ce corps a donc été bougé après avoir touché le sol.

— Peut-être qu'il n'est pas tombé tout droit. Peut-être que la balle l'a projeté dans cette direction après que le sang a coulé, de sorte qu'il a atterri du mauvais côté des éclaboussures.

— Non, non. (Il secoua la tête, mais sans manifester d'impatience, sans laisser entendre que j'étais un péquenaud de shérif du fin fond du comté de l'Acadie. Il semblait m'accepter tel que j'étais, un jeune novice. Il semblait aussi prendre un certain plaisir à jouer les professeurs, du moins pour le moment.) Vous avez vu trop de films, Ben Truman. Au cinéma, quand on tire sur un homme immobile, la balle l'envoie valdinguer contre le mur. C'est des conneries. Cela ne fonctionne pas comme ça. Une balle ne peut pas faire ça. Tirer dans un corps humain, cela revient à tirer dans un sac de sable. La balle perce la surface et le sac de sable, qui est beaucoup plus lourd que la balle, absorbe l'impact. Pareil avec un homme. La balle est trop petite et pénètre trop profondément pour le pousser dans une direction ou une autre. Dans la vie réelle, si un homme immobile se fait tirer dessus, il s'effondre droit par terre. Mais si un homme bouge – s'il court, par exemple – et qu'on lui tire dans le dos, alors oui, il tombera en avant. Non parce que la balle l'aura poussé, mais parce qu'il aura été entraîné par son propre élan. Même en tenant compte de la taille de Danziger, il n'aurait pas pu atterrir si loin du mauvais côté des éclaboussures. Ce corps a donc été bougé, certainement par le tueur. (Il ponctua son discours d'un petit haussement d'épaule modeste.) Évident.

— Qui êtes-vous ?

— Je m'appelle John Kelly.

— Non, je veux dire qui êtes-vous ? Vous avez été policier ; d'accord. Où ? Combien de temps ?

— À Boston. Pendant trente-sept ans.

— Vous êtes un inspecteur de la criminelle ?

— Entre autres.

— Et vous connaissiez ce Danziger ? C'est pour ça que vous êtes ici ?

— Nous nous sommes rencontrés. Qu'il repose en paix.

— Qu'est-ce que vous faites maintenant ?

— Je vous l'ai dit, je suis en retraite. Je regarde le base-ball grâce à mon antenne parabolique. Je téléphone à ma fille. À cinq heures, je bois un whisky.

— Dites-m'en davantage.

Je désignai du pouce le bungalow ensanglanté.

— Qu'est-ce que vous voulez savoir ?

— Tout. Je veux tout savoir.

— Tout. Hum. Eh bien, généralement, quand on voit un corps bougé de cette façon, cela veut dire qu'il y a eu mise en scène. Le tueur a essayé de faire croire à autre chose qu'à un meurtre : accident, suicide, tout ce qui peut égarer l'enquêteur. Il se trompe toujours, parce que rares sont les gens qui ont vraiment vu à quoi ressemblent les suicidés ou les victimes d'un accident. Il croit le savoir, parce qu'il a vu des films, tout comme vous, mais il se trompe. C'est ce qui permet de le coincer. On cherche le détail qui l'a mis dedans – en l'occurrence, les éclaboussures de sang.

Comment expliquer l'accélération que j'ai ressentie, le frisson ? Kelly semblait être capable d'interpréter un environnement comme personne – ni Kurth, ni le présentateur de jeux télé et certainement pas moi – ne l'avait fait. La résolution de ce meurtre, avec tous les risques que cela entraînait, paraissait soudain plus proche. À l'écouter analyser les erreurs du tueur, j'eus la certitude que la vérité se ferait vite, qu'aux yeux d'un expert les maladresses abondaient. Étonnamment, vu les circonstances, cela ne me déplut pas.

— Quoi d'autre ?

— Bon, vous savez que quelqu'un a truqué le lieu du crime, qu'il a bougé le corps. La question suivante est : pourquoi ? Il n'a pas tenté de mettre en scène autre chose qu'un meurtre. Il n'y a pas de mot d'adieu bidon ni rien du tout. Voilà pourquoi, selon moi, l'assassin devait chercher quelque chose – c'est la seule raison pour laquelle il aurait pris le risque de bouger le corps. Y avait-il un indice quelconque de mobile ?

— Non.

— Quelque chose qui manquait manifestement ?

— Non. En fait, le portefeuille gisait par terre, pleinement visible.

— Alors il cherchait bien quelque chose. Sinon il aurait pris ses jambes à son cou. À voir l'état des lieux, ce type a dû utiliser un fusil pour éléphants. Cela fait du bruit. Vous avez déjà entendu une arme partir dans un petit espace pareil ? Assourdissant, ça vous bousille les tympans. Et le sang se vaporise aussi, n'oubliez pas. Imaginez-le : il a les oreilles qui tintent, il est couvert de sang, il est agité. Il ne devrait avoir qu'une pensée – fuir. Mais il ne s'enfuit pas. Il s'attarde, il touche même le corps. Il l'a bougé pour pouvoir le fouiller sans patauger dans tout ce sang. Il a pris un risque énorme. Quoi qu'ait eu Danziger en sa possession, votre tueur tenait à le récupérer. Des empreintes ?

— Pas d'empreintes.

— Alors je dirais que votre homme savait ce qu'il faisait. Il n'en était pas à son coup d'essai. Il a peut-être aussi tout prévu. Pas d'autre façon d'expliquer qu'il ait porté des gants en septembre. Il ne fait pas encore froid à ce point-là.

Je me tournai vers Kelly.

Lequel recula immédiatement. Je compris plus tard que c'était une habitude chez lui. Il se tenait toujours à bonne distance de celui avec qui il s'entretenait, probablement pour atténuer l'effet de sa taille. Les grands font généralement l'inverse. Ils se collent à vous, ils vous dominent. Ils se tiennent suffisamment près pour que vous – et eux – restiez conscient de leur supériorité. C'est un avantage évident dans une conversation de toiser quelqu'un, et les grands ont tendance à l'exploiter. Mais Kelly renonçait volontairement à cet avantage en reculant, en enfouissant ses battoirs dans ses poches. À l'époque, tout ce que je peux dire, c'est que j'ai senti une douceur chez lui sans pouvoir expliquer pourquoi. Maintenant avec le recul, je comprends que John Kelly portait sa taille avec modestie, comme si ce corps efflanqué avait été trop grand pour l'homme à l'intérieur. Permettez-moi d'avouer dès maintenant que mon image de Kelly n'est probablement pas exacte. Pour moi, il est le héros de cette histoire – même si vous n'êtes pas forcément d'accord – et il faut donc que je garde en mémoire que son apparence n'avait rien d'héroïque.

— Bon, vous arriverez à comprendre ce que votre homme cherchait – pourquoi il a bougé le corps –, et vous le coincerez.

Je secouai la tête. Je me sentais perdu, déconcerté par toute la situation. Sa réalité, sa proximité.

— N'ayez pas l'air aussi désespéré, Ben Truman. Ce n'est pas sorcier. Vous arriverez à le comprendre.

— Peu importe, ce n'est pas mon enquête. C'est juste qu'on se demande comment quelqu'un a pu faire ça. Pas comment – nous savons comment, je crois. Mais pourquoi ?

— Pourquoi, en effet. (Kelly contemplait le bungalow.) Voici votre première leçon. On ne compte que six mobiles pour un meurtre : la colère, la peur, la cupidité, la jalousie, le désir, la vengeance. Votre première tâche est de découvrir lequel correspond à votre affaire. Un meurtre sans mobile, ça n'existe pas. Chaque meurtre a un mobile. C'est la règle d'or.

— Je croyais que la règle d'or, c'était : « Ne faites pas aux autres... »

— Pour les prêtres, pas pour les policiers. (Il cligna de l'œil.) Nous avons nos propres règles d'or.

Il tourna les talons et se dirigea vers une minuscule Corolla Toyota, une voiture si petite qu'on avait du mal à imaginer qu'il puisse suffisamment replier sa carcasse pour s'y caser. Et si, pourtant.

8.

Mon père était au poste de police à mon retour cet après-midi-là. Il se massait la nuque en inclinant la tête de gauche à droite tel un métronome au ralenti.

— Qu'est-ce que tu as fait de mon fauteuil ? me lança-t-il sans même me saluer.

Le fauteuil en question était un siège pivotant de proportions monumentales, en similicuir avec des clous en laiton. Le Chef l'avait commandé à New York, et pendant la vingtaine d'années suivante, il avait littéralement laissé son empreinte dessus.

— Je l'ai renvoyé au Monument de Lincoln. M. Lincoln s'est plaint d'être fatigué ; il a manifesté le désir de s'asseoir.

— Je suis sérieux. (Il avait un ton belliqueux, du genre déconne pas avec moi.) Où est mon fauteuil ?

— Je l'ai donné à Bobby Burker. Il lui trouvera un acheteur.

— C'était *mon* fauteuil.

— Non, c'était celui du poste.

Il secoua la tête, déçu. Son fils ne comprenait rien à rien.

Je n'avais pas beaucoup vu papa depuis la découverte du corps. Apparemment, il sortait à peine de la maison. Il s'occupait en débitant des cordes de bois – suffisamment pour chauffer Manhattan pendant plusieurs hivers – et en regardant fixement la télé. Je n'avais pas trouvé d'autres bouteilles et je n'avais jamais non plus eu l'impression qu'il fût vraiment ivre. Cela dit, à l'époque, le Chef n'avait jamais l'air complètement sobre non plus. Bien sûr, peut-être achetait-il en douce d'autres canettes de Miller (voire pire), mais je soupçonne que la mort de maman était la grande responsable de son état. Il était sous le choc. Non pas à cause de sa mort – nous étions préparés tous les deux à l'imminence de ce triste événement –, mais par la réalité continue de son absence. C'est un fait qui frappe tôt ou tard de plein fouet les plus courageux : les morts ne reviendront pas. J'ai connu cette sensation moi aussi, et je peux témoigner que cela ressemble un peu à de l'ivresse.

Je m'assis au bureau. Pendant des années il avait été celui de mon père et, à part le fauteuil, je n'avais pas apporté beaucoup de changements depuis que j'avais pris sa place de chef de la police. J'avais retiré la plaque qu'il y avait installée et sur laquelle on pouvait lire : VEUILLEZ INSÉRER LES RÉCLAMATIONS DANS LA FENTE À L'ARRIÈRE – l'idée que papa se faisait de l'humour – sinon le bureau était tel qu'il l'avait laissé.

— Alors, tu es venu rendre visite à ton fauteuil ? Ou tu voulais parler d'autre chose ?

— Tu sais de quoi je suis venu parler.

Mais l'instant d'après il parut oublier ce qu'était cette urgence. Il fit le tour de l'unique pièce sinistre du poste.

— Pendant pas mal d'années je me suis cassé le cul ici.

Je levai les yeux au ciel. L'apitoiement sur soi ne convenait pas à Claude Truman, même dans son sale état. En plus, pendant toutes ces années, c'était généralement le cul des autres qu'il avait cassé, pas le sien.

Il tourna un moment avant d'en venir au fait.

— Comment ça se passe avec cette enquête ?

— Elle est aux mains du ministère de la Justice. Ils pensent que le coupable est un chef de gang.

Il grogna.

— Ce dénommé Danziger s'apprêtait à le poursuivre.

— Et toi ? Ils t'ont donné quelque chose à faire ?

— Non. Ça relève de leur compétence.

— Il faut que tu participes, Ben, tu n'as pas le choix. Tu ne peux pas rester les bras croisés.

— Je sais.

— T'es le chef de la police, bordel de merde. Un mec des plaines vient ici se faire exploser la tête...

— D'accord, papa, j'ai pigé.

— Qu'est-ce qu'ils savent d'autre ?

— Papa, cela ne te concerne pas. T'en mêle pas.

— Je pose la question, c'est tout. Je n'ai pas le droit de m'intéresser au travail de mon fils ?

— Je ne sais pas trop ce qu'ils savent. Ils ne me font pas de confidences : ils me donnent des instructions.

Il eut un sourire satisfait.

— Commence pas avec moi, papa.

— Qui est le suspect ?

— Il s'appelle Harold Braxton. Regarde, ils m'ont filé une photo d'identité judiciaire.

— Qui est-ce ?

— Tout ce que je sais, c'est que c'est un gangster de Boston. Trafic de drogues, je crois. Un des inspecteurs a dit que cela ressemblait à son... (j'allais dire mode opératoire, mais cela aurait fait snob dans ma bouche) à son style.

— Quoi d'autre ?

— Pourquoi ?

— Parce que je veux savoir.

— Papa, pourquoi tu ne me laisses pas faire mon boulot ?

— Parce que tu ne sais pas t'y prendre.

Ses bras se raidirent sous l'effet d'une petite décharge d'adrénaline. Anne Truman n'était plus là pour l'apaiser, pour le cajoler en le rassurant et en l'avertissant à la fois.

— D'accord, papa, écoute : je viens juste de rencontrer un autre flic ; il pense qu'il y a eu mise en scène, que le corps a été bougé, comme si le tueur cherchait quelque chose. C'est tout ce que je sais.

— Faut pas que tu te laisses dépasser par les événements.

Je fis mine de claquer des talons.

— Ne te laisse pas marcher sur les pieds, Ben.

— Je sais, papa. Personne ne peut nous atteindre.

— C'est ça. Personne ne peut nous atteindre.

Il se dirigea vers la porte. Il flottait dans ses vêtements. Les coutures de sa chemise de travail tombaient sur ses triceps, le fond de son pantalon pendait. Il rétrécissait, il se contractait dans l'atmosphère privée d'air de l'absence de sa femme.

— Hé, tu tiens le coup, Claude ?

C'était la première fois que je l'appelais par son prénom. Je ne sais pas pourquoi. Peut-être avais-je cru déceler un mouvement, un faible grognement sismique dans ce calcaire yankee. Une pensée qu'il s'empressa d'anéantir.

— T'inquiète pas pour moi, Ben. Fais ton boulot, c'est tout.

J'attendis qu'il soit sorti pour secouer la tête. Aussi troublé fût-il – et qui ne le serait pas à sa place ? –, il restait Claude Truman jusqu'au bout des ongles.

Il faudrait d'abord me passer sur le corps pour t'atteindre – et personne ne m'atteint. C'était une des expressions préférées de mon père. Et la mienne aussi, parce que je comprenais qu'il s'agissait d'un code yankee, que c'était sa manière bourrue de dire *je t'aime.* Après mon retour à Versailles, la maladie de ma mère s'aggravant, cela devint l'éthique de la famille. On serrait les rangs. Papa et moi la protégerions ensemble. *Il faudrait nous passer sur le corps pour l'atteindre. Et personne ne nous atteint.*

Pourquoi avions-nous ce sentiment d'être assiégés ? La plupart des gens en ville étaient tout prêts à nous donner un coup de main pour s'occuper de Mme Truman. Ils appelaient le poste pour nous tenir au courant. « Annie est assise au belvédère », annonçaient-ils, ou encore : « Je viens juste de voir ta mère marcher en direction du lac. » Nous pouvions suivre ses mouvements sans quitter le poste. Pour être franc, avant qu'elle ne tombe malade, maman n'avait jamais été particulièrement aimée à Versailles. Elle y avait vécu pendant une vingtaine d'années, mais la plupart des Versaillais restaient sceptiques devant ses racines et son allure très Massachusetts. Sa maladie balaya tous les soupçons et les rancœurs, et la ville révéla sa bonté tranquille et discrète – une vraie gentillesse. Si nous trouvions un dîner emballé dans du papier alu devant notre porte d'entrée, nous pouvions être sûrs qu'aucune carte ne précisait l'identité du donateur, comme si en revendiquer la paternité était frimeur et peu charitable.

Bien entendu, il y a une limite à ce que les autres peuvent faire. Pour une famille, la maladie est une charge dont aucun étranger, aussi bien intentionné soit-il, ne peut mesurer l'ampleur. La famille est isolée jusqu'à ce que l'épreuve prenne fin, d'une manière ou d'une autre. Dans la solitude de notre petite maison, papa et moi avons été obligés de collaborer pour la première fois. En d'autres termes, et c'était prévisible, le Chef m'assigna quatre-vingt-dix pour cent des corvées ménagères. Avec maman, je pliais le linge, préparais les repas et rapportais les courses, activités qu'elle semblait apprécier parce qu'elles prolongeaient l'illusion d'une vie ordinaire. Mais quand son état se détériora – quand ses pensées devinrent plus chaotiques, une dégénérescence qui se produisit beaucoup plus vite que je ne l'imaginais possible –, papa révéla un aspect de lui-même que je ne lui connaissais pas. Je ne voudrais pas en faire un plat. Les gens sont ce qu'ils sont, après tout. Mais tout à coup Claude Truman se mit à tenir la main de sa femme en public. À la porter à l'étage si elle s'endormait sur le canapé. À la conduire jusqu'à Portland pour acheter ces fichues lunettes griffées.

Un après-midi – environ deux ans après mon retour – je trouvai maman dans la salle de télévision.

— Que se passe-t-il ?

— Il était là à l'instant.

— Qui ça ?

— Kennedy.

— Kennedy était là à l'instant ?

Elle traça des petits cercles avec sa tête comme pour dire oui.

— Lequel ?

— Bobby.

Bobby avait toujours été son Kennedy préféré.

— Bobby Kennedy était là à l'instant ?

Nouveau hochement de tête.

— Il était à la télé, c'est ça ? Tu l'as vu à la télé.

— Ici.

— Non, maman, tu veux dire à la télé.

— Non.

J'aurais dû laisser tomber. Qui sait ce qui se passait vraiment dans son esprit ? Il était tout aussi possible qu'elle ait voulu dire autre chose ou rien du tout. Mais j'insistai.

— C'est ça, et il vient de partir en voiture avec Marilyn Monroe, me moquai-je.

Son visage se décomposa. Avec un mouvement d'exaspération, elle se détourna de moi.

— Oh, allons, maman, c'est drôle, non ?

— Tais-toi.

— Allez, je ne le pensais pas.

— Chut !

Elle fixait la télévision. (Elle était branchée sur CNN, l'infothon vingt-quatre heures sur vingt-quatre. Un présentateur blablatait à propos d'une crise ou d'une autre. Avait-il évoqué Kennedy ? Je l'ignore.)

Papa avait dû l'entendre m'intimer de me taire. Il surgit dans la pièce et exigea de savoir ce que je venais de faire. N'obtenant pas de réponse, il s'agenouilla près d'elle et murmura dans le creux de son oreille. Elle eut un petit sourire coquet et se colla contre son visage, comme si son souffle la chatouillait. De vrais ados.

Qu'il fût capable d'autant de tendresse était une révélation pour moi, bien que je croie que maman l'avait toujours su. Une fois, pendant une de nos promenades quotidiennes autour du lac, je lui demandai ce qui l'avait attirée chez Claude Truman – sa force ? son physique ? son agressivité ?

— Non, Ben, son cœur d'or. J'ai tout de suite vu clair en lui.

Je ricanai.

— Autant dire qu'on aime la Vénus de Milo pour ses jolis bras.

— Ne dis pas des choses pareilles. Il donnerait sa vie pour toi, Ben. Tu devrais le savoir. Ton père se ferait rouler sur le corps pour toi.

9.

Vingt-quatre heures après la visite de John Kelly, assis dans la Bronco, j'essayais de capter WBLM, The Blimp, sur 102,9 à Portland. Ça grésillait de parasites, à cause des collines autour du lac. Mick Jagger faisait son rap de Blanc. En tripotant le bouton, je regardai à travers le pare-brise la route d'accès à la berge qui descendait en pente et disparaissait dans l'eau. Il y avait un ponton auquel, l'été, les « chics types » amarraient leurs Sunfishes et leurs Whalers. Mais cela ressemblait à une rampe d'accès à une route sous l'eau, un raccourci à travers le lac qui réemergerait sur l'autre rive. La surface de l'eau se rida sous l'effet d'un coup de vent, puis redevint lisse, telle une nappe sous la paume d'une main invisible. C'est pendant un de ces instants sans vent qu'apparut un point jaune pâle. Je tentai de le fixer, mais le vent rida de nouveau la surface du lac et le point jaune disparut. Je coupai la radio et, menton sur le volant, observai l'endroit. En vain. Le lac restait obstinément opaque.

Je m'approchai du bord. L'eau clapotait contre la rive. Un poisson se dorait au soleil. Long d'une trentaine de centimètres, sombre avec des taches léopard sur le dos. Il se prélassait, gras et paresseux, en attendant l'hiver. J'aurais pu l'attraper d'une main si j'avais voulu. Quelques mètres derrière lui, un rocher blanc jaillissait du sable tel un os. Puis l'eau vira au noir.

Je restai planté là un moment, à m'efforcer de distinguer l'image cachée. Il fallait être prudent en l'occurrence, pour ne pas se tromper. Il valait mieux m'assurer de la présence de quelque chose avant d'intervenir. Le point jaune apparaissait de temps à autre, sombre et sans forme. Un rocher peut-être ? Il fallut un moment avant que le lac ne se décide à s'ouvrir et à me le montrer : il s'agissait de l'arrière d'une Honda, jaune terne, avec une plaque du Massachusetts.

À bord d'une petite barque, Dick Ginoux réussit à dériver au-dessus de la voiture submergée et à y accrocher une grosse corde. Nous attachâmes la corde à la balle de remorquage de la Bronco, mais, gorgée d'eau, la Honda était aussi lourde qu'une plaque de béton. Les deux véhicules se livrèrent à une lutte acharnée. La Bronco força. Ses roues patinèrent sur le sable et les aiguilles de pin avant de parvenir à adhérer et les deux véhicules sortirent en tandem du lac. La Honda fit surface à deux-trois mètres du bord et roula en arrière. De l'eau tombait en cascade de ses vitres ouvertes. Au volant de la Bronco, je tirai la voiture jusqu'à la route d'accès, puis me précipitai pour bloquer les roues avant que la force de la gravité ne l'entraîne de nouveau dans le lac.

La Honda continuait à cracher de l'eau. Le niveau dans l'habitacle tomba à la hauteur du rebord des fenêtres, puis l'eau se mit à chercher des failles dans les portières et le sol. Enfin le flot se calma, si bien que seul le volant resta à moitié submergé. De la boue noire et des herbes envahissaient l'intérieur.

Dick étudia la flaque d'eau toujours prisonnière de la voiture.

— T'as vu cette étanchéité ? Ces bagnoles japonaises, c'est quelque chose.

— Dick, on les fabrique dans l'Ohio.

— Elles restent japonaises.

Dick ouvrit la portière du conducteur, ce qui libéra une vague sur ses chaussures. Il tapa des pieds, furieux.

Une serviette était coincée derrière le siège du conducteur. Je la pris et la mis à l'envers pour en faire sortir l'eau, puis la posai dans le coffre de la Bronco. La serviette était pleine de chemises en kraft.

Dick regarda par-dessus mon épaule.

— Tu ferais mieux de les sortir toi-même, chef.

Avec Dick, j'étais toujours chef quand il voulait me refiler une corvée, Ben quand il tenait à agir tout seul.

Je détachai la chemise la plus épaisse des autres. Le carton beige était détrempé. Je le posai doucement dans le coffre, telle une relique. Sur la couverture, un formulaire avec des espaces à remplir : *Accusé, DOB, SSN, adresse, accusation(s), caution, prochaine date et commentaires.* Il était revêtu d'un tampon de l'Unité des enquêtes spéciales. L'écriture était à peine lisible, l'eau ayant pratiquement dissous l'encre.

Dick plissa les yeux pour déchiffrer le nom de l'accusé :

— Gerald McNeese, alias G, alias G-fric, alias G-Mac. Ça fait un paquet de noms. Il ferait mieux d'en choisir un et de s'y tenir. (Dans une partie intitulée *Coaccusés* Dick lut d'autres noms :) Harold Braxton. June Veris. À ton avis, c'est un homme ou une femme, June Veris ?

À côté de chaque nom figuraient les initiales *MP* encerclées. En gros caractères, quelqu'un avait écrit : *date du procès, 6/10.*

Les papiers à l'intérieur étaient pour la plupart illisibles. Ils comprenaient des formulaires de rapports d'incidents de la police de Boston, imprimés sur du papier rose et quelques feuilles de blocs-notes jaunes. Un sous-dossier intitulé *Ouverture* contenait plusieurs pages jaunes détrempées. Le plus gros de l'encre était parti, mais on distinguait vaguement quelques mots : *Echo Park, héroïne.* La signature sous les conclusions était relativement compréhensible elle aussi : cela ressemblait à *Danzig.* Les notes qu'avait laissées Robert Danziger dans le dossier en carton avaient mieux résisté. Sur l'une d'elles on lisait clairement : *Appeler Gittens. Où est Ray Rat ?* À l'intérieur de la couverture figurait un organigramme tracé à la main :

Braxton
Veris
G-Mac [Illisible] Ventry George [Illisible]

Une série de flèches pointaient de G-Mac à Veris et Braxton. C'était apparemment le chemin que Danziger entendait suivre : remonter directement vers le haut.

Les clés de la Honda étaient toujours sur le tableau de bord, toujours attachées à un anneau de cinq centimètres de diamètre avec dix à quinze autres clés. Le siège du chauffeur était reculé au maximum, bien que Danziger n'ait pas dû mesurer plus d'un mètre soixante-dix-sept. Les autres épaves dans la voiture : une paire de tennis, un atlas routier démesuré, une valise.

Mon regard fut attiré par deux autocollants sur le pare-chocs arrière de Danziger. L'un d'eux concernait une campagne politique. Son message était simple : ANDREW LOWERY, PROCUREUR. L'autre représentait les armoiries de l'association des agents de la police de Boston et la devise JE SOUTIENS LA POLICE DE BOSTON.

Dick consulta l'ordinateur pour trouver l'origine de la plaque. Elle était enregistrée au nom de Robert M. Danziger de West Roxbury, Massachusetts. Il soumit également les noms inscrits sur la chemise de Danziger au Fichier des recherches criminelles. L'ordinateur cracha un rapport substantiel sur Harold Braxton, dont une inculpation pour voies de fait avec intention de tuer (cinq à sept ans à MCI-Cedar Junction) et un non-lieu pour une accusation de meurtre au premier degré. Rien sur les autres noms. L'ordinateur du FRC était connu pour son manque de fiabilité ; il suffisait d'entrer dix fois le nom d'un suspect pour obtenir dix résultats différents. Il faudrait que j'appelle Boston pour obtenir des confirmations.

Bien entendu, j'aurais dû remettre tout cela aux présentateurs de jeux télé. La voiture, les dossiers, tout. C'était leur enquête, pas la mienne. Mais je décidai de les garder pour moi un petit moment. Au cours des dernières vingt-quatre heures, l'ordre de mon père avait fait son chemin. Ou peut-être était-ce mon idée – dans un sens, c'était *mon* enquête. Je ne pouvais pas rester les bras croisés. J'avais un devoir. Que je le veuille ou non, il faudrait que j'aille jusqu'au bout.

10.

Au bord d'un petit étang non loin de Sebago, le cottage de John Kelly se cachait à la lisière de la forêt, avec ses planches de cèdre brut qui se fondaient dans le brun ambiant des écorces d'arbre et du tapis piquant d'aiguilles de pin. L'ensemble aurait pu être complètement avalé par la pénombre, camouflé tel un crapaud vert sur une feuille, sans la Toyota blanche de Kelly et une antenne parabolique – la fleur emblème du Maine – devant. Je dépassai deux fois la maison sans la voir et, quand je la repérai enfin, je me dis que cette caverne d'ermite convenait mal à Kelly à qui j'avais déjà attribué de nombreux traits héroïques. Elle semblait représenter une sorte d'échec de sa part – une lassitude de l'esprit, un repli devant le monde.

Je traînai la serviette de Danziger, encore alourdie d'eau du lac, jusqu'à la porte. Une fenêtre à droite était frangée de pollen et de poussière. Je tentai de jeter un coup d'œil à l'intérieur et je ne m'étais pas encore résolu à frapper quand Kelly se matérialisa à mes côtés. Il tenait un journal roulé à la main.

— Chef Truman.

— Puis-je vous montrer quelque chose, monsieur Kelly ?

— Dépend de quoi il s'agit.

Je brandis la serviette abîmée.

— La serviette de Danziger.

— Hum.

— Vous voulez regarder ?

— Non.

— Vraiment ?

— Pourquoi ai-je la sensation que vous vous apprêtez à me transformer en témoin, Ben Truman. J'aimerais mieux pas.

— Non, je...

— D'où sort cette serviette, à propos ?

— Nous avons découvert la voiture de Danziger. Coulée dans le lac. La serviette se trouvait à l'intérieur.

— Et maintenant vous vous baladez avec ? Je vous en prie, ne me dites pas que vous avez fouillé dedans.

Je ne relevai pas.

Kelly pétrit les creux de ses joues puis sa mâchoire d'une longue main aux doigts fins, un geste de contrariété maîtrisée. On aurait dit un père dont le fils vient de bousiller la voiture familiale.

— Je sais où va cette enquête. J'ai une piste.

— Une piste. Puis-je faire une suggestion, Ben Truman ? Rentrez à Versailles.

— Ver-seiles.

— Rentrez à Ver-seiles, appelez le procureur, dites-lui que vous avez trouvé la serviette et la voiture de Danziger et qu'il envoie quelqu'un les chercher.

— Vous ne voulez pas savoir ce que nous avons trouvé ?

— Non. Je le lirai dans le journal, merci.

— J'ai déjà tripoté ce truc. Si dégât il y a, c'est trop tard.

Il secoua la tête.

— Je croyais que ce n'était pas votre enquête.

— Effectivement.

— Alors vous jouez aux détectives.

— Non, juste aux observateurs intéressés.

— Et qu'avez-vous l'intention de faire maintenant en tant qu'observateur intéressé ?

— Me rendre à Boston.

— Pour observer.

— Pour me tenir informé, oui. Il le faut. Le meurtre s'est produit dans ma ville. J'ai une responsabilité.

Kelly m'adressa un sourire paternel indulgent. Il ouvrit la porte.

— Peut-être ferions-nous mieux de bavarder, Ben Truman.

À l'intérieur, l'ameublement était raffiné, meubles aux pieds fins, coussins brodés et chintz fleuri. L'œuvre de sa femme, sans aucun doute. Mais il n'y avait plus aucun signe d'une présence féminine. Kelly semblait vivre seul, toujours installé dans les meubles d'antan. J'essayai, comme le font inévitablement les invités, de me faire une idée de la vie intérieure de mon hôte grâce aux objets disposés alentour, mais Kelly ne laissait pas transpirer grand-chose. Les photos étaient rares et il n'y avait pas l'ombre d'un livre dans la salle de séjour. En revanche, Kelly possédait une collection de vieux vinyles. Ses goûts le portaient vers les grands orchestres et le jazz classique : Bing Crosby, beaucoup de Sinatra, Dean Martin, Perry Como, Louis Prima, Louis Armstrong, entrecoupés de quelques Aretha Franklin. Deux photos étaient posées sur le coffre. Un vieux cliché un peu jauni d'une petite fille, un de ces portraits d'école primaire classiques faits devant un drap bleu marbré en guise de décor. La fillette était d'une pâleur étonnante. Ses cheveux noirs lui enveloppaient le visage tel un capuchon. Elle avait une expression grave. L'autre photo représentait une femme d'une trentaine d'années, jolie dans le genre sévère.

— Votre fille ?

— Mes filles. Caroline à droite et là (il prit le vieux cliché, essuya le bord du cadre sur sa chemise, puis le reposa), c'est Theresa Rose. Elle est décédée.

— Mon Dieu, je suis désolé.

— C'était il y a longtemps.

Kelly se servit un verre de whisky marron. Il m'en offrit un mais je refusai. Il me le tendit tout de même.

— Prenez-le. Vous avez l'air d'en avoir besoin.

Je bus une gorgée en luttant pour conserver l'air impassible quand le liquide me brûla le gosier.

— Bon, de quoi parlez-vous, Ben ?

De la serviette je tirai le dossier de Gerald McNeese et le posai sur la table basse. Il était ondulé par son long séjour dans le lac. On aurait dit un millefeuille.

— Danziger s'apprêtait à poursuivre ce Gerald McNeese ou G-Mac, quel que soit son nom. Mais ce n'était qu'un début. En fait, Danziger voulait coincer Braxton. Il commençait par l'un des sous-fifres du gang de Braxton avant de remonter la hiérarchie. Il a établi cet organigramme.

Kelly fit une grimace sceptique, comme si j'étais un cinglé jurant que la fin du monde approchait.

— Chef Truman, ai-je raison de penser que vous ne vous êtes encore jamais occupé d'une enquête de ce genre ?

— Oui. Enfin... oui.

— Quelle est l'enquête la plus grave que vous ayez traitée ?

— Un trouble de l'ordre public.

— Un trouble de l'ordre public.

— Une bagarre. Joe Beaulieu a sectionné le petit doigt de Lenny Kennett à coups de dents. Ils étaient ivres. Ce n'est pas allé jusqu'au procès. Lenny a refusé de témoigner. Joe était un ami et le bruit a couru qu'il avait versé une jolie somme à Lenny pour son doigt...

Kelly leva une main. Il voyait le tableau.

— Écoutez, je sais que je n'ai pas beaucoup d'expérience. Mais j'occupe ce poste. Dans ma ville, je suis le chef, pour le meilleur et pour le pire. Je suis le seul qu'ils aient. Je ne l'ai pas choisi.

— Un vrai débutant, dit-il autant pour lui-même que pour moi.

— Bien, bon, merci.

— Il y a déjà des centaines de flics sur cette affaire. Vous le savez, n'est-ce pas ?

Il jeta un coup d'œil sur le journal avec lequel il était arrivé, le *Boston Herald*, puis alla récupérer d'autres quotidiens du matin sur la table, avant de les jeter un à un devant moi. Le *Boston Globe* évoquait l'affaire en une. Un article sur deux colonnes était titré : LES RECHERCHES POUR RETROUVER LE MEURTRIER DU PROCUREUR SE POURSUIVENT. Une photo en couleurs représentait un Danziger souriant derrière sa moustache rousse et des lunettes de chouette. La légende le présentait comme *Robert Danziger, directeur de l'unité antigang*. Le *Herald*, le journal à sensation de Boston, était plus théâtral. Un seul mot s'étalait en une : RAFLE !, au-dessus d'une photo d'inspecteurs en coupe-vent de la police de Boston interrogeant un groupe d'adolescents noirs à un coin de rue. Un journal local, *The Portland Press Herald*, et même le *New York Times* avaient repris la nouvelle.

Pourtant l'idée de suivre l'affaire jusqu'à Boston me paraissait logique, voire inévitable. Je me contentai de hausser les épaules sans piper devant les journaux et d'avaler une virile gorgée de whisky.

— Qu'attendez-vous de moi ?

— J'ai pensé que vous aimeriez peut-être venir.
— À Boston ?
J'acquiesçai.
— Je vous l'ai dit, je suis en retraite.
— Oui, mais vous connaissiez Danziger. En plus, comme vous l'avez dit vous-même, un flic à la retraite reste un flic. Vous avez dit qu'on ne cesse jamais d'être flic.
— Oui, mais même les flics vieillissent.
— Vous pourriez m'initier. M'aider.
— Vous aider à quoi faire ?
— À suivre l'enquête. À me tenir informé. Voire à participer si c'est possible.
Kelly secoua la tête et arpenta la pièce, son verre à la main. Il s'approcha du coffre où la fille brune de la photo le fixait avec une expression sombre.
— Ben, regardez-moi. J'ai soixante ans. Je suis venu m'installer ici pour échapper à toutes ces conneries. (Il se tourna vers la petite fille de la photo, feu Theresa Rose Kelly, comme pour lui demander son assistance. Elle parut aussi secouer la tête en me regardant.) Je suis désolé.
— Moi aussi.
— Tout se passera bien pour vous, Ben Truman. Vous êtes un bon flic, au fond.
— Je ne suis pas vraiment flic. C'est juste une fonction.
— C'est toujours comme ça que cela commence.

Le lendemain matin, Kelly frappait à la porte du poste de police et entrait, un peu hésitant, arborant son éternelle veste en flanelle et sa casquette.
— Je peux vous parler, chef Truman ? (Il jeta un coup d'œil à Dick penché sur une grille de mots croisés au bureau du dispatcher.) Seul ?
J'enfilai ma veste et Kelly et moi longeâmes Central Street. Il tira une matraque de sa ceinture. Couleur café avec une poignée en cuir. Le bois disparaissait sous les entailles et les éraflures. Kelly faisait distraitement tournoyer l'objet en marchant. Il semblait y avoir deux manières de procéder : un mouvement genre hélice dans l'axe de la boucle de la ceinture ; un autre à la hauteur de la hanche, comme une traînée jouant de son boa. Kelly exécutait les deux manœuvres avec une dextérité

incroyable. Qui sait combien d'années de pratique il possédait, combien de rondes il avait faites avec cette matraque. Nos pas finirent par épouser son rythme.

— Ils vous ont donné ce truc à Central Casting ?

— Normal, Ben Truman. Tout bon policier en a une.

Il me regarda des pieds à la tête, s'assurant que je n'en portais pas, et fit une grimace.

— Eh bien, vous pouvez la ranger. Je ne crois pas que vous ayez besoin de filer un coup de matraque à quiconque dans cette ville.

— Le but n'est pas de taper sur quelqu'un. Cela fait partie du spectacle. Il faut répondre aux attentes des gens. Voilà pourquoi les médecins arborent des blouses blanches.

— Vous n'avez donc jamais frappé personne avec ça ?

— Je n'ai pas dit cela. J'ai dit que l'intérêt de porter une matraque est justement de ne pas l'utiliser. Si vous la tenez bien, cela ne vous sera jamais nécessaire.

— Jamais ?

— Jamais.

— Alors pourquoi toutes ces traces ?

— D'accord, presque jamais. Il ne vaut mieux pas. (Il inspecta brièvement sa matraque, comme s'il n'avait jamais remarqué ni les bosses, ni les éraflures.) Si vous voulez être un flic, Ben Truman, vous pouvez être soit un casseur, soit un causeur. J'ai toujours été un causeur.

Nous continuâmes notre marche. De la vitrine de l'Owl, Phil Lamphier nous dévisagea. Une cafetière à la main, il faisait tourner le café dans la boule en verre. Difficile de savoir ce qu'il pensa de la scène – un étranger très grand jouant de la matraque en faisant une ronde dans une ville qui n'en avait jamais vu ; et moi, les mains dans les poches, qui buvais ses paroles. J'étais sûr que Phil passerait le renseignement à l'heure du déjeuner : « J'ai vu Ben avec un grand type ce matin, vers neuf heures et demie... » Dans l'atmosphère surchauffée de la ville, on s'emparait de toute rumeur concernant le corps du bungalow pour l'analyser *ad nauseam*. J'adressai un signe de la main à Phil qui répondit en levant sa cafetière.

— Que fait un flic dans un endroit pareil ? me demanda Kelly.

— Il attend, surtout.

— Il attend quoi ?

— Que quelque chose se produise. Quelque chose qui sorte de l'ordinaire, je veux dire.

— Et ça fait combien de temps que vous attendez ?

— Trois ans, à peu près.

— Ça fait seulement trois ans que vous êtes flic et vous êtes déjà le chef ?

— Ils ne se pressaient pas vraiment au portillon pour décrocher le job.

Kelly se pencha pour récupérer un bout de papier par terre, le glissa dans sa poche arrière et reprit son mouvement.

— Vous savez, quand j'ai débuté, dans mon commissariat, il y avait un brigadier qui s'appelait Leo Stapleton. Leo a été mon premier chef de sûreté. Il m'a initié, m'a empêché d'avoir des ennuis, m'a expliqué les rouages. Vous avez quelqu'un sous la main, un type du genre de Leo Stapleton ?

— Non. (Il me traversa l'esprit que j'avais effectivement Dick Ginoux et mon père.) Non, pas du tout.

— Alors cette idée d'aller à Boston, vous l'avez eue tout seul. Vous n'en avez discuté avec personne.

— Exact.

— Mon Dieu, vous savez dans quoi vous allez mettre les pieds ?

— Je ne comprends pas trop votre question.

Il s'arrêta et m'enfonça la matraque dans le sternum.

— Ma question, c'est : savez-vous ce que cela représente de se frotter à un type comme Braxton ? Savez-vous ce que cela implique ? Chef Truman, avez-vous déjà fait subir une pression physique à un suspect ?

— Une pression physique ?

— Oui. Avez-vous déjà recouru à la force pour obtenir des renseignements ?

— Non ! Bien sûr que non.

— Bien sûr que non ? Et si c'était le seul moyen de protéger une vie innocente ? Disons qu'il y ait une bombe quelque part et que le suspect sache où elle est cachée. Utiliseriez-vous la force pour le faire parler, en sachant que cela sauverait des milliers d'innocents ?

— Je ne sais pas. Peut-être.

— Peut-être. Mettriez-vous un innocent en danger pour obtenir une condamnation ?

— Quoi ?

— Obligeriez-vous quelqu'un à témoigner, sachant que sa vie serait en danger s'il s'exécutait, mais sachant aussi qu'une condamnation pourrait sauver de nombreuses vies ?

— Je ne sais pas. Je n'ai jamais...

— Vous feriez bien de commencer à y réfléchir, chef Truman, si vous voulez coincer un type comme Braxton. Vous feriez bien de réfléchir à ce que vous seriez prêt à faire.

Kelly me fixa un long moment, puis retira la matraque.

— Parce qu'il n'y a pas d'autre moyen. On ne peut pas être un bon flic en respectant toutes les règles. C'est le vilain petit secret.

Nous reprîmes notre marche.

— Les bons flics commettent de mauvaises actions pour de bonnes raisons. Les mauvais flics commettent de mauvaises actions pour de mauvaises raisons. La plupart des flics veulent être bons, c'est vrai. Mais il faut de l'expérience pour savoir comment s'y prendre. Vous voyez où je veux en venir ?

— Vous êtes en train de dire que je n'ai pas l'expérience voulue pour travailler sur cette enquête. Mais je ne souhaite qu'observer...

— Ce que je dis, c'est que si vous vous en mêlez, vous y laisserez probablement des plumes. Voire pire.

— Quand vous dites pire... (J'eus droit à un autre des regards de Kelly.) Ah !

Nous poursuivîmes notre marche.

— Chef Truman, je suis venu vous dire ce que Leo Stapleton m'aurait dit : ne soyez pas si pressé de rencontrer les Harold Braxton de ce monde. Ils se présenteront à vous l'heure venue.

— Dans une ville pareille, je risque davantage de croiser un mammouth laineux qu'un Harold Braxton. J'ai besoin de le faire. Vraiment. Il faut que vous me fassiez confiance sur ce coup-là.

Kelly s'immobilisa pour contempler le ciel. Un ciel bleu dégagé d'une belle journée d'automne. Il gonfla ses joues, puis poussa un long soupir.

— Bien, conclut-il, deux morts, cela suffit.

Il faisait allusion aux victimes de Braxton, à savoir Danziger et l'inspecteur des stupéfiants, Artie Trudell. À l'époque, c'était les deux seules victimes que nous connaissions.

Comme il n'existe pas de serment officiel pour les agents de police de Versailles, Maine, je dus pondre un baratin selon lequel Kelly s'engageait à « loyalement protéger et servir les habitants » de la ville « avec l'aide de Dieu ». Une sorte de compromis entre le serment du président et celui des boys-scouts, mais cela fit l'affaire. John Kelly, âge soixante-six ans, devint ainsi agent adjoint de la police de Versailles.

Nous décidâmes de partir à la première heure le lundi matin. Cela me donnait un ou deux jours pour prendre mes dispositions et charger ma voiture, une vieille Saab 900 avec un pet dans la crémaillère de direction et plusieurs taches de rouille cancéreuses. Je racontai à tout le monde où j'allais, en décrivant cependant l'expédition avec le plus d'optimisme possible. Je n'évoquai pas la Mission Posse, ni les coups de feu dans l'œil. Je me rendais juste en ville pour observer, pour suivre l'évolution de l'enquête. Pas l'ombre d'un risque. Diane, Phil et les autres firent mine de comprendre et de me croire, mais dans tout le non-dit – le langage habituel des Yankees du Maine – je sentis qu'ils en savaient suffisamment long sur Harold Braxton pour s'inquiéter à mon sujet.

Je confiai les rênes du poste de police à Dick Ginoux pendant mon absence. Pas le choix idéal. Dick était du genre à remonter ses lunettes sur son front et à passer le reste de l'après-midi à les chercher. Mais il était le plus ancien du poste et, en plus, il n'y avait pas d'Eliot Ness parmi les autres candidats.

Le matin de mon départ, mon père se leva tôt pour me dire au revoir.

— Je sais pourquoi tu fais ça. Je ne suis pas vieux au point de ne rien comprendre. Fais attention à toi. (Sa barbe poussait. Elle était presque blanche.) Bon, tu ferais mieux d'y aller, Ben. C'est un long trajet.

Je le serrai dans mes bras. Il était presque exactement de ma taille à présent, voire un peu plus petit. Cela me surprit. Je le voyais toujours comme un géant. Il se prêta volontiers à l'accolade.

— Non mais, tu nous as vus. On dirait deux pédales.

Quant à moi, j'avais le sentiment naissant que ma vie prenait un tournant, que dorénavant les événements – mon histoire personnelle – suivraient une nouvelle direction. Pour la seconde fois de ma vie, je partais. Je laissais Versailles derrière moi.

D'une certaine manière, j'étais déjà parti – dès l'instant où j'avais appris l'existence du mort près du lac.

Deuxième partie

Nous ne pouvons guère que supputer si le droit pénal sous sa forme actuelle fait plus de bien que de mal... Traitons-nous les criminels selon des principes convenables ?

Oliver Wendell Holmes

11.

Pendant l'année et demie passée à Boston pour mes études, je n'ai jamais mis les pieds à Mission Flats, pas une seule fois. On évoquait régulièrement le quartier à l'université. Les étudiants les mieux informés, les Bostoniens notamment, en parlaient d'un air entendu, mais toujours avec une certaine révérence. Le nom de Mission Flats était un symbole pour eux. Il représentait tout ce que redoutaient les bons citoyens : un endroit où l'on n'aimerait pas se perdre en pleine nuit, où on retrouvait des voitures volées, où des balles perdues traversaient des fenêtres de cuisine, où l'on pouvait acheter de la drogue (si vous étiez amateur). Mais malgré tous ces discours, rares étaient ceux qui connaissaient le coin. Toute ville a ses quartiers isolés et délabrés. Pourtant, on ne pouvait que s'étonner du petit nombre de Bostoniens – surtout les Blancs – qui s'étaient déjà aventurés à Mission Flats. Cela leur paraissait aussi lointain que le désert de Gobi. Soyons juste, il n'y a pas de raison de se rendre à Mission Flats, à moins d'y vivre ou d'y travailler. C'est un petit quartier. Ni boutiques ni monuments dignes d'intérêt. La seule institution sortant du lot était le New England Presbyterian Hospital, qui s'est retrouvé abandonné au milieu des Flats quand la vague de richesse a reflué dans les années 1930, 1940 et 1950. Même les traits pittoresques qui ont donné son nom au quartier n'existent plus ; il n'y a plus ni mission, ni marais là-bas. La mission, où John Eliot prêchait la chrétienté aux Indiens au XVIIe siècle, a disparu depuis longtemps. Quant au marécage pestilentiel entourant la Little Muddy River, il a été asséché et comblé avant

1900. Ce quartier qui est voisin de nulle part et ne conduit nulle part pendouille derrière Franklin Park telle une poire pourrie. Il est presque parfaitement isolé de la ville, une sorte de Brigadoon dégradé. Mais il occupait une place dans l'éther de l'imagination, notamment parmi les banlieusards blancs qui ne savaient rien de Mission Flats sinon qu'ils n'y auraient habité pour rien au monde.

Kelly et moi arrivâmes à la bordure est de Mission Flats peu avant midi. « Vous voulez jeter un coup d'œil ? » me proposa-t-il, et il m'indiqua une large avenue baptisée Franklin Street. Le même alignement de maisons de brique rouge que dans Back Bay et le South End. Mais, vers le nord, l'alignement donnait des signes de faiblesse : on voyait des bâtiments incendiés à l'abandon. Çà et là, un taudis s'était comme évaporé, laissant un vide entre les murs intérieurs bruts des maisons adjacentes. Ces terrains vagues étaient jonchés de pierres et de briques. Puis les maisons en enfilade cédèrent la place à des immeubles, puis au grand ensemble morne de Grove Park, enfin à une avenue commerçante : magasins de pièces détachées pour voitures, supérettes.

— Les cars de touristes ne viennent pas trop dans ce coin, lâcha Kelly.

Nous quittâmes Franklin Street pour nous engager dans un dédale de rues latérales aux noms paisibles. Les immeubles se firent plus rares, remplacés par des pavillons. Des allées défoncées, des vérandas affaissées, de la peinture écaillée, voire quelques vitres cassées. Les maisons bien entretenues ne réussissaient qu'à souligner encore le délabrement de leurs voisines. Et pourtant, malgré cette décrépitude, en cet après-midi d'automne ensoleillé, l'endroit ne paraissait pas vraiment menaçant. Je remarquai plein de détails joyeux : un casier à bouteilles de lait cloué à un poteau téléphonique en guise de panier de basket de fortune, des jardinières, des petites filles sautant à la corde. Ce n'était pas la pègre, juste la pauvreté. Et la pauvreté, je connaissais. On ne manque pas de Yankees et de Québécois des marécages pauvres à pleurer dans le comté d'Acadie. Les gens vivant ici devaient avoir le même sentiment de manque hésitant. La pauvreté est la même partout.

Nous sortîmes des rues tortueuses.

— Voici Mission Ave, annonça Kelly.

(Les Bostoniens ont tendance à abréger le mot Avenue en Ave.)

L'artère principale fendant les Flats ressemblait à un no man's land. Vers le nord, Mission Avenue n'était qu'une succession de terrains vagues jonchés de gravats et d'ordures. Des taudis ici et là, donnant de la bande tels des boxeurs KO. Les frontons au-dessus des portes avaient été arrachés comme toute garniture en laiton ou en métal, les tuyaux d'écoulement, les boîtes aux lettres, les numéros de rue – tout ce qu'il était possible de revendre. Quelqu'un avait installé une clôture autour d'un de ces bâtiments pour délimiter une sorte de cour ; des ordures étaient coincées dans ses mailles comme des poissons dans un filet dérivant.

— Dans le temps ces maisons s'alignaient sur des kilomètres. Un quartier agréable. Des Italiens vivaient ici, des Irlandais, des juifs. Ils sont tous partis.

Nous passâmes devant le grand ensemble de Winthrop Village, une grappe de bunkers en béton au milieu d'un parc paysager. Une voiture de patrouille de la police de Boston était garée près de l'entrée, et le flic, un énorme Noir avec une barbiche de dur à cuire et des lunettes de soleil enveloppantes, nous regarda passer.

Kelly désigna des graffiti, le même sigle répété à l'infini : deux lettres entrecroisées, MP, peintes à la bombe sans art dans une écriture enfantine.

— L'équipe de Braxton, le Mission Posse.

Le gang avait tout tagué : les poteaux téléphoniques, les trottoirs, jusqu'aux panneaux indicateurs.

— Garez-vous ici, Ben Truman. (Kelly montrait une supérette baptisée Mal's.) Il faut que je téléphone.

Il disparut dans la boutique et, après avoir zappé d'une station de radio à l'autre un instant, je décidai de descendre de voiture pour profiter du soleil et de la vue. Il n'y avait pas grand-chose à voir. La teinte beige du trottoir était presque assortie à la façade du Mal's. Même les pancartes dans la vitrine avaient pâli au soleil. Je croisai et décroisai les bras, m'adossai à un parcmètre, me redressai.

On me fixait. Un gamin appuyé contre un chambranle de porte comme un costume vide. Une femme obèse en tongs Adidas. Qu'est-ce qu'ils regardaient fixement ? J'étais le seul visage blanc de la rue – cela suffisait-il à attirer l'attention ?

Le môme coincé dans l'encoignure de la porte s'approcha de moi. Il avait le visage caramel, presque aussi pâle que le mien. Il portait des tennis blanches flambant neuves et une chemise lâche genre hockey qui pendait sur ses épaules osseuses.

Un second gamin se joignit à lui. Un immense ado replet que je n'avais pas remarqué. Il avait tout du crétin. Des yeux étroits incisés dans un visage bouffi et gras.

— T'attends quoi ? demanda le premier.

— Un ami. Il est à l'intérieur.

Le gosse m'étudia, comme si ma réponse était suspecte.

— Sympa, la tire, dit le môme aux yeux bridés.

Le premier me dévisageait toujours.

— T'as du blé ?

— Non.

— On a besoin d'un peu de fric pour aller au magasin.

— Désolé.

— T'es perdu ?

— Non, je vous l'ai dit, mon ami est dans le magasin.

— On n'a besoin que d'un dollar, reprit les yeux bridés.

— J'ai dit...

— Allez, un dollar ?

Je leur donnai un dollar.

— J'croyais que t'avais pas d'argent.

— Je n'ai pas dit ça. J'ai dit que je ne vous en donnais pas.

— Mais tu viens de le faire. De nous en donner.

— Et alors ?

— Alors, un dollar ? Pourquoi pas une pièce. (Le gamin osseux attendit que je réagisse.) Allez, ton portefeuille est plein. Je viens de le voir. On en a besoin pour aller au magasin.

— Non. Désolé.

— Faut qu'on achète de quoi manger.

— Je ne vous en donnerai pas davantage.

— Pourquoi pas ? Je te dis : on en a besoin.

Je secouai la tête. Devais-je sortir mon insigne de flic ? Je ne risquais rien, ce n'était que des gosses après tout. En plus je me trouvais en dehors de ma juridiction, je n'avais aucun pouvoir. Je n'étais qu'un touriste.

— Je vous ai filé un dollar, les gars. C'est tout ce que vous obtiendrez.

Yeux-bridés se rapprocha de moi.

— Mais je viens de voir ton portefeuille. Il était plus grand et plus lourd que moi.

Ses paupières se plissèrent comme des clams.

— Allez, cajola le premier gamin. File-nous un coup de main. Aide-nous.

Il fit un pas vers moi, sans agressivité – ou peut-être était-ce agressif, je ne suis pas sûr. Je levai la main pour le retenir. Mes cinq doigts pressèrent légèrement son omoplate.

— Hé, pas touche ! souffla le gamin maigre. Faudrait pas en venir aux mains.

— Je n'en viens pas aux mains...

Yeux-bridés m'interrompit.

— Hé, toi, n'en viens pas aux mains. C'est pas nécessaire.

— Écoutez, vous avez demandé un dollar, je vous l'ai donné.

— Oui, fit le maigrichon, mais maintenant tu veux en venir aux mains. Qu'est-ce qui se passe ?

— Je n'ai jamais eu cette intention.

— Est-ce que je t'ai manqué de respect ?

— Non.

— Non, on fait rien que discuter. Je t'ai demandé un coup de main. Pourquoi t'es fumasse ?

— Je ne suis pas fumasse. (Je retirai ma main.) Je vous le demande gentiment maintenant, respectueusement : reculez.

— Ce trottoir appartient à tout le monde. Tu crois que tu peux me dire quoi faire parce que je t'ai demandé de l'aide ? C'est ça ? Il faut que je recule parce que tu m'as donné un foutu dollar ?

— Je n'ai jamais dit ça.

— Tu l'as pensé. Ça se voit.

— Je n'ai rien pensé du tout.

— Si.

Le maigrichon tapota ma poche avant de pantalon du plat de la main, apparemment pour sentir mon portefeuille.

Je repoussai sa main, doucement.

— Ne me touchez pas.

— Hé, pas la peine de pousser. Je te parle, c'est tout.

Kelly sortit du petit magasin. Il nous regarda tous les trois puis enchaîna, péremptoire :

— Venez, Ben, nous n'avons pas de temps à perdre. Je veux voir ma fille. (Il passa entre nous et monta à la place du passager.) Alors ? Allons-y.

Je contournai les deux gamins sans piper et ils n'ouvrirent pas non plus la bouche.

— On se croirait dans un autre pays, dis-je une fois dans la voiture, mais Kelly ne réagit pas et lâcher cette réflexion ne dissipa pas mon malaise.

12.

Tribunal d'instance de Mission Flats, première audience.

À douze heures quarante-cinq, le juge Hilton Bell s'était levé pour marcher de long en large derrière son bureau, la fermeture Éclair de sa robe noire descendue jusqu'au nombril. Le juge traitait des mises en accusation depuis neuf heures pile, mais la salle restait bondée. Des cris de protestation montaient de temps à autre des cellules du sous-sol, bondées elles aussi.

J'étais assis devant, coincé entre un accoudoir et une jeune femme qui sentait, et ce n'était pas désagréable, le parfum Dune et la transpiration. Pour on ne sait quelle raison, elle serrait contre elle un sac en plastique contenant des boucles brunes de ce qui paraissait être des cheveux humains.

(John Kelly avait eu le bon sens d'éviter le tribunal. Il attendait dehors dans la rue, où il faisait plus frais.)

Le juge Bell contempla le public, prenant apparemment la mesure de sa situation désespérée. Il était littéralement en surchauffe. Quelque part dans les intestins du tribunal, une vieille chaudière soufflait de l'air brûlant dans la salle où la température frôlait déjà les vingt-six degrés sans oxygène ; la foutue police de Boston avait arrêté toute la population de la ville et ils étaient tous là, serrés comme des anchois, transformant le tribunal en un immense entrepont dégoulinant de sueur, exhalant toujours plus de leur vapeur vers le bureau du juge, un sirocco d'haleines non mentholées. Le juge tripota son nœud papillon. Il leva les yeux vers le plafond en quête d'une aide divine. Le public suivit son regard, pour ne découvrir que des taches d'humidité.

Puis cet instant de réflexion prit fin et on se remit au travail.

— Affaire suivante ! beugla le juge Bell.

— Numéro 97-7788, lut le greffier. L'État contre Gerald McNeese, troisième du nom, également connu comme G, G-Mac, G-fric et Trey McNeese.

— Garde à vue ! chantonna le greffier.

— Garde à vue ! répéta un des officiers de justice.

Le public connaissait la marche à suivre, si bien que, tels des spectateurs à un match de tennis, nous tournâmes à l'unisson la tête à droite vers une ouverture rectangulaire dans le mur. De l'autre côté de cette fenêtre sans vitre se trouvaient les arrestations du week-end précédent qui n'avaient pas déposé de caution. Ils étaient serrés les uns contre les autres, visibles seulement au-dessus de la taille comme des marionnettes à Guignol. Un homme parvint à se frayer un chemin dans cette masse humaine et à se glisser au premier rang : Gerald McNeese.

— L'État ! dit le juge.

Un jeune procureur adjoint fouilla dans ses dossiers. Il avait le visage luisant de sueur. Deux ronds rouges lui ornaient les joues. Il finit par tirer une chemise vide qu'il présenta ouverte au juge.

— Votre Honneur, je n'ai rien sur celui-là. C'est l'affaire de Ms Kelly.

Le greffier leva les yeux au ciel.

Le juge Bell secoua la tête. C'était sans espoir.

— Bien et où est-elle ?

Le gamin fit une grimace. *J'en sais foutre rien.*

— Eh bien ?

— Je ne sais pas, Votre Honneur.

— Et pourquoi ne le savez-vous pas ?

— Hum je ne sais pas... pourquoi... je ne sais pas.

Le gamin devait être sorti de la fac de droit depuis un an ou deux au maximum. Et il se retrouvait là, rougissant dans la chaleur du tribunal de Mission Flats, enterré sous les dossiers, comptant sans aucun doute les jours le séparant de la fin de son stage quand on le transférerait quelque part – ailleurs.

— Vous ne savez pas pourquoi vous ne savez pas ?

— Je ne... je ne sais pas, Votre Honneur.

— Affaire suivante !

Suivirent quelques mises en accusation décousues pour des délits qui, même à mes yeux, paraissaient insignifiants : possession de marijuana, plusieurs coups et blessures simples. À chaque mise en accusation, le public lâchait un petit soupir de soulagement quand le tribunal laissait partir l'accusé et ses partisans. Aussitôt le vide était comblé par d'autres. Ils entraient en force et les bancs étaient de nouveau bondés, la salle de nouveau sous pression.

— Rappelez l'affaire McNeese.

Le juge fumait littéralement.

— Votre Honneur, je n'ai toujours pas de nouvelles de Ms Kelly.

— Alors tournez-vous et dites-leur.

— À qui ?

— Tournez-vous et expliquez à tous ces gens pourquoi vous n'êtes pas prêt, pourquoi vous gaspillez le temps de tout le monde.

— Votre Honneur ?

— Tournez-vous, monsieur le procureur. (Le juge fit un geste du bras vers nous, le parterre aux vêtements moites de chaleur.) Dites-le à eux, pas à moi.

Le gamin se tourna lentement, contrit. Les taches rouges sur ses joues envahirent ses oreilles et son cou. Avachi, dos rond, effacé, il balaya la foule du regard. Mais quand ses yeux se posèrent sur la porte, il parvint à sourire faiblement. Il venait de se trouver une alliée.

Une femme entrait dans la salle. Elle portait un tailleur noir simple et bien coupé. La veste au col officier avait une ouverture à la base du cou. On aurait dit un col de prêtre.

— Ms Kelly ! lâcha le greffier et tous les employés répétèrent « Ms Kelly » comme s'ils se rappelaient soudain un nom qu'ils avaient sur le bout de la langue.

Caroline Kelly prit place à la table du procureur à côté du jeune adjoint. À l'insu du juge, elle posa une main sur l'omoplate du gamin. Selon moi, l'idée n'était pas tant de le rassurer que de l'inciter à se redresser. Elle poussa sa colonne vertébrale du pouce comme une mère sévère corrigerait du doigt la posture d'un enfant avachi. Et cela fonctionna, le gamin se redressa un peu. Kelly laissa son pouce sur la vertèbre la plus faible au cas où, pour prévenir tout relâchement. Elle se pencha vers le gamin et lui murmura à l'oreille, mais assez fort pour que tout le premier rang puisse l'entendre : « On l'emmerde. »

Voilà les premiers mots que j'ai entendus de la bouche de Caroline Kelly, « On l'emmerde », énoncés clairement pour bien montrer qu'elle ne plaisantait pas.

De ma place au premier rang, j'étudiai les détails de sa face postérieure. Des cheveux châtain foncé, attachés sur la nuque à l'aide d'une barrette en or. Le sergé de sa jupe légèrement mais perceptiblement tendu sur ses hanches qu'elle n'avait pas minces. Des astragales qui se touchaient presque si bien qu'un vide en forme de flamme se dessinait entre ses mollets. Une serviette en cuir mou se coucha contre sa cheville lorsqu'elle la posa par terre.

— Ms Kelly, dit le juge. La fille prodigue.

Elle leva sa main libre, paume ouverte. Le geste disait : *Me voilà.*

— Y a-t-il quelque chose que vous souhaitez faire partager à la cour ?

— Pas vraiment.

Le juge la contempla.

— Peut-être pouvez-vous nous aider, Ms Kelly. Nous sommes devant un petit mystère. Le week-end dernier il y a eu... greffier, combien d'arrestations ?

— 2-0-5.

— Deux cent cinq arrestations. Toutes pour cet humble tribunal. Nous avons dû battre un record.

— Félicitations, Votre Honneur.

— Éclairez-moi, Ms Kelly. Comment expliquez-vous une telle explosion de zèle ? Aurait-on noté un pic soudain du taux de criminalité ? Il doit s'agir d'affaires graves, je n'en doute pas. Voyons (il feuilleta les dossiers) un joint de marijuana ; violation de propriété ; ooh, regardez-moi ça, dégradation de propriété publique.

— Dégrader une propriété publique est un délit, Votre Honneur.

— Il a uriné sur le trottoir !

— S'il a laissé une tache, alors techniquement...

Les muscles de la mâchoire et des tempes du juge Bell se raidirent. À l'évidence on ne s'embêtait pas avec ce genre de délits à Mission Flats. Ils encombraient le registre des jugements ; du sable dans les rouages. Ce n'était pas drôle, bordel.

— Ms Kelly, est-il dans l'intention du procureur de punir tout un quartier pour un seul homicide ?

— Je ne vois pas ce que vous voulez dire.

Le juge ordonna au jeune adjoint de s'asseoir. Avant que le gamin ne s'exécute, Kelly lui tapota deux fois l'omoplate, de nouveau à l'insu du juge.

— Annoncez l'affaire, dit le juge.

— Numéro quatre-vingt-dix-sept tiret sept-sept-huit-huit, répéta le greffier. L'État contre Gerald McNeese troisième du nom, aussi connu sous le nom de G, de G-Mac, de..., etc. Intimidation d'un témoin. Coups et blessures. Voies de fait avec intention criminelle. Coups et blessures avec une arme dangereuse, à savoir un trottoir.

À côté de moi, la fille parfumée souffla :

— Il a frappé quelqu'un avec un putain de trottoir ? Je ne le crois pas.

— Procureur adjoint Caroline Kelly pour l'État. Et maître Beck.

Les acteurs s'approchèrent du bureau du juge.

Kelly était flanquée de l'avocat Max Beck qui se dirigea au pas de charge vers l'ouverture dans le mur. Beck avait l'allure du militant. Ses cheveux étaient un enchevêtrement de boucles poivre et sel qui débordaient sur son col. Des stylos en plastique jaillissaient de diverses poches. Sa cravate était desserrée. Le message semblait être : *Citoyens, lutter contre l'oppression gouvernementale est un dur labeur ! Je n'ai pas de temps à consacrer à l'élégance !* Plutôt efficace, en fait.

L'accusé Gerald McNeese dégageait une aura musclée et menaçante. Il posa ses avant-bras sur le bord du box des prisonniers et croisa les doigts. La pose était si parfaitement banale, si cool, qu'on en oubliait presque qu'il avait des menottes aux poignets. Grand et très mince, il avait les clavicules qui pointaient sous sa chemise. Sa tête rasée révélait un crâne plein de bosses.

Max Beck posa la main sur l'avant-bras de McNeese – *Luttez contre le pouvoir* – mais ce dernier eut un mouvement de recul.

— L'État, dit le juge.

— Votre Honneur, voici l'homme que le procureur adjoint Bob Danziger s'apprêtait à poursuivre lorsqu'il fut assassiné.

— Objection !

— Rejetée. Je veux entendre ça.

— Mais mon client n'est pas accusé du meurtre de Bob Danziger ! Cela n'a rien à voir avec Bob Danziger !

Le juge leva les mains pour faire taire Beck.

— J'ai dit que j'entendrais ça.

Soudain nous ne parlions plus de coups et blessures banals. La mention du nom de Danziger changeait tout.

Le procureur poursuivit :

— Le gang de l'accusé...

— Objection !

— Rejetée.

— Mais mon client n'appartient à aucun gang !

— Si, assura Caroline Kelly. Et c'est un mobile.

— Rejetée, répéta le juge.

— Le gang de l'accusé, le Mission Posse, continua Kelly, tenait à ce que l'affaire de Danziger contre cet accusé ne passe pas en procès. On pense que Gerald McNeese est un proche associé de Harold Braxton, le chef du gang. Dans l'affaire que M. Danziger instruisait, le témoin clé s'était caché et le Posse n'arrivait pas à le localiser pour... le dissuader de témoigner.

— Objection ! Pure spéculation !

— Rejetée. J'écoute.

— Ce week-end, continua Caroline Kelly, M. McNeese – qui est connu sous le nom de G-Mac dans la rue – a fini par localiser l'informateur, un homme du nom de Raymond Ratleff. L'accusé tenait à convaincre M. Ratleff de ne pas témoigner dans l'affaire de M. Danziger. Vers minuit samedi, l'accusé a été vu en train de battre M. Ratleff dans Stanwood Street dans les Flats, d'écraser son visage contre le trottoir une bonne demi-douzaine de fois. Selon un témoin, on aurait dit que l'accusé enfonçait un clou dans le trottoir avec la tête de M. Ratleff. M. Ratleff s'en est tiré avec des os de la face cassés, dont une orbite fracturée. Il risque de perdre l'usage de l'œil droit.

Gerald McNeese fit la moue et renifla dédaigneusement.

— Maître Beck ?

— Votre Honneur, avec tout le respect que je dois à

Ms Kelly, la police quadrille le quartier et traque de jeunes Afro-Américains depuis des semaines à cause de l'affaire Danziger.

Kelly eut un regard mauvais quand Beck lâcha les bombes de racisme et de conduite répréhensible de la police et son regard devint encore plus noir quand l'avocat poursuivit :

— De jeunes Noirs de ce quartier ont été pris pour cible...

Les yeux du procureur se plissèrent. Elle semblait vouloir vaporiser ce pauvre Max Beck avec ces lasers.

— M. McNeese a notamment été pris pour cible, persista Beck. Il n'a assurément aucun lien avec le meurtre de Danziger. C'est juste une diffamation contre mon client. La police n'a rien, donc elle se livre à une chasse aux sorcières.

Le juge grogna.

— Pas les sorcières, pas aujourd'hui.

— C'est exactement le genre d'hystérie...

— Monsieur Beck, le tribunal est bondé. Nous n'allons pas nous lancer dans la tirade de la chasse aux sorcières.

Beck fit une grimace pour montrer qu'il y avait une logique à parler de chasse aux sorcières, si seulement le juge voulait bien le laisser poursuivre.

— Puisqu'il en est ainsi, monsieur le juge, je me contenterai de dire qu'il n'y a aucune preuve contre mon client, il n'y a pas de témoin, et donc pas de possibilité d'inculpation. Étant donné les circonstances, il doit être remis en liberté sur engagement personnel.

— Ms Kelly ? Avez-vous un témoin ?

— Oui.

— Le témoin peut-il identifier le prévenu ?

— Oui.

— Et est-il disposé à témoigner ?

Kelly hésita. Elle inclina la tête vers la droite et vers la gauche, trahissant une certaine incertitude.

— Votre Honneur, nous pensons que le témoin se présentera à la barre. Nous demandons que l'accusé soit détenu sans caution.

Le juge Bell fronça les sourcils. Le procureur poussait une affaire avec un témoin récalcitrant – plus vraisemblablement, pas de témoin du tout – et mettait le juge dans le pétrin en reliant l'affaire à une autre plus sensationnelle, le meurtre du procureur adjoint Bob Danziger. Il étudia une sortie imprimante en accordéon du dossier de McNeese tout en tripotant son nœud papillon. Il finit par annoncer sa décision :

— Cinquante mille dollars en espèces ou quinze mille de caution.

Le greffier répéta cette information à l'accusé, mais G-Mac ne semblait pas écouter. Il regardait Caroline Kelly d'un air mauvais.

Le juge avait également un message pour le procureur.

— Ms Kelly, trouvez votre victime et inculpez cet homme, sinon je le libère.

Une fois la mise en accusation de McNeese conclue – avec l'incantation bourdonnante « Gerald McNeese, cette honorable cour a ordonné le versement de cinquante mille dollars en espèces ou quinze mille dollars de caution » –, le juge regarda sa montre et annonça : « Deux heures », ce qui signalait l'interruption pour le déjeuner. L'atmosphère dans la salle se détendit aussitôt, en grande partie grâce au départ du juge Bell lui-même. À la table des avocats, les procureurs adjoints et les défenseurs se mirent à bavarder comme des compagnons d'armes fatigués. Chez les spectateurs, ce fut une ruée vers la sortie.

Caroline Kelly s'attarda un moment à la table des procureurs, bras croisés, saluant certains des avocats. C'était intéressant de l'observer après avoir vu sa photo chez Kelly dans le Maine. Je compris immédiatement que je m'étais fait une fausse idée de Caroline – elle était à la fois plus impressionnante et beaucoup, beaucoup plus jolie que je ne l'avais cru. Ce n'était pas une beauté conventionnelle, non. Elle n'avait pas hérité de l'allure efflanquée ni du visage étroit de son père. Ses traits étaient plus généreux : des pommettes larges et saillantes, des sourcils bruns bien dessinés, un menton un peu trop mou. Elle avait un nez saillant avec une petite bosse Bourbon très aristocratique. Sa bouche était son seul trait délicat. Elle avait des lèvres fines et expressives et de petites dents qu'elle semblait rechigner à révéler. L'ensemble tenait debout, et quoi qu'il en soit l'alchimie de la séduction est bien plus mystérieuse qu'une simple description physique : elle ne tient pas seulement à la beauté. Ce que Caroline Kelly possédait et ce que sa photo ne pouvait pas saisir, c'était une *présence.* Elle avait l'expérience du monde. Elle affrontait les événements et les gens avec un regard oblique, le coin gauche de sa bouche se relevant comme la queue d'un chat. Ce sourire suffisant ne suggérait pas l'habituel cynisme acide des jeunes, mais un genre d'intelligence plus doux et plus sain – un scepticisme confortable dont elle ne devait pas se priver.

Quand je m'approchai d'elle, Caroline bavardait avec Max Beck. Ou, plus exactement, Beck tentait de bavarder avec elle.

— Comment va votre père ?

— Oh, il est inchangé, Max.

— Inchangé ! C'est ça !

Caroline lui adressa un de ces sourires entendus, puis se tourna vers moi. Bien que plus petite, elle réussit à donner l'impression de me regarder droit dans les yeux.

— Ben Truman. Qu'avez-vous pensé de ces lieux ?

— Nous nous connaissons ?

— Non.

Je vérifiai d'un coup d'œil que je ne portais pas une de mes chemises d'uniforme qui incitait les gens à m'appeler officier Truman ou chef Truman. Ce n'était pas le cas.

— Comment avez-vous...

— Mon père a téléphoné pour me dire que vous seriez ici. Vous n'étiez pas avec lui ?

— Désolé. Je suis un imbécile.

Ses lèvres s'ouvrirent en un sourire en coin à la Elvis.

— Alors qu'avez-vous pensé de tout cela ?

— C'était intéressant.

— Intéressant ! s'exclama Beck. Exactement !

Caroline avait toujours les bras croisés.

— Max Beck, je vous présente Benjamin Truman. M. Truman est le chef de la police de Versailles, Maine.

Beck me serra énergiquement la main.

— Nous sommes tous tellement bouleversés par ce qui est arrivé.

Je tendis la main à Caroline qui la serra rapidement.

— Max, il faut que je vous prévienne, M. Truman est venu enquêter sur l'affaire Danziger. Vous feriez bien d'espérer qu'il fasse un hors-jeu, sinon vous allez perdre plusieurs clients.

— Oh, je ne suis pas trop inquiet.

Beck leva les yeux vers ses cheveux en nid d'oiseau renversé : *Typique de Caroline.* Après cet avertissement muet, il s'éloigna.

— Je ne crois pas qu'il ait trouvé cela drôle.

— Il ne s'agissait pas d'une plaisanterie.

Caroline rassembla ses papiers et les fourra dans sa serviette. De près, je remarquai quelques fils gris dans sa chevelure brune. Avait-elle raté sa teinture ou avait-elle décidé de les conserver ? La seconde solution paraissait la plus plausible. Caroline portait manifestement trop d'attention à son apparence – elle arborait un maquillage très léger, appliqué avec art, et ses chaussures et son tailleur paraissaient élégants et coûteux – pour les avoir oubliés.

— *Intéressant* est une expression plutôt évasive, chef Truman. C'est tout ce que vous inspire cet endroit ?

— Un détail. Ce que vous avez dit... ce que vous avez dit au procureur adjoint, nous avons tous pu l'entendre.

— Et alors ?

— Eh bien si nous avons pu l'entendre, le juge aussi.

— Bien. Il fallait qu'il l'entende. Vous ne vous attendiez pas à voir ce gamin dire à un juge qu'on l'emmerde, n'est-ce pas ?

— En fait, il ne m'était pas venu à l'idée que quelqu'un le dirait.

— Peut-être pas à voix haute, soupira-t-elle.

— Et le truc à propos de la chasse aux sorcières ?

— Oh, ça c'est Beck. Il a tendance à dramatiser.

— Il a raison ?

— À propos des sorcières ? Non, nous maîtrisons assez bien le problème des sorcières. (Un autre sourire Elvis.)

— Je veux dire l'hystérie. Est-ce que les flics paniquent, procèdent à des arrestations dingues ?

— Peut-être. Probablement. Mais dans le cas de G-Mac, ils tiennent le bon. Nous avons une victime qui le connaît personnellement et qui peut l'identifier. Il n'y a pas de problème. McNeese est coupable et Beck le sait.

— Il semble aussi savoir que McNeese va s'en tirer.

— Exact. Il y a un problème en effet : on ne sait pas si la victime viendra témoigner.

— Quelles sont les chances ?

Elle haussa les épaules.

— Cette affaire est moins importante que l'enquête Danziger. Je ne vais pas mettre la pression sur ce témoin pour cette affaire ; j'aurai peut-être besoin de lui plus tard. En plus, si McNeese s'en tire, nous le coincerons la prochaine fois. Les types comme lui reviennent toujours. D'après les statistiques, cinq pour cent des criminels commettent quatre-vingt-quinze pour cent des crimes. G-Mac fait partie de ces cinq pour cent.

— Il me fait l'effet d'une sorcière.

— À moi aussi.

Devant le tribunal, un cube de trois étages à l'extrémité sud de Mission Avenue, Caroline se planta sur la deuxième marche pour pouvoir regarder son père, John Kelly, dans les yeux. Elle l'embrassa, puis essuya sa joue du pouce pour s'assurer qu'elle n'avait pas laissé de trace de rouge à lèvres. Un geste maternel et musclé, mais John Kelly parut apprécier.

— Merci de nous aider, chérie.

— Ne me remercie pas, papa, remercie Andrew Lowery. C'est lui le procureur. C'est lui qui a décidé.

— Mais tu l'y as encouragé, j'en suis sûr.

— En fait j'ai dit à Lowery de te renvoyer chez toi.

— Pourquoi ferais-tu une chose pareille ?

— Parce que je ne veux pas que tu me bousilles mon affaire.

— Je croyais que cela relevait du Maine, dis-je.

— Effectivement, mais je coordonne l'enquête ici. Franchement, je ne comprends pas pourquoi vous ne pouvez pas suivre l'affaire de chez vous, chef Truman. Mais si vous jugez important de participer... (Elle haussa les épaules.) Ce ne sont pas mes oignons. Je suppose que vous avez vos raisons. Quoi qu'il en soit, le procureur Lowery a dit que je devrais vous apporter tout notre soutien, par courtoisie.

— Imaginez un peu, grommela Kelly, qu'il faille dire à ma fille...

— Papa, arrête. Tu es censé être en retraite.

— Je suis trop jeune pour ça.

— Tu as soixante-sept ans.

— Soixante-six.

— C'est suffisamment vieux.

— Pourquoi ?

— Ne me demande pas.

Elle griffonna quelque chose sur un bout de papier qu'elle tendit à son père.

— Martin Gittens, lut-il. Qui est-ce ?

— Un flic. Il a été chargé de vous aider, avec l'aimable autorisation de Lowery.

— Très courtois, ton M. Lowery. Qu'est-ce que tu sais de ce Gittens ?

— Qu'il est inspecteur. Qu'il est censé être au courant de tout à Mission Flats. Et qu'il m'a appelée pour me supplier de lui refiler un bout de l'enquête. Sinon, pas grand-chose.

— Tu lui fais confiance ?

— Papa, c'est comme tu dis toujours : fais confiance à tout le monde...

— Fais confiance à tout le monde mais coupe toi-même le paquet de cartes. Brave fille.

— Merci de nous aider, plaçai-je.

Caroline tendit un index vers moi.

— Chef Truman, que Dieu me vienne en aide, s'il arrive quoi que ce soit à mon père...

Elle ne se sentit pas obligée de m'expliquer les conséquences précises.

— Hum, et s'il m'arrive quelque chose à moi ?

Elle m'ignora.

— Autre chose. Vous deux vous devez me promettre de partager avec moi tout ce que vous trouverez. Si vous dissimulez quoi que ce soit, même le plus petit détail, notre arrangement s'annule. Vous vous retrouvez tout seuls. Commentaire de Lowery.

— Bien entendu, assura Kelly père.

— Très bien. (Elle embrassa de nouveau son père et lui essuya de nouveau la joue du pouce.) Vous formez une sacrée équipe tous les deux.

— Comme Batman et Robin, suggéra John Kelly.

Elle renifla et eut son sourire Elvis sardonique.

— Ouais, c'est ça.

13.

Le grand ensemble Grove Park se composait de six vilains bâtiments en brique jaune. Disposés de manière asymétrique, tels des blocs lâchés çà et là par un géant distrait.

Nous trouvâmes Martin Gittens sur un toit. Penché en avant, les mains sur les genoux comme un arrière attendant le lancer de balle. À ses pieds, un Afro-Américain d'une vingtaine d'années était assis jambes écartées, adossé au parapet en béton. Il avait l'air malheureux.

— Tu peux arrêter ça quand tu veux, Michael, lui disait Gittens. Il suffit de dire le mot magique. Je ne vais pas t'obliger à faire un truc que tu refuses.

Le type était là, assis, hébété. Gittens attendit une réaction, puis se redressa.

— À toi de voir.

Non loin, deux flics en civil surveillaient la conversation. Ils semblaient impatients de passer à l'étape suivante.

Mais Gittens n'était pas pressé. Il vint nous serrer la main. Martin Gittens n'avait rien d'un type imposant. Un visage lisse et agréable, presque fade. Un visage qui se fond dans la foule. Un front bombé et dégarni – qui formait un promontoire, comme chez un cachalot – était son seul trait irrégulier. Il portait un treillis et des tennis. Sans le petit étui en nylon et l'insigne à sa ceinture, on aurait pu le prendre pour un comptable ou un prof de lycée, si tant est qu'on le remarquait.

— Ce gosse se prépare à faire un achat pour nous. Il y est presque.

— Vous voulez qu'on revienne ?

— Non. C'est pas un mauvais bougre. Il fait juste une petite crise. Il va réfléchir. Ensuite nous pourrons parler. Il nous adressa un regard entendu, nous faisant entrer dans le jeu. *Vous savez comment ça marche.*

À quelques pas de là, le gosse lâcha un soupir. Il lui fallut apparemment rassembler toutes ses forces pour lever les yeux vers Gittens.

— Je ne peux pas.

Gittens revint vers lui.

— D'accord, Michael, pas de problème. Si c'est ce que tu veux.

— Qu'est-ce qui se passe maintenant ?

— Eh bien, je vais remettre mon rapport au procureur, pour voir comment ils veulent traiter l'affaire. Le moment venu, ils t'inculperont. Dans deux semaines peut-être. Ils sont occupés. C'est juste une affaire de drogue.

— Je peux pas croire ces conneries.

Gittens hocha la tête, plein de sympathie.

— Qu'est-ce que vous feriez, inspecteur ?

— Peu importe ce que je ferais. C'est ta vie, Michael. Je peux pas te dicter ta conduite. Je ne suis pas ton avocat.

— Bien, je vous le donne en mille : mon avocat n'est pas là en ce moment. Dites-moi, qu'est-ce que je suis censé faire ?

Gittens s'agenouilla auprès de lui.

— Écoute, je t'ai donné cette chance parce que je pensais que tu la méritais. Je te vois mal dans une prison d'État, Michael, vraiment. Mais je n'ai pas d'autre solution. Je suis flic, n'oublie pas. Je peux pas enterrer cette histoire sans raison. J'ai besoin que tu me files quelque chose en échange. Donnant donnant.

— Où est-ce que je purgerai ma peine ? À Walpole ?

— Non, à Concord, probablement.

— C'est comment Concord ?

— Qu'est-ce que tu crois, Michael ? C'est un pénitencier, c'est moche.

Le môme s'écroula contre le mur, désespéré.

— Je ne sais pas comment j'en suis arrivé là. Vraiment.

— Tu ne sais pas comment t'en es arrivé là ?

— Non, je veux dire *je sais.* Mais c'était rien qu'un putain de sachet de drogue. Merde ! Trois ans pour un sachet ? *Bordel de merde.*

— Ce n'était pas un sachet, Michael. C'était seize grammes.

— J'ai pas pesé cette merde ! Je vous l'ai dit, c'était pas à moi.

— Michael, c'est toi qui t'es fourré là-dedans. Tu devrais apprendre à devenir responsable.

— Je vous l'ai dit, je le tenais, c'est tout.

— Tu le tenais, tu le vendais, tu le fourrais dans un hot dog, peu importe – tu détiens seize grammes, c'est du trafic, point barre. Reconnais-le.

Le type fit une grimace. Il en avait sa claque des sermons.

— Écoute, Michael, tu as envie de t'en tirer ? Vas-y, saisis l'occasion. Je te soutiendrai. Hé, on ne sait jamais. Peut-être que tu sortiras libre.

— Et sinon ?

— C'est trois ans minimum et au jour près – pas de remise de peine, pas de libération pour travailler, que dalle. Tu attends au trou. Il y a une guerre des drogues, t'es peut-être pas au courant.

— J'ai deux mômes, Gittens, vous le savez. Je peux pas partir trois ans. Même pas trois jours. Vous avez des enfants, Gittens ?

— Ouais, j'ai des mômes.

— Alors vous savez ce que c'est.

— Je t'offre une porte de sortie, Michael.

— Une porte de sortie avec une putain de bastos dans la tronche.

— Je te l'ai dit, ils sauront jamais qui tu es.

— Ils le sauront.

— Non. On ne te nommera dans aucun rapport ; personne ne te nommera jamais au tribunal. Tu as ma promesse. Ce qui est entre toi et moi reste entre toi et moi. J'ai déjà rompu une promesse que je t'ai faite ?

— Ils sauront.

— Pas si tout le monde fait son boulot.

L'homme respira profondément, étudiant ses options.

— C'est la dernière fois. Je n'en peux plus de ce merdier.

— La dernière, Michael.

— Après ça, je suis out.

— Après ça, tu es out.

— Et le procureur ? Qu'est-ce qu'il va faire de mon affaire ?

— Il n'y aura pas d'affaire. Le procureur n'a rien tant que je lui donne rien. En attendant, c'est mon affaire. C'est entre toi et moi, Michael. Je prendrai soin de toi. Tu sais que tu peux compter sur moi.

— Vrai ?

— Vrai. Le proc entendra jamais ton nom.

— La dernière fois, avertit Michael, en cédant.

Gittens opina du chef.

— La dernière. Bon, tu connais la musique. Debout, vide tes poches. Inspecteur, lança-t-il à l'un des flics en civil, vous voulez bien assister à ça ?

Le môme vida ses poches et les retourna. Il empila soigneusement ses affaires sur la surface caoutchouteuse du toit, puis il leva les mains en l'air et se laissa palper par Gittens. L'ennui se lisait sur les deux visages. La procédure était de la routine pour eux. Gittens copia les numéros de série de deux billets de deux dollars et les tendit au gamin.

— Du Knockout, Michael, rien d'autre. Dis-lui qu'il faut que ce soit du Knockout. Et assure-toi que c'est Veris qui touche le fric. Le grand type avec le T-shirt rouge.

— Je sais qui est ce connard.

— D'accord, Michael. Nous te regarderons.

— Génial, je me sens déjà mieux, renifla le gosse avant de s'engouffrer dans l'escalier.

Gittens nous invita à observer la scène.

— Avancez, messieurs. Le spectacle commence.

Nous nous approchâmes du bord du toit qui dominait Echo Park quatre étages plus bas. Comme tant de trucs à Mission Flats, Echo Park n'avait rien de ce que suggérait son nom, une vaste prairie où arbres et collines renverraient des échos. C'était un bout de terrain de traviole coincé à l'endroit où North Tremont Street partait de Franklin Street. Gittens nous expliqua que les gens du coin l'appelaient Hypo Park, à cause de toutes les seringues hypodermiques qu'on y trouvait. Une poignée d'arbres maigrichons et des bancs – le genre banal, assises vertes sur base en béton. Une allée en forme de Y reliait les trois angles du parc. Des graffiti : *Putain de flics*, les omniprésentes initiales MP et certains signes que je ne sus interpréter.

Gittens fixait l'endroit, captivé. Il tenait des jumelles qu'il me passait de temps en temps.

J'imitai sa position, cou tendu, front ridé par la concentration.

Je m'efforçai de détecter davantage que les rares gamins traînant dans un parc pourri. Il ne se passait pas grand-chose. Une demi-douzaine de jeunes – tous noirs, portant des trucs amples, style hip-hop – étaient avachis sur les bancs. Des gens allaient et venaient, traînant, bavardant, passant. Apparemment, le commerce de la drogue avait baissé le rideau pour la journée.

— Qu'est-ce que c'est que le Knockout ? demandai-je à Gittens.

— De l'héroïne avec une autre saloperie dedans. C'est apparu ces dernières semaines. On a un gosse qui en est mort.

L'un des flics qui nous accompagnait marmonna :

— Magne-toi, connard.

— Laissez-lui le temps de descendre l'escalier, l'apaisa Gittens. Patience.

Echo Park me semblait un endroit bien indiscret pour un trafic de drogue. Il n'y avait rien pour se cacher, aucun moyen d'échapper à la circulation sur Franklin Street.

— Cet endroit n'est-il pas un peu trop... exposé ? On voit tout.

Gittens haussa les épaules.

— Voir ne suffit pas. Il faut qu'on saisisse la marchandise, qu'on les prenne la main dans le sac, sinon on n'a pas d'enquête. Et nous ne pouvons pas nous approcher assez pour ça. Il y a des guetteurs partout dans la rue. Vous descendez, vous les entendez se siffler des signaux. On se croirait dans une volière.

Une femme entra dans le parc, par l'angle le plus proche de nous, l'extrémité étroite de la part de gâteau. Noire, maigre comme un clou, les genoux cagneux, un chapeau tricoté aux couleurs de l'arc-en-ciel. Un gamin vint à sa rencontre. Visiblement heureux de la voir, il la salua comme une vieille amie, riant, lui tapant dans la main, l'enlaçant.

— Ce môme est un balayeur. Son job consiste à diriger les acheteurs vers le bon endroit. Il traînera près de l'entrée du parc, vous demandera ce que vous cherchez, saura si vous êtes un client ou un flic ou juste un passant. Si vous êtes un acheteur, il vous invitera à vous asseoir sur un de ces bancs et il sifflera.

Gittens siffla tout doucement un chant de petit oiseau.

La femme alla s'installer sur un banc à côté d'un type vêtu d'une chemise de base-ball rouge.

— C'est June Veris avec la chemise rouge. Il est du gang d'origine. Il ne quittait pas Braxton d'une semelle quand ils étaient mômes. Maintenant il lui sert de gros bras.

June Veris avait du muscle à revendre. Un grand type avec des épaules massives et une taille fine. Il dominait son acheteuse, le cul sur le dossier du banc, les pieds sur le siège. Il bavarda un moment avec la femme avant qu'elle ne fouille dans sa poche et lui tape dans la main. Cela ressemblait à un salut exubérant. De notre position, il était impossible de voir s'ils échangeaient du fric. Puis Veris disparut et un gamin s'approcha de la femme.

— Ça, c'est le glisseur, expliqua Gittens.

Le glisseur passa nonchalamment devant la femme. Une démarche balancée. Une démarche que le gamin répétait probablement, en vérifiant son reflet dans les vitrines. Il lâcha quelque chose dans une poubelle sans s'arrêter. Quand la femme récupéra l'objet, les trois types qui avaient été si sympa avec elle quelques instants avant avaient disparu. Elle sortit en hâte en jetant des regards inquiets autour d'elle.

— Le glisseur a le job le plus dangereux, continua Gittens. Personne ne touche la dope sauf lui. Comme ça, le risque est minimisé pour tous les autres. Même si on les coince, on ne peut rien parce qu'ils n'ont pas de drogue sur eux. Sans un informateur ou un type en planque, il n'y a pas moyen de relier les balayeurs ou les autres à la drogue. Mais le glisseur doit transporter la drogue, alors si on le prend...

Il y avait une pause dans le bizness des glisseurs.

— Ils ont une planque dans le coin, expliqua Gittens histoire de tuer le temps, pour réapprovisionner les glisseurs. Le labo est forcément ailleurs. Il n'arrête pas de bouger. On en ferme un, un autre ouvre. On n'en voit jamais le bout.

— Et Braxton ? Qu'est-ce qu'il fait ?

— Braxton a tout organisé. Il dirige l'opération. Dans des circonstances différentes, il aurait fréquenté l'école de commerce de Harvard. Les choses étant ce qu'elles sont, il gère une entreprise hyper-lucrative. Il n'a pas besoin d'école de commerce. Harold est un joueur. C'est un mec super-intelligent.

— Et un assassin.

— Ouais, mais ce n'est pas quasi simple que ça.

Notre homme apparut enfin. Passant nonchalamment entre les bâtiments, il entra dans le parc par l'angle le plus proche.

Cette fois je n'eus pas besoin du récit de Gittens pour suivre l'opération. Michael fut accueilli par le même balayeur qui s'approcha de lui avec hésitation. Il n'y eut ni sourires, ni accolades. Le balayeur ne devait pas le connaître, et le soupçonnait peut-être d'être une balance. Quelle qu'en soit la raison, leur bavardage dura un peu plus longtemps que le précédent. Mais l'informateur réussit à passer le cap du balayeur et alla s'installer sur le banc. Veris s'assit à côté de lui, facile à repérer avec son T-shirt cerise, et c'est Veris qui prit l'argent. Les deux billets de vingt de Gittens, aux numéros de série relevés, disparurent dans sa poche. Une fois l'argent empoché, avec moins d'élégance cette fois, Veris s'éloigna. Un glisseur passa et lâcha une enveloppe en plastique dans une poubelle, à récupérer par Michael.

— Un autre client satisfait, fit Gittens de sa voix traînante quand l'informateur quitta le parc en hâte.

Echo Park retrouva son calme. June Veris qui était assis sur son banc ne tarda pas à être rejoint par un autre type qui s'adressa à lui de manière animée. Le balayeur traîna un moment près de l'entrée, puis rejoignit ses amis. Les gamins, toujours là, n'arrêtaient pas de jacasser. Si Gittens n'avait pas expliqué ce que je venais de voir, je n'aurais pas compris qu'il s'agissait d'une vente de drogue.

Michael fit sa réapparition sur le toit où on le fouilla de nouveau. Il vida ses poches qui ne révélèrent pas d'argent mais une petite enveloppe en plastique qui n'était pas là au départ. « L'achat sous contrôle » était bouclé.

Gittens me montra le petit carré de plastique opaque. Avec un tampon rouge représentant un gant de boxe – Knockout.

— Lâchez la meute, l'exhorta l'un des flics.

Gittens observait le parc, craignant apparemment que June Veris – la cible de l'opération – ne parte ou passe simplement les billets de vingt marqués à quelqu'un d'autre. Si cela se produisait, il n'y aurait aucun moyen de le relier à la drogue. Il était essentiel que les flics arrêtent Veris en possession de l'argent de l'arnaque dans sa poche.

— Allons-y, Martin, insista le flic.

— Pas encore, dit Gittens.

— Allons-y. Lâchez-les maintenant.

— J'ai dit : pas encore.

Nous attendîmes que d'autres ventes se fassent, vingt à vingt-cinq minutes en tout. Un gamin blanc en Volvo se gara près du parc. Il avait des cheveux roux hirsutes et une barbiche. Le pare-brise arrière de la Volvo s'ornait d'un autocollant de Yale. Ce fut seulement quand une poignée d'autres eurent empoché leur drogue – c'est-à-dire quand personne ne pouvait plus se douter que notre informateur était Michael – que Gittens murmura dans son talkie-walkie : « OK, go ! »

En quelques secondes, quatre voitures de patrouille noires banalisées convergèrent vers le parc, grimpant sur le trottoir pour bloquer les trois entrées. Les gamins s'éparpillèrent. Les flics leur coururent après, en attrapèrent quelques-uns, et disparurent dans les rues adjacentes à la poursuite des autres. Un joyeux désordre.

Finalement, Veris parvint à s'échapper. L'opération échoua. Mais quand je repense à cette journée – même en sachant que Gittens s'attendait probablement à ce que Veris s'échappe, s'il ne l'avait pas averti lui-même de la descente – je me rappelle qu'il respecta sa promesse. Il protégea l'informateur. Je me rappelle aussi ce que j'ai ressenti en observant cette merveilleuse anarchie dans le parc, les flics, les glisseurs, les cris. Je souriais d'aise. J'exultais. Une vraie partie de plaisir.

— Écoutez, nous dit Gittens à Kelly et à moi, la question n'est pas de savoir qui a assassiné Danziger. Tout le monde sait qui l'a tué. Le problème, c'est qu'est-ce qu'on en fait ? Personne dans ce quartier n'évoquera jamais Harold Braxton, sans parler de témoigner contre lui.

— À dire vrai, je ne sais pas ce que Danziger cherchait à faire. Ce dont il a accusé McNeese, c'est une vieille histoire, des conneries de drogués. Ray Ratleff était un glisseur qui n'a pas filé le blé d'un paquet que le Posse lui a donné à vendre, si bien que McNeese a essayé de récupérer la dette. Ça s'arrêtait là. Ray a probablement utilisé la coke lui-même, puis il a dit à McNeese qu'il se l'était fait voler. Ray Rat est un drogué, ce n'est pas un mauvais bougre. Je veux dire j'aime bien Ray. Ça fait longtemps qu'il se shoote, il ne peut pas s'en empêcher. Harold n'aurait jamais dû lui confier la marchandise. C'est lui qui est fautif.

Nous étions dans Echo Park, où le marché de la drogue restait fermé jusqu'à ce que tous ces flics décident de rentrer chez eux. C'est assis sur un banc que nous avons écouté Gittens expliquer l'histoire secrète de Mission Flats. L'inspecteur n'avait rien de l'accent péteux de Boston. Il s'exprimait sur un ton nasillard du Midwest qui s'accordait bien avec ses tennis blanches et son treillis repassé maison. L'histoire qu'il raconta était une autre paire de manches.

— Ray se fourre dans le pétrin et ses dettes s'accumulent. Il faut que Braxton réagisse. Il ne peut pas laisser passer ça, il a une entreprise à gérer. Il ne peut pas se laisser spolier sans rien faire.

« Il envoie donc McNeese régler cette affaire. Mais G-Mac était un mauvais choix. McNeese avait buté des types pour bien moins que ce que Ray Rat avait fait et, au fond, Ray était inoffensif. Autant lâcher une bombe sur un moustique. Peut-être que Braxton s'est imaginé qu'en fichant la trouille à Ray Rat, G-Mac l'amènerait à payer, mais Ray n'avait pas les ronds parce que, comme je l'ai dit, Ray investit le moindre *cent* dans la dope.

« Bon, la seule chose que Ray possède, c'est sa Volkswagen Jetta. Un jour G-Mac le voit au volant de sa poubelle. Ray arrive à un feu, G-Mac s'approche, lui fourre un pétard dans l'oreille – en plein dans Mission Ave – et il lui dit qu'il lui pique la bagnole en échange du fric que Ray doit au Posse. Comme ça. Et il part avec la tire.

« Bon, Ray n'est pas un mauvais bougre, comme je l'ai dit. Mais soyons honnête, il devait effectivement l'argent. En plus il a eu de la chance que McNeese ne lui fasse pas sauter le caisson sur-le-champ, tel qu'on le connaît. L'affaire aurait dû être réglée – Ray Rat a déconné, donc G-Mac a pris la Jetta, terminé. Ray aurait dû s'en tirer.

« Bon, à ce moment-là Danziger arrive à convaincre Ray Rat de témoigner – ce qui est sans précédent. Ces procs n'arrivent jamais à trouver de témoins dans une affaire de gang. Je ne sais pas ce que Danziger lui a promis. Je ne sais même pas pourquoi Danziger s'accrochait à ce cas au départ – et j'aimais bien Bobby Danziger, croyez-moi ; nous avons été longtemps ensemble à l'UES. Mais aucun jury de la ville n'allait envoyer un type en tôle pour un problème de drogue, pas quand le seul témoin était un drogué comme Ray Ratleff. Même si Danziger parvenait à amener Ray à la barre, il aurait dû l'attacher à sa chaise pour l'empêcher de tomber. On aurait pu juger cette histoire à Pékin, on aurait encore obtenu un verdict de non-lieu.

« Quoi qu'il en soit, Ray Rat s'arrache et c'est le bordel. Braxton peut pas lui mettre la main dessus, et G-Man est sur les dents parce que Danziger s'acharne sur le vol de la Jetta de Ray Rat. Et si cela en arrive au procès, qui sait ? Il y a toujours un risque qu'un jury croie Ray parce que, drogué ou non, on sait que Ray dit la vérité. Donc, pour faire court, tout le monde cherche Ray Rat – flics, gangsters, tout le monde – et personne ne parvient à le trouver.

« Le procès approche et l'équipe de Braxton n'arrive pas à mettre la main sur le témoin. Il faut donc faire quelque chose pour arrêter le procès. Alors Braxton se rend dans le Maine et descend Danziger. Je veux dire qu'il n'a peut-être pas appuyé lui-même sur la détente, mais il en a sans aucun doute donné l'ordre.

— Comment savez-vous tout cela ?

— Chef Truman, tout le monde sait tout cela. C'est pas un grand mystère en l'occurrence. La moitié des gens du quartier pourrait vous raconter ce qui s'est passé. Et le prouver.

Kelly fronça les sourcils devant cette version des faits. Ce n'était rien que du ouï-dire bien sûr. Des rumeurs, pas des preuves. Ou peut-être était-ce Gittens lui-même que Kelly n'appréciait pas. Mais pour moi, c'était de bonnes nouvelles. Gittens représentait plus important que des preuves : un initié, un passe.

— Où est Ray Rat maintenant ? demanda Kelly.

— Qui sait ? Tout le département est à la recherche de Braxton. Personne ne pense à Ray en ce moment, parce qu'il n'a pas tué Danziger.

— Mais vous pourriez le trouver ?

Gittens haussa les épaules.

— J'ai des copains par ici qui pourraient savoir quelque chose.

Des copains ? Que penser de ce type ? Si Kelly avait raison, les flics se classaient en deux catégories, les causeurs et les casseurs, et là on avait affaire à l'idéal du causeur. Mais il n'y avait pas moyen de savoir dans quelle mesure les discours de Gittens ne se résumaient justement pas à ça – des discours.

Kelly et moi échangeâmes un coup d'œil. Pourquoi pas ?

— Vous pouvez vraiment trouver Ray Rat ? demandai-je.

— Chef Truman, je vous ai trouvé, non ?

14.

La radio est la bande sonore de la vie d'un flic. « Bravo six-cinq-sept, adam-robert... répondez, bravo six-cinq-sept... » C'est une présence constante dans les voitures de police, avec des voix presque indéchiffrables, un blizzard d'informations. Gittens et Kelly avaient acquis l'art de filtrer le bruit de fond, de pratiquer l'écoute sélective. Mais mon oreille ne cessait de capter des messages sibyllins : « Un-cinq, passez par Leiningen Road » ; « On nous signale une voiture désossée... « Un-cinq, bien reçu ».

— Où allons-nous ? demandai-je à Gittens.

— Là où traîne Ray. Une sorte de club.

Nous descendîmes Mission Ave vers le sud, en passant devant une série de parkings. Sur les trottoirs, les passants nous regardaient. Le soupçon naissait naturellement à la vue de trois Blancs dans une Crown Victoria – le soupçon semblait toujours accompagner les différences raciales dans les Flats. C'était dans l'atmosphère. On était conscient de sa race, on la portait comme des vêtements neufs.

— Bravo quatre-trois-un... Tremont et Vannover avec voiture volée, immatriculation Massachusetts. Deux-six-zéro-paul-victor-john-VW beige, deux Latinos.

Gittens se gara devant une grosse usine en retrait de l'avenue, l'une des rares entreprises prospères que j'aie vues dans le coin. Un panneau annonçait :

SERVICES DE RETRAITEMENT DES ORDURES

ZIP-A-WAY,

INC. CENTRE DE RECYCLAGE DE BOSTON

Cernée de hautes clôtures surmontées de barbelés, l'usine se composait de trois énormes entrepôts. Un tapis roulant sortait du toit du plus grand, transportant des bouteilles et des récipients en plastique qu'il précipitait dans une déchiqueteuse. Mais pas le moindre signe d'activité à l'extérieur du bâtiment. On avait l'impression que l'usine était vide, qu'elle marchait toute seule, en mode automatique.

— Nous y sommes, annonça Gittens.

Il nous fit franchir une grille et, une fois à l'intérieur du complexe, nous longeâmes la clôture jusqu'à un terrain situé à l'arrière. Là des amoncellements d'ordures étaient triés par genre, journaux, métaux, plastique. Gittens nous guida à travers les dunes d'ordures vers une benne. L'énorme conteneur attendait dans un coin, apparemment abandonné. Non loin on avait empilé de vieilles briques, toutes triées. La benne devait contenir à peu près la même chose : des matériaux de construction et autres saloperies. Je voyais mal pourquoi Gittens nous amenait ici. Un passage étroit courait entre la benne et la clôture, et nous dûmes le franchir de biais pour atteindre le bout du conteneur.

— Laissez-moi passer le premier, murmura Gittens.

— Pour aller où ?

Gittens cligna de l'œil et disparut rapidement à travers la paroi de la benne. Plus exactement, il repoussa un rideau de toile grossière qui pendait devant un trou et entra. On entendit des voix à l'intérieur et, au bout d'un moment, Gittens passa une tête dehors.

— Venez, nous encouragea-t-il, ce n'est pas aussi moche qu'il y paraît.

Kelly et moi échangeâmes un regard.

— À vous l'honneur, dis-je.

À l'intérieur de la benne régnait une obscurité totale. Une puanteur me sauta au visage – ordures en décomposition, urine, sueur, et une odeur plus âcre, de plastique brûlé peut-être. Au bout de quelques secondes, je parvins à distinguer un petit coin salon. On avait transformé un tambour en bois en table. Il était flanqué de deux chaises abîmées dont une avait un pied en moins. La lumière qui filtrait à travers le rideau illuminait faiblement l'ensemble. Le plateau de la table disparaissait sous des seringues, un briquet, des bouts d'alu noirci, des paquets vides d'héroïne et de cocaïne. Les paquets de drogue – des enveloppes en plastique d'environ trois centimètres carrés – portaient des tampons d'encre représentant deux symboles différents. L'un, la silhouette noire d'un chien, l'autre, un gant de boxe rouge – le Knockout. À en juger par la table, le Knockout et le Black Dog semblaient être le Coke et le Pepsi du monde local de l'héroïne. Je remarquai aussi des petits sachets bon marché de cocaïne. Mais tout était vide. La fête était finie pour le moment.

À Versailles, on voit beaucoup d'herbe, d'emploi abusif de médicaments et un tsunami d'alcool. De temps à autre quelques sachets de cocaïne font leur apparition au lycée et je me rends à Mattaquisett si le môme est de Versailles. Le bruit court que Joe Grasso, qui conduit un dix-huit roues entre Montréal et les Keys en Floride, a une planque chez lui dans Post Road, mais on n'a jamais trouvé de preuves permettant une fouille. Je n'ai jamais vu ni coke ni amphés.

Gittens tâta les paquets vides sur la table. Il en empocha un de Knockout, mais il était manifeste qu'il n'avait pas la moindre intention de procéder à des arrestations ni de chercher d'autres drogues. Ce n'était pas le but de l'opération.

Il y eut un mouvement dans l'intérieur obscur de la benne. Puis un grognement.

Je m'écartai d'un bond de la table, surpris. En plissant les yeux, je distinguai vaguement les silhouettes de trois ou quatre hommes – impossible de dire combien ils étaient – allongés par terre. Ils avaient des mouvements alanguis, dodelinant de la tête et remuant mollement les pieds, des ombres, rien de plus.

— Bon Dieu, sifflai-je, feignant la colère pour dissimuler mon embarras.

— Hé, c'est mon matos, mec, dit une voix.

Gittens désigna une aiguille et une seringue sur la table : l'attirail.

— Personne ne touche à ton matos, mec. Tout va bien.

Kelly, qui était obligé de se courber pour ne pas se cogner la tête, effleura les objets sur la table du bout de sa matraque, soucieux de ne rien toucher à mains nues.

Gittens disparut dans l'obscurité à l'autre extrémité de la benne.

— Tout va bien, glissa-t-il aux hommes allongés par terre, tout baigne.

Il enfila des gants en caoutchouc, enjamba le premier des dormeurs, se pencha et posa une main gainée de latex sur son flanc.

— Comment ça va, mon ami ? (Aucune réaction.) Qu'est-ce qu'on a ici ? Allez, la Belle au bois dormant, montre-moi ce beau visage. L'un de vous a-t-il vu Ray Ratleff ? Hein ? (Il enjamba les corps comme s'il s'agissait de bûches.) Qui avons-nous ici ? Bobo ! Salut, mec. Allez, Bobo, réveille-toi une seconde, il faut que je te parle. (La silhouette gémit et tenta de repousser Gittens.) Allez, Bobo, c'est l'heure du réveil.

Il attrapa l'homme sous les aisselles et l'assit. Tout en le maintenant d'une main, il tira de sa poche de manteau une paire de gants en caoutchouc qu'il me tendit. Je l'aidai à soutenir Bobo jusqu'à la table.

Bobo se révéla être un homme frêle et maigre d'une petite trentaine d'années. À peu près aussi lourd qu'une vieille décharnée. Il portait un pantalon crasseux et un sweat des Lakers. Sur sa tête était vissée une casquette de marin grec, bien que la sienne fût en cuir noir, une liberté qu'aucun marin grec n'approuverait. Il dégageait une odeur de corps mal lavé.

Nous le déposâmes sur la bonne chaise et Gittens se percha sur celle à trois pieds, en se calant pour ne pas basculer en avant. Il fit glisser les paquets vides de côté, en veillant à ne pas traîner sa manche sur le plateau de la table.

— Bobo, il faut qu'on trouve Ray.

Bobo grogna, vaseux. Sa tête pendait. Il fallait que je le retienne par les épaules pour l'empêcher de glisser de sa chaise.

— Bobo, allez, je sais que tu m'entends. Est-ce que tu as vu Ray Rat ?

Bobo réussit à entrouvrir une paupière.

— Gittens, gémit-il.

— Bobo, est-ce que... tu as vu... Ray... Ratleff ?

— Gittens. (Bobo rit d'une plaisanterie qu'il fut le seul à entendre.) Gittens, qu'est-ce que tu fiches ici ?

— Où est Ray ?

— Je connais pas de Ray.

— Allez, déconne pas. Tu sais qui est Ray.

Bobo réfléchit.

— Oh Raaay ! Le mec à l'énorme coupe afro ?

— Ouais, Bobo, celui-là. Tu l'as vu ?

— Non, mec, il est parti. Ray est parti. Par-ti.

— Et où est-il parti ?

— Je crois qu'il est dans un – comment on appelle ça – un programme de protection de témoins.

— Ouais ?

— Ouais. Ils l'ont transformé en fermier, je crois.

— Bobo, nous n'avons pas de programme de protection de témoins. C'est les fédéraux.

— Non, c'est vrai. Il vit quelque part dans le Connecticut.

— Bobo, Ray est même pas fichu d'épeler ce nom.

— Ça va, ces conneries, interrompit Kelly. Inspecteur, vous permettez ?

Gittens fit un geste du bras. *Je vous en prie.*

Bobo pressentit ce qui allait se produire. Il se redressa tant bien que mal, prêt à se défendre.

— Asseyez-vous, ordonna Kelly.

Bobo ne s'assit pas – une erreur, à ce qu'on allait voir.

La matraque de Kelly atterrit pile contre son entrejambe. Il y eut un bruit liquide et Bobo s'écroula par terre.

— Bien, annonça Kelly, je pense qu'il nous écoute maintenant. Ben, remettez-le sur la chaise. Inspecteur Gittens, vous pouvez poser vos questions maintenant.

— Mes couilles ! souffla Bobo.

— Je sais. Vos couilles, dis-je en jetant un coup d'œil à Kelly qui essuyait sa matraque sur son pantalon en évitant mon regard.

— Bobo, est-ce que tu as vu Ray ? demanda doucement Gittens.

— Ouais. Je l'ai vu.

Courbé en deux, haletant, Bobo se tenait les parties génitales à pleines mains.

— Quand cela ?

— Je ne sais pas, y a un ou deux soirs. Il est venu ici chercher un paquet. C'était le genre : *est-ce que tu peux me filer un coup de main ?*

— Tu lui as vendu le paquet ?

— Vous voulez me lire les droits, Steve McGarrett ?

— À quelle heure il s'est pointé ?

— Je ne sais pas. Tard. J'étais occupé.
— Il a dit où il créchait ?
— Non.
— Comment il est venu ici ? À pied, en voiture ?
— En voiture.
— Quelle voiture ?
— Une japonaise. Shitsu, un truc comme ça.
— Une Shitsu ?
— Ouais, une Shitsu.
— C'est quoi une Shitsu, bordel ?
— Une voiture.
— Il n'existe pas de voiture de ce nom-là.
— Qu'est-ce que vous voulez que je vous dise ? C'est ce qu'il avait.

Gittens fronça les sourcils.

— Quelle couleur ?
— Je ne sais pas. Marron, orange peut-être. J'ai pas pu voir.
— Une Shitsu marron. C'est très utile. Quelqu'un l'accompagnait ?
— Je sais pas, Gittens. Je commence à avoir du mal à me rappeler.

Gittens sortit une liasse de billets tenue par une pince. Il en tira deux de vingt dollars qu'il lâcha sur la table.

— C'est important, Bobo.
— À quel point ?

Gittens ajouta un nouveau billet de vingt aux deux premiers.

— Bobo, il faut que je trouve Ray avant Braxton.
— Ça reste entre toi et moi, d'accord ? Parce que Ray et moi, c'est une longue histoire, d'ac ? Ça remonte au temps où on...

Bobo leva deux doigts collés pour montrer à quel point il avait été lié à Ray Ratleff.

Gittens acquiesça mais ne garantit pas qu'il garderait le secret sur l'indice.

— Ray est mort, Bobo. Braxton le cherche. Si je ne le trouve pas le premier, Ray est mort.

Bobo étudia les trois billets sur la table.

— Ray a une sœur qui vit à Lowell. Les flics lui ont déjà parlé, mais elle leur a dit que Ray était pas là. Je connais pas son nom. Elle vit avec ce mec, Davy Diaz. Il conduit une Harley. Ray est peut-être là-bas.

Gittens acquiesça de nouveau pour indiquer qu'il avait compris.

— J'ai dit *peut-être*, d'accord, Gittens ? N'oublie pas.

— Je m'en souviendrai, Bobo. D'accord.

Gittens jeta un autre billet sur la table, comme après réflexion.

— Gittens, tu trouves Ray, tu l'aides, d'accord ? Ray a rien fait. C'est ce proc qui l'a foutu dans ce merdier. C'est le proc qui lui a fourré toutes ces idées dans le crâne.

— Je sais, Bobo.

— Tu vois le tableau, hein ? Tu peux arrêter ça, je le sais. Aide-le.

— Gittens, vous venez de filer quatre-vingts dollars à ce type.

— Pas mal pour cinq minutes de boulot.

— D'où tirez-vous ce liquide ?

— C'est l'argent de la drogue. Nous le confisquons aux dealers. Les méchants financent nos enquêtes, ce n'est que justice. Hé, s'il n'y avait pas de méchants, on n'aurait pas besoin de flics, hein ?

— Comment l'obtenez-vous ?

— Oh, Ben, quand on travaille aux stups, le fric est partout. Vous faites une descente, vous tombez sur cinq, dix, vingt mille dollars sur une table, rien que du liquide, en liasses comme à la banque. Vous chopez quelqu'un à un coin de rue, un glisseur qui aura des billets de dix et de vingt plein les poches. On le prend, c'est tout.

— Personne ne conteste jamais ?

— Bien sûr que non. Qu'est-ce qu'ils diraient ? Si un dealer se présente au tribunal en disant « c'est mon fric », il faut qu'il explique pourquoi il a tant de liquide sur lui ou pourquoi il conserve son blé dans une planque bourrée de coke ou pourquoi il se trimballe qu'avec des billets de dix et de vingt. Le liquide est la preuve d'un délit. S'ils réclament le liquide, ils avouent le délit. Si bien qu'ils ne protestent jamais.

Nous roulions à toute allure sur la I-93 en direction de Lowell, la ville d'aciéries désaffectées à quarante-cinq minutes au nord de Boston. Gittens avait branché les gyrophares mais pas la sirène et nous dépassions allègrement des kilomètres de voitures coincées dans les embouteillages.

— Nous ne faisons pas beaucoup de confiscations à Versailles. Cela ne vaut jamais le coup.

— En fait, Ben, je parle d'une procédure moins officielle en l'occurrence. (Il me regarda pour voir si j'avais compris.) Nous ne le signalons pas.

Il y eut un silence gêné.

— Faut bien que je paie ces types d'une manière ou d'une autre, continua Gittens de sa voix monocorde. C'est comme ça, c'est tout.

Lowell semblait la planque idéale pour Ray, suffisamment loin de Boston pour qu'il n'y ait pas de fuite sur sa cachette, mais pas trop loin non plus pour se retrouver seul, sans soutien. Un endroit sinistre. Dans le centre, les usines avaient été converties en centres commerciaux et en musées dans une tentative de la ville de Disneyifier son passé industriel. Quel que fût le retentissement de ces joyeuses rénovations sur le centre – et même dans le centre, ce n'était pas complètement convaincant –, cela paraissait déjà moins folichon dans les faubourgs plus sordides de la ville. Dans Shaughnessy Garden, la rue où Ray se planquait, la couleur naturelle de la terre n'était plus qu'un souvenir. On aurait cru voir le monde à travers un pare-brise sale. Davy Diaz habitait dans un de ces bâtiments monochromes, une maison pour deux familles construite sur des fondations branlantes en béton. Une Harley et une vieille Mitsubishi – une Shitsu – étaient garées devant. La chaîne d'un chien gisait dans la cour. Elle semblait suffisamment lourde pour retenir un destroyer. Je n'étais pas mécontent que le chien à qui elle appartenait soit absent.

Une femme répondit à la porte. Une Noire très grande et très digne.

— Puis-je vous aider, messieurs les agents ? dit-elle bien que nous fussions en civil.

Le chien aboya à l'intérieur.

Gittens demanda à voir Ray Ratleff et la femme lui répondit poliment qu'il n'était pas là.

— Cela fait des années que je n'ai pas vu Ray.

Gittens l'observa un instant, pour la jauger.

— Bon, dites à Ray que c'est Martin Gittens. Je veux juste lui parler. Annoncez-lui Martin Gittens et, s'il n'est toujours pas là, on s'en va, d'accord ?

La femme jaugea Gittens à son tour, puis disparut dans la maison.

Quelques instants plus tard, Ray Ratleff s'encadrait dans la porte. Il était grand, presque autant que Kelly, et sa tête s'auréolait d'une coiffure afro. Elle lui flottait autour du crâne tel un nuage atomique. Il portait un T-shirt avec les manches coupées, ce qui accentuait la longueur de ses bras maigres. Son bras droit s'ornait d'une horrible cicatrice juste en dessous du coude où le muscle de l'avant-bras manquait carrément, arraché. On aurait dit qu'on lui avait mordu dans le bras. Ses avant-bras étaient constellés de chtars, les stigmates de piqûres. Un bandage lui couvrait le front et l'œil droit. Je me rappelai que, d'après le dossier de Danziger, Ratleff était né le 25 juillet 1965, mais on avait du mal à croire que cet homme n'avait que trente-deux ans. Il en faisait facilement cinquante.

— Gittens, soupira Ratleff d'une voix de basse.

— Salut, Ray. (Le ton de Gittens n'avait rien de menaçant.) Il y a plein de gens qui te cherchent.

— On dirait qu'ils m'ont trouvé.

— Fallait bien que quelqu'un finisse par te trouver. Heureusement pour toi, c'est moi.

— Ouais, j'ai un de ces pots ! Je suis en état d'arrestation ?

— Non, tu n'as rien fait de mal.

Ratleff hocha la tête, lentement.

— Si tu veux, je peux t'embarquer, t'accuser d'un délit quelconque. Cela te mettra à l'abri un moment, loin de Braxton.

— Non, c'est bon.

— Tu as besoin de quelque chose, Ray ?

Ratleff croisa les bras. Il ressemblait aux Indiens des boutiques de cigares.

— Ça va.

Planté à côté de lui, Gittens contempla les maisons délabrées de Shaughnessy Garden.

— On est en plein merdier, Ray.

— Vous allez leur dire où je suis ?

— Il faudra certainement. Comment va ta tête ?

— Ça va.

Ratleff tapota le bandage sur son œil comme s'il avait oublié sa présence. Il devait y avoir une certaine dose de panique et de confusion derrière ce bandage, mais il réussit à le masquer.

— J'ai rien fait de mal.

— Je sais, Ray.

— J'ai rien fait de mal, répéta Ray.

Gittens opina du chef.

Ratleff le regardait toujours fixement et je l'entendais presque répéter la phrase comme un mantra : *j'ai rien fait de mal, j'ai rien fait de mal.*

— Ray, reprit doucement Gittens. Ces messieurs veulent te poser quelques questions. Ils participent à l'enquête Danziger, le procureur qui s'est fait descendre.

— Monsieur Ratleff, dit Kelly, est-ce que Gerald McNeese ou un autre de la bande de Braxton vous a déjà parlé de l'affaire de vol de voiture ?

— Ils n'ont pas eu besoin de m'en parler. Je savais ce qu'ils voulaient. Ils voulaient que je laisse tomber.

— Comment le savez-vous ?

— C'est le Mission Posse. C'est comme ça.

— Mais vous avez décidé de témoigner tout de même ?

— Le procureur m'a dit de me contenter de dire la vérité.

— Mais vous saviez pour Braxton, ce qu'il risquait de faire ?

— Tout le monde le savait. Le procureur aussi.

— Vous voulez dire Danziger ?

Ratleff acquiesça.

— Danziger savait que vous étiez en danger.

— Bien sûr qu'il le savait.

— Alors qu'est-ce que Danziger vous a dit ? Comment vous a-t-il convaincu de témoigner ?

— Il avait un truc contre moi. J'ai vendu un paquet à un flic.

— Un paquet ? ricana Gittens. Allons, Ray, c'est juste de la distribution. Quelques mois de tôle, au pire. Tu pourrais faire ça les doigts dans le nez. Tu as fait tout ça rien que pour éviter six mois au trou ?

— Ce n'était pas comme ça.

Je posai mon pied sur la dernière marche, si bien qu'il fallut que je lève la tête pour regarder Ratleff.

— C'était comment Ray ? Que se passait-il ?

Il baissa les yeux vers moi.

— Que se passait-il ? répétai-je.

— Je ne pouvais pas aller en tôle. Je n'avais pas le temps. En plus, le procureur, Danziger, a dit que cela ne se produirait pas de toute façon.

— Qu'est-ce qui ne se produirait pas ?

— Qu'il n'y aurait pas de procès. Le procureur avait conclu une sorte de marché. Il disait qu'il suffisait que je demande à témoigner, que je laisse couler jusqu'à ce qu'il y ait un procès, et que tout ce binz s'arrêterait.

Gittens était de nouveau surpris.

— G-Mac allait plaider coupable ?

Ratleff haussa les épaules.

— C'est ce que le procureur a dit.

— Je ne le crois pas, Ray, fit Gittens. Ces mecs ne plaident pas coupables. Tu le sais.

Ratleff haussa de nouveau les épaules. *Je ne sais pas, je m'en fous.*

— Ray, qu'est-ce qui se passait, vous le savez ? repris-je.

— Tout ce que je sais, c'est que Danziger m'a dit que si je respectais le programme, que si je le laissais travailler sur G-Mac un moment, il pourrait le convaincre de faire ce qu'il voulait. Je lui ai riposté que McNeese ne dénoncerait jamais personne ni rien de tout ça, mais Danziger n'arrêtait pas de répéter que cela ne se passait pas comme ça. Selon lui, il avait de quoi convaincre G-Mac.

— Et c'était quoi, Ray ? Que tramait Danziger ?

— Je vous l'ai dit, je ne sais pas.

— Ray, dit Gittens, qu'est-ce que tu vas faire quand Braxton va venir te chercher ?

— Qu'il vienne. Je n'ai rien fait de mal.

— Cela n'a pas d'importance, Ray. Tu sais ce qu'il va faire.

— Qu'il vienne. Peu importe ce qu'il me fait. J'ai le virus.

Nous le regardâmes sans comprendre.

— J'ai le virus. (Il se piqua le bras avec une aiguille imaginaire, probablement pour indiquer un sida dû aux seringues.) J'ai pas le temps d'aller en tôle ou ailleurs et j'ai pas de temps à perdre avec Braxton et ses conneries. Il peut plus rien me faire maintenant.

15.

S'il existe un paradis pour flics, il ressemble au J.J. Connaughton Café. L'intérieur se compose d'une salle lambrissée avec un bar tout simple qui court sur toute sa longueur. Les serveurs arborent chemises blanches à manches courtes et cravates noires. Sur le mur derrière eux s'étalent un immense drapeau américain et un drapeau irlandais encore plus grand. Pas de tabourets, rien qu'une barre à la base du zinc pour poser un pied dessus, et quand Gittens, Kelly et moi sommes arrivés – vers sept heures et demie ce soir-là à notre retour de Lowell – des hommes s'alignaient devant le bar, perchés sur un pied tels des pélicans.

Nous nous installâmes à une table du fond avec trois bouteilles ruisselantes de Rolling Rock.

— Pas mal de flics viennent ici, dit Gittens.

En fait, presque toute la clientèle avait l'air d'appartenir à la police. Des flics en pantalon d'uniforme bleu, des flics en coupe-vent en Nylon, des flics avec du bide et d'autres avec des moustaches en guidon de vélo, des petits avec des avant-bras à la Popeye et des efflanqués avec des allures de John Wayne.

Les flics ne tardèrent pas à venir saluer Gittens. Ils lui serrèrent la main avec des « Ça baigne, Martin ? ». Plusieurs connaissaient aussi Kelly et la plupart de ceux dont ce n'était pas le cas avaient entendu parler de lui et paraissaient heureux de le voir. Ils eurent aussi l'air contents de faire ma connaissance. J'eus droit à de vigoureuses poignées de main. Ils se joignirent à nous avec leurs bières et nous nous retrouvâmes bientôt à six, huit, dix, voire douze, selon les moments. Ces types dégageaient une sensation agréable et contagieuse de testostérone latente.

— Des nouvelles de l'affaire Danziger ? finit par demander un des plus jeunes au visage ouvert et rose.

Silence. Le meurtre de Danziger s'apparentait à un assassinat de flic, et on le traitait donc avec révérence.

— Rien, déclara Gittens, mentant sans vergogne. Personne ne parle.

— J'ai jamais entendu un truc pareil. Ja-mais.

— On se croirait en Colombie. Dans une putain de république bananière. C'est vrai quoi, descendre des procureurs ? C'est dingue.

— Ou en Sicile. C'est comme ça qu'ils font...

— ... ils tueront aussi ce Braxton. Vous verrez.

— Qui ?

— Les gens des Flats, ils le descendront.

L'unique flic noir à la table émit un long grondement.

Silence.

— Allons, il voulait pas dire *ça,* rectifia un des flics blancs. (Il leva sa bouteille de bière et sourit :) Allez. À Al Sharpton.

Ils trinquèrent.

— À Rodney King, renchérit le flic noir en réussissant à esquisser un sourire.

— Ouaouh ! Rodney King !

La crise semblait être passée. La tête du monstre s'enfonça dans le lac et les plaisanteries reprirent.

— Vous vous souvenez quand Braxton a balancé ce gamin de Jameel Suggs du toit ?

— C'était il y a longtemps.

— Je m'en souviens. 1992 ? 1993 ? Dans ces eaux-là ?

— Qui était Jameel Suggs ? demandai-je.

L'un des flics éclaira ma lanterne.

— Suggs a violé une petit fille dans la cité HLM de Grove Park. Comment elle s'appelait déjà ? Truc chose Wells ?

— Un prénom africain, je crois.

— Nikita...

— Nikisha.

— Nikisha Wells, voilà. Cette petite fille, elle avait genre sept ans. Suggs l'a violée puis il l'a balancée du toit pour l'empêcher de parler. Et quelques jours plus tard, Suggs s'est fait balancer du toit à son tour. On raconte que c'est Braxton le coupable.

— Hé, Maine, c'est ce qu'on appelle un délit.

— C'est ce qu'on raconte en tout cas. Personne ne sait si c'était vraiment Braxton.

— Moi je dis que, si Braxton a vraiment buté Suggs, il faut lui décerner une médaille.

— Il a vraiment fait ça ?

— Oui, confirma Gittens.

Le silence se fit autour de la table.

— Harold a balancé Jameel Suggs du toit. (Avec l'instinct du conteur, Gittens prit le temps d'essuyer avec une serviette la condensation sur sa bouteille de bière.) Il me l'a dit lui-même.

— Harold ?

— Arrête ton char !

— Comment ça, « Harold » ?

— Quoi, tu le connais ?

— Bien sûr que je le connais, dit Gittens en haussant les épaules. Je le connais depuis qu'il est haut comme ça. J'ai passé un bout de temps dans l'A-3 à pourchasser ces mômes.

— Arrête ! Pourquoi tu vas pas le trouver alors ?

— Il veut pas qu'on le trouve. Personne ne trouvera Harold tant qu'il ne sera pas prêt.

Les flics fixaient tous Gittens. Certains jugeaient suspecte cette association avec Braxton, d'autres étaient impressionnés, d'aucuns n'y croyaient tout simplement pas. Mais tous étaient curieux. Martin Gittens avait l'art d'éveiller la curiosité.

— Arrête de l'appeler Harold, dit l'un. Ça me fiche les boules.

— Hé, Gittens, si tu le connais, tu ferais bien de décrire Braxton à Maine ici présent pour qu'il sache dans quoi il se fourre.

Gittens m'adressa un sourire suffisant.

— Eh bien, il est intelligent, ça c'est sûr. Plus intelligent qu'aucun de ces types. Harold a monté le truc des Hot Box Boys au lycée. Vous allez dans les Flats maintenant, la plupart des mecs là-bas prétendront avoir fait partie des Hot Box Boys. En fait, ils n'étaient que six ou sept, et c'est Harold qui tirait les ficelles.

— C'est quoi les Hot Box Boys ?

— Une *hot box*, c'est une bagnole volée, m'informa un flic.

Gittens poursuivit :

— Ils piquaient des voitures ici et là. Cinquante en une nuit dans le parking de la concession Nissan à Dorchester. Cinquante ! Ils n'ont jamais fait un seul jour de tôle. Ils comparaissaient devant le juge spécialiste de la délinquance juvénile et ils ressortaient le soir même. Ridicule.

— Une vraie porte tambour cette institution...

— Eh oui, ricana un des autres. Faudrait abolir ces conneries pour les mineurs.

— Quoi, tu veux coffrer tous les mômes qui piquent une tire ?

— Oui ! Tous ! C'est ce qu'il faut faire – frapper un grand coup dès le départ pour leur apprendre. Il faut qu'ils sachent que cela ne passera pas à l'as.

— Ça n'avance à rien. Ces mômes ont des couilles en acier, ils s'en foutent.

— Vous savez ce que je ne pige pas ? fit un autre, perplexe. Ce que je ne pige pas, Gittens, c'est que tu as dit que Braxton t'a raconté qu'il avait balancé Jameel Suggs du toit. S'il a avoué, pourquoi n'as-tu rien fait ? C'est vrai, il a avoué. Tu pouvais le coincer pour meurtre.

— Ouais, bon Dieu, Gittens, qu'est-ce que tu fous, à protéger ce petit merdeux ?

Gittens laissa un moment la question en suspens.

— Je l'ai signalé. Le procureur a dit que cela ne suffisait pas pour l'inculper. Ils n'avaient rien d'autre et ils ont dit que des aveux n'étaieraient pas une condamnation. Ils ne voulaient pas de l'affaire.

Nouveau silence. Nous attendîmes, mal à l'aise, la nouvelle rafale de conversation.

— J'ai entendu dire que Braxton était une balance.

— Jamais de la vie...

— Qui dénoncerait-il ? Sa pomme ?

— Comment on retourne un mec comme ça de toute façon ? Braxton est un assassin. Même s'il voulait balancer, on pourrait pas lui proposer de marché. Aucun procureur n'accepterait.

— Les fédéraux ont bien retourné Whitey Bulger. C'était un assassin.

— C'est différent, c'était la mafia. Whitey était un mafieux.

— Ouais, et Whitey les a tout de même baisés. Il leur a rien filé. Quels cons ces fédéraux !

— Je vais te dire, si jamais quelqu'un réussissait à retourner Braxton, il ferait une grande balance. Imagine un peu ce que Harold Braxton pourrait raconter.

— Lowery lui proposerait jamais de marché. Il ne serait jamais réélu.

— Qui sait ? Whitey Bulger a bien obtenu son marché, lui

— Oui, parce qu'il est blanc.

Ça, c'était le flic noir. Il livra ce commentaire d'une voix égale. Il énonçait un fait.

— Oh, Jésus, on est reparti...

— Pourquoi tu remets toujours ces conneries sur le tapis ?

Le flic noir haussa les épaules.

— Vous savez tous que, si Whitey Bulger était noir, les fédéraux l'auraient jamais laissé se retourner, mafia ou non.

— Qu'est-ce que tu veux dire ? Lowery est noir et il est le procureur.

— Ouais, qu'est-ce qu'il est ? Un raciste noir ?

Ce dernier commentaire était osé. Les yeux du monstre apparurent à la surface du loch et s'y attardèrent un instant avant de disparaître.

— Andrew Lowery a l'ambition de devenir le premier maire noir, reprit le flic noir. Il ne peut pas se permettre d'être associé à un voyou comme Braxton. Un procureur afro-américain protégeant un gangster afro-américain ? Pas question. Braxton terrifie les Blancs et les Blancs votent.

— Peut-être, fit Gittens, mais j'essaierais de retourner Braxton si je pouvais. Ça fait partie du boulot.

— Cela ne se produira jamais. Braxton ne balancera jamais personne.

Gittens inclina la tête comme pour dire : *Hé, qui sait ?*

Bien plus tard, j'apprendrais que Gittens conservait dans son bureau une photo de Nikisha Wells, la petite fille qui avait été violée et balancée du toit de la cité HLM de Grove Park. Sur la photo, elle portait une jupe rouge et un chemisier blanc. Ses cheveux crépus étaient divisés en deux couettes qui lui encadraient le visage, raides comme des antennes avec des rubans rouges au bout, assortis à sa jupe. Penchée vers l'objectif, Nikisha riait comme si on venait de lui raconter une histoire très drôle. *Quelle heure est-il quand un éléphant s'assoit sur ta clôture ?* Typique d'une gosse de cours moyen. Je demandai à Gittens pourquoi il gardait cette photo. Il m'expliqua qu'il connaissait Nikisha depuis ses années dans les Flats et qu'il conservait sa photo « pour me rappeler – voilà pour qui on travaille ». À l'époque cela me parut une explication satisfaisante. Avec le recul, je regrette de ne pas avoir gratté davantage. J'aurais dû lui demander ce qu'il pensait du fait que Braxton avait balancé l'assassin de Nikisha du même toit. Cela aurait été intéressant de connaître sa réponse.

16.

Le lendemain matin, un peu pâteux après la soirée au Connaughton J.J. Café, je me présentai à l'Unité des enquêtes spéciales du procureur. John Kelly ne m'accompagna pas, prétextant une obligation personnelle d'un genre mystérieux et non précisé. Je ne cherchai pas à en savoir plus. Manifestement il ne voulait pas en parler.

L'Unité des enquêtes spéciales se trouvait dans un bâtiment moderne quelconque des années 1970, indépendant du principal bureau du procureur, qui se situait dans les locaux du tribunal du comté de Sussex. Et des fois que vous imagineriez les bureaux de l'Unité comme un de ces commissariats animés qu'on voit au cinéma – sonneries incessantes de téléphone, crépitements de machines à écrire, criminels menottés à des pieds de chaise –, laissez-moi vous préciser d'emblée qu'on se serait plutôt cru dans le cabinet d'un comptable. D'ailleurs plusieurs comptables et même un dentiste partageaient le même couloir du deuxième étage. L'espace était divisé par des cloisons en toile avec moquette au sol, tout cela dans des tons de beige. La seule concession au maintien de l'ordre était une affiche épinglée à la paroi de l'un des box : UNE SOCIÉTÉ QUI NE SOUTIENT PAS SA POLICE SOUTIENT SES CRIMINELS.

Avec le meurtre de Bob Danziger, Caroline Kelly avait été promue à la tête de l'Unité. Elle m'accueillit dans la zone de réception et m'offrit un tour du propriétaire, me présentant à plusieurs policiers de l'État et à un avocat, une véritable armoire à glace du nom de Franny Boyle.

Boyle contourna son bureau pour me donner une poignée de main à vous broyer les os. Sur quoi, il me lança avec un accent de Boston si prononcé qu'on aurait dit une parodie : « Alors comme ça, c'est vous le type du Maine. » J'acquiesçai puis détendis mes doigts pour les séparer. Boyle avait l'allure d'un ancien joueur de football, un défenseur, à cela près qu'à quarante-cinq ans et des poussières, il s'amollissait un peu. Il avait le visage flasque. Son ventre débordait sur sa boucle de ceinture. Le crâne presque chauve, il rasait le peu de cheveux qui lui restaient sur les côtés. Il n'en demeurait pas moins impressionnant. Difficile de dire où son crâne glabre se terminait et où commençait son cou épais. « Tout ce que vous voudrez, monsieur Truman. N'importe quoi... » Il ne termina pas sa phrase mais resta là à opiner du chef comme pour dire : *Suffit de demander.* Il pointa un doigt charnu vers moi : « N'oubliez pas. » Je le lui certifiai.

Caroline lui demanda s'il se sentait bien. Il empestait l'alcool – à dix heures du matin – et il avait le visage marbré d'un alcoolique. Un fin treillis de veinules rouges s'étalait sur son nez.

— Ça va, Lynnie. Un peu bouleversé, c'est tout. L'enterrement est pour bientôt. L'autopsie a duré un siècle.

— Franny, tu ferais peut-être mieux de rentrer chez toi. Tu n'as pas l'air en superforme. Je comprendrais, nous sommes tous bouleversés.

Après un instant d'hésitation, Boyle prit son manteau, me massacra de nouveau la main et partit. Avec son manteau, on ne voyait plus son cou ; sa tête semblait directement se rattacher à son dos comme chez une grenouille-taureau.

— Lynnie ? répétai-je une fois qu'il fut hors de portée de voix.

Caroline secoua la tête de l'air de dire : *Ne vous avisez pas de m'appeler ainsi.*

— Franny, c'est une longue histoire, déclara-t-elle, sans fournir plus d'explications.

Elle me conduisit dans le bureau de Danziger, où deux rubans jaunes de la police s'entrecroisaient sur la porte. Un autocollant brillant prédisait les pires conséquences à quiconque entrerait (*... aux termes de la loi du Massachusetts, c'est un délit de pénétrer sur les lieux du crime, de les altérer ou de les déranger à* *moins de n'y être expressément autorisé...*). Caroline effleura la plaque en plastique avec ses lettres en relief, ROBERT M. DANZIGER, CHEF, puis elle arracha les rubans comme des toiles d'araignée. À l'intérieur le bureau était un modèle d'ordre. Une demi-douzaine de dossiers s'empilaient, bien alignés. Le téléphone, le Rolodex, l'agrafeuse, tout était bien rangé. On s'attendait presque à voir Bob Danziger entrer et prendre sa place.

— Je ne crois pas que vous trouverez grand-chose ici, m'avertit Caroline. Nous avons pris tous les dossiers concernant les affaires en cours de Bobby.

Je m'arrêtai devant une petite photo au mur. Elle représentait un groupe d'hommes posant sur les marches du tribunal.

— C'est l'équipe d'origine de l'Unité, m'expliqua-t-elle. C'était juste une unité anti-stupéfiants à l'époque. Des procureurs et des flics travaillant de concert, c'était l'idée. Ce devait être en 1985 ou à peu près. Votre guide, Martin Gittens, est quelque part par là.

La photo donnait une impression de camaraderie sportive. Cela me rappela ces vieux clichés d'équipages de B-52, des jeunes gars bras dessus, bras dessous, affichant des sourires suffisants. Gittens était au premier rang. Il arborait une moustache ringarde et des cheveux épais, qui n'étaient plus que des souvenirs à présent. Il fallut que je regarde de plus près pour repérer Danziger. Il était derrière, souriant. Un flic rouquin bien charpenté et barbu avait passé un bras sur son épaule et les deux rouquins se ressemblaient comme des frères – Danziger, l'aîné studieux, le grand flic, le cadet espiègle.

— Qui est ce type ?

Caroline se tenait à côté de moi. (Elle sentait vaguement le savon et le talc, et j'avais un mal fou à me retenir de la fixer.) Elle suivit mon doigt pointé vers le grand type à la barbe.

— C'est Artie Trudell. Il a été tué il y a longtemps. Harold Braxton a été accusé du meurtre mais il s'en est tiré. C'est fou ce que Bobby était jeune.

Robert Danziger devait avoir la trentaine quand la photo avait été prise. Sorti de la fac de droit depuis à peine un an ou deux, sans la moindre idée de ce qui l'attendait. Il devait se sentir à l'épreuve des balles avec le poids du bras d'Artie Trudell sur son épaule osseuse. Il n'y avait pas moyen de prédire les innombrables concours de circonstances qui mèneraient à sa mort.

Danziger se dirigeait-il déjà inexorablement vers le bungalow dans les bois du Maine ? Ou était-il encore temps pour lui de poursuivre un autre destin ? Quitter le bureau du procureur, par exemple, ou cesser d'exercer le droit. Ou simplement partir de Boston – s'éloigner de la trajectoire meurtrière de Harold Braxton. Chaque vie est porteuse de son lot de *et si*, mais les questions deviennent plus chargées quand la vie se termine mal. Bien sûr, personne ne se prédit une mort sanglante. Nous nous attendons tous à mourir dans notre lit. Mais ce luxe sera refusé à une bonne partie d'entre nous ; laquelle connaîtra une mort violente ou trop précoce. Ces gens suivent leur propre voie, ignorants, libres de modifier leur destinée si seulement ils la connaissaient. Nous sommes tous joyeux et inconscients, comme Danziger lorsqu'il avait posé pour cette photo douze ans plus tôt, et certains d'entre nous mourront exactement comme lui.

— De quoi s'occupe l'Unité maintenant si elle n'est plus spécialisée dans les stupéfiants ?

— Des enquêtes complexes. Nous donnons toujours dans les stupéfiants, mais nous traitons aussi d'autres affaires. Délits financiers, corruption publique, affaires de gang, affaires en attente. Nous gérons aussi les affaires où la police de Boston a des conflits d'intérêt.

— Je croyais que les flics étaient censés avoir des conflits d'intérêt avec les méchants.

— Je veux dire quand les flics sont les méchants.

— Oh !

Caroline redressa la photo sur le mur.

— Et Danziger ? De quel genre d'affaires s'occupait-il ?

— Un peu de tout. Dans une unité aussi petite, ça fonctionne comme ça, tout le monde touche à tout. Bobby coordonnait tout le secteur antigang, mais il traitait aussi d'autres affaires.

Elle me conduisit dans une salle de conférences adjacente au bureau de Danziger. Des dossiers et des cartons s'empilaient le long d'un mur. Arrivant à la taille sur une profondeur de deux à deux mètres cinquante.

— Voici les dossiers de Bobby, tout ce dont il s'occupait à sa mort. Si Braxton avait une raison de le tuer, il devrait y avoir un indice là-dedans – quelque part. Cela revient un peu à chercher une aiguille dans une botte de foin.

— Ce n'est pas une botte de foin, c'est une ferme.

— Eh bien comme ça, vous ne vous sentirez pas dépaysé.

— Je viens du Maine, non du Kansas.

— Qu'importe.

Je restai l'après-midi dans cette salle de conférences, à passer au crible les dossiers de Danziger. Une lecture macabre. Des dizaines de dossiers impliquant une corruption policière d'un genre ou d'un autre – un flic accusé d'extorquer des pipes à des prostituées (le rapport le citait : *T'as pas intérêt à me dire non, t'as pas intérêt à refuser*) ; une demi-douzaine d'inspecteurs des stupéfiants qui s'étaient approprié trente mille dollars dans une planque de Mattapan ; un responsable des pièces à conviction devenu accro à l'héroïne qui lui passait sous le nez tous les jours avant de finir dans le placard ad hoc ; un autre groupe d'inspecteurs des stupéfiants qui avaient cassé la gueule à un dealer afro-américain avant de se rendre compte qu'il s'agissait d'un policier de Boston en mission (*Je suis flic ! Je suis flic ! Regardez mon insigne*). Parmi les dossiers de flics corrompus, l'un d'eux se distinguait, moins par sa gravité que par sa banalité. *L'État contre Julio Vega* était une affaire de faux témoignage dans laquelle l'accusé avait plaidé coupable et accepté une mise à l'épreuve d'un an. L'affaire avait été bouclée cinq ans plus tôt, en 1992, et la chemise était vide. Pourquoi Danziger s'occupait-il encore d'une affaire aussi insignifiante, cinq ans après son classement ? Je mis la chemise vide de côté.

Le plus gros des affaires de Danziger concernait des poursuites antigang. J'entrepris donc de chercher des accusés que je savais être des membres du gang de Braxton : Gerald McNeese, June Veris, Braxton lui-même. Cela allait des prises de drogues habituelles à des délits plus glaçants. June Veris, le type que j'avais vu la veille dans Echo Park, se révélait un personnage plutôt sinistre. Une fois, il avait écrasé avec un bout de béton les mains d'un membre de la Mara Trucha, un gang salvadorien. Résultat des courses : mains réduites en bouillie, tous les os brisés. Une mesure de rétorsion contre Mara Trucha qui avait osé vendre de la neige à Echo Park, territoire du Mission Posse. Veris n'avait jamais été poursuivi, faute de témoins. Pas même, miracle ! l'homme qui s'était fait aplatir les paluches. Ce schéma

– un délit odieux suivi d'un acquittement, voire d'un non-lieu – ne cessait de se répéter. Quels que fussent les méfaits dont le Posse se rendait responsable, tant qu'il restreignait ses activités à Mission Flats, on le poursuivait rarement. Les témoins vivant dans le quartier refusaient tout simplement de parler.

Les heures passant, ma colère devant les événements de Mission Flats commença à faiblir. Il devenait plus facile d'accuser les victimes de refuser de témoigner. Comment Danziger ou quiconque pouvait-il les aider s'ils n'étaient pas prêts à s'aider eux-mêmes ? À en juger par ces documents, le nom de Braxton apparaissait rarement dans les dossiers. Danziger n'avait d'affaires ni en cours ni imminentes contre lui.

À deux heures, je commençais à ne plus y voir très clair. Caroline vint prendre de mes nouvelles en m'apportant une canette de Coca.

— Vous n'avez pas encore assez lu de rapports de police, Ben ?

— Permettez-moi de vous poser une question : où les flics apprennent-ils à s'exprimer ainsi ? « Je me suis extrait de mon véhicule. » Qui s'extrait de son véhicule ? Pourquoi ne se contentent-ils pas de dire qu'ils sont descendus de voiture ?

— C'est du jargon de flic. Tous les rapports de police ont ce style.

— Pas les miens. Les miens sont superbes.

— Chef Truman, vous avez des accents d'un vieux natif bougon du Maine.

— Pas natif du Maine. Juste bougon.

Elle sourit, malgré elle, sembla-t-il.

— Qui est ce Julio Vega ? J'ai trouvé un dossier vide à son nom.

— Julio Vega ? Venez par ici que je vous montre.

Je décrivis la scène en jargon de flic : « Le responsable du maintien de l'ordre s'extrait de sa chaise et entreprend de se rendre par voie pédestre dans le bureau de la victime. »

— Ça suffit, me lança Caroline par-dessus son épaule.

— Désolé. On prend vite le pli.

Dans le bureau de Danziger, elle se planta devant la photo de l'Unité des enquête spéciales datant de 1985 et désigna un bel Hispano-Américain assis au premier rang, juste à côté de Gittens.

— Voilà Julio Vega.

— C'était un flic ?

— Il travaillait aux stupéfiants au commissariat de la zone A-3, en gros les Flats.

— Pourquoi Danziger avait-il un dossier sur lui ?

Son doigt passa de Vega à Trudell, le géant à la barbe rousse qui avait le bras autour du cou de Danziger.

— Vega et Artie Trudell étaient équipiers. Vega était juste à côté de Trudell quand ce dernier s'est fait descendre.

— Descendre par Braxton.

— Exact. Vega a vu son équipier mourir sous ses yeux. Une affaire horrible.

— Quel rapport avec un dossier pour faux témoignage de Vega ?

— C'est une très longue histoire.

— J'ai le temps.

— C'est un gros dossier, je vous avertis.

— Gros comment ?

Les coins de la bouche de Caroline se relevèrent en un sourire. On aurait dit un chat qui vient de remarquer que la cage du canari est ouverte. Elle se dirigea vers un placard dont elle entreprit de sortir des cartons, des chemises, des transcriptions, des carnets. Nous emportâmes tant bien que mal le tout dans la salle de conférences où ils couvrirent le plateau de la table.

— Je croyais que vous disiez que c'était gros, blaguai-je.

Elle m'abandonna avec le dossier du meurtre d'Artie Trudell, une affaire close depuis près de dix ans. Pourquoi Danziger avait-il conservé ces données – sinon par amitié pour la victime – je l'ignorais. Mais je ne tardai pas à me plonger dedans en m'efforçant, par habitude, de voir les événements en temps réel. *D'être là.* J'avais déjà procédé à des reconstructions similaires, quand je voulais être historien, avant que ma vie ne bascule – avant que la maladie de ma mère n'annihile tous mes projets d'avenir. C'est l'essence de l'historiographie que de reconstituer un instant dans le temps à partir de sources fondamentales. J'avais fait ça des centaines de fois. Quand j'étais étudiant, cela avait tout de l'aventure romantique : je voyageais à travers la matrice du temps et de l'espace. En me penchant sur le dossier vieux de dix ans de l'assassinat d'Artie Trudell, cette sensation adolescente presque physique de voyage ne revint pas, mais une partie du vieux plaisir, si. Pendant les quelques heures suivantes, je me perdis dans des événements remontant à dix ans. Je connus même un regain d'assurance quant à mes capacités de policier, car qu'est-ce qu'un inspecteur sinon un genre d'historien ?

17.

Dossier du procureur dans l'affaire *État contre Harold Braxton* (1987).

Transcription de l'enregistrement de l'agent de liaison du commissariat de la zone A-3, 17 août 1987, 02 h 30

Unité 657 (insp. Julio Vega) : Il me faut une ambulance !

Agent de liaison : Identifiez-vous.

Vega : Bravo six-cinq-sept ! Envoyez une ambulance ! C'est Artie ! Il me faut une ambulance ! Tout de suite !

Agent de liaison : Cinq-sept, localisez-vous.

Vega : Bon Dieu, il est en train de mourir ! Artie !

Agent de liaison : Bravo six-cinq-sept, localisez-vous. Cinq-sept ?

Vega : 52, Vienna Road, deuxième étage.

Agent de liaison : Compris, cinq-sept. Il me faut une ambulance, code sept, au 52, Vienna Road. Toutes les unités, un policier à terre.

Unité 106 : Un-zéro-six, adam-robert.

Agent de liaison : Oui, un-six.

Pas d'identification : Nous nous rendons sur les lieux.

Unité 104 : la 4 en route.

Agent de liaison : Un-zéro-sept et un-zéro-un, où êtes-vous ? Répondez.

Unité 107 : Bravo un-zéro-sept. Nous sommes dans Mission Ave. En route. Adam-robert.

Agent de liaison : Un-zéro-sept. Toutes les unités, 52, Vienna, deuxième étage. Policier à terre. Tiens bon, Julio, la cavalerie arrive.

Unité YC8 (insp. Martin Gittens) : Yankee C-huit. Reprenez-moi au 52, Vienna. Charlie-robert.

Agent de liaison : Yankee C-huit, répétez, s'il vous plaît. Vous êtes sur place ?

Gittens : J'y suis. J'ai la cinq avec moi. J'entre.

Agent de liaison : Inspecteur Gittens, attendez les renforts.

Gittens : [Cri inintelligible.]

Agent de liaison : C-huit, j'ai dit : attendez les renforts. Répondez, C-huit ?

Gittens : Pas le temps. Dites à Julio qu'on monte.

Agent de liaison : Gittens, attendez. Gittens, branchez-vous sur canal 7, s'il vous plaît.

Vega : Où est cette putain d'ambulance ?

Agent de liaison : Tenez bon, cinq-sept.

Note datée du 17 août 1987

A : Andrew Lowery, procureur.

De : Francis X. Boyle, substitut du procureur, chef de la division criminelle.

objet : Homicide d'Arthur M. Trudell, # 101, rapport préliminaire.

À trois heures du matin à cette date, j'ai été averti par l'agent de liaison d'une fusillade au 52, Vienna Road dans Mission Flats. Je me suis rendu sur les lieux, où je suis arrivé vers trois heures trente... Selon de nombreux policiers, le tireur a fui par escalier de secours et n'a pas été retrouvé. Ni identification ni description du tireur disponible. Tireur non vu parce que porte restée fermée... Inspecteur Julio Vega des stupéfiants de l'A-3 a déclaré qu'il a serré la tête de la victime contre lui « pour l'empêcher d'éclater ». Les bras de Vega étaient couverts de sang. Comme s'il les avait plongés jusqu'aux coudes dans un pot de peinture rouge. Vega, désespéré, a refusé de se nettoyer... L'inspecteur M. Gittens déclare avoir trouvé un Mosberg 500 calibre 12 dans escalier de secours du 52, Vienna Road, mais aucune autre arme dans le bâtiment après fouille de tous les couloirs, escaliers et appartements. Fusil envoyé à identification et balistique.

Transcription de l'audition du motif raisonnable
au tribunal d'instance de Mission Flats,
3 septembre 1987

Contre-interrogatoire de l'inspecteur Julio Vega par maître Maxwell Beck.

Maître Beck : Inspecteur Vega, quel était votre objectif en effectuant une descente dans l'appartement du 52, Vienna Road, le fameux appartement à la porte rouge.

Inspecteur Vega : Mon objectif ? Il était connu pour faire partie d'une opération de drogue.

Beck : Connu par qui ?

Vega : J'ai mené une enquête, avec l'inspecteur Trudell. Nous avons personnellement procédé incognito à deux achats. En outre nous avions reçu des renseignements d'un informateur fiable.

Beck : Un tuyau.

Vega : Oui.

Beck : Bon, cet « informateur fiable » – quand vous avez fait la demande du mandat de perquisition, vous n'avez pas fourni l'identité de cette personne au juge.

Vega : Comme j'en ai le droit. Si je l'avais nommé, votre client l'aurait tué.

Le juge : Inspecteur Vega, contentez-vous de répondre à la question, s'il vous plaît.

Vega : Désolé.

Beck : Inspecteur, dans votre déclaration sous serment, vous n'avez pas révélé le nom de votre informateur, n'est-ce pas ?

Vega : Pour la protection du témoin, je n'ai pas utilisé son vrai nom, effectivement.

Beck : Vous avez fait référence à lui sous un pseudonyme, « Raul », exact ?

Vega : Oui.

Beck : Et, bien sûr, vous savez qui est Raul ?

Vega : Bien sûr.

Beck : Ainsi, si vous deviez le retrouver, cela vous serait possible.

Vega : Oui.

Beck : Et Raul – quel qu'il soit – vous a donné cette affaire, n'est-ce pas ? Il vous l'a offerte sur un plateau d'argent.

Vega : Pour le plateau d'argent, je ne sais pas. Il nous a filé un tuyau à propos de l'appartement ; il a dit que Braxton y dealait.

Beck : Et le juge vous a cru sur parole. Le juge a cru ce que Raul vous a dit et vous a donné le mandat, c'est exact ?

Vega : C'est exact.

Beck : Et après que l'inspecteur Trudell s'est fait tirer dessus, vous êtes entré dans l'appartement et vous l'avez fouillé, c'est ça ?

Vega : Oui.

Beck : Mais vous n'avez pas obtenu de nouveau mandat pour cette fouille, n'est-ce pas ?

Vega : Nous avions déjà un mandat.

Beck : Celui qui dépendait du tuyau de Raul.

Vega : Exactement.

Beck : Donc si ce mandat est récusé, rien de ce que vous avez trouvé dans l'appartement – l'arme, un sweat-shirt – ne peut être retenu, n'est-ce pas ?

Vega : C'est à vous autres avocats de décider, pas à moi.

Beck : Bien, permettez-moi de traduire la chose en termes accessibles pour qui n'est pas du sérail. Si Raul n'existe pas...

Vega : Qu'est-ce que vous voulez dire, « s'il n'existe pas » ?

Beck : Si Raul n'existe pas, alors toute l'affaire contre M. Braxton doit être récusée. Cela ne paraît-il pas logique ?

Vega : [Pas de réponse.]

Beck : Inspecteur, voulez-vous nous dire qui était Raul ?

Le procureur : Objection ! L'identité de l'informateur est un renseignement privilégié nécessaire pour protéger la sécurité du témoin et autres rapports police-informateur...

Beck : Inspecteur, qui était Raul ?

Le procureur : Objection !

Le juge : Oui, cela suffit, maître Beck.

Minutes du grand jury,
21 septembre 1987

Interrogatoire de l'inspecteur Martin Gittens par le procureur adjoint Francis X. Boyle.

Le procureur adjoint Boyle : Inspecteur, connaissez-vous un appartement au deuxième étage à l'adresse de Vienna Road ?

Inspecteur Gittens : Oui. C'est une planque utilisée par un gang baptisé le Mission Posse.

Boyle : Pourriez-vous expliquer au grand jury ce qu'est une « planque » ?

Gittens : Une planque est un appartement où l'on conserve de la drogue et de l'argent destinés à réapprovisionner les dealers des rues. Pour minimiser les risques, les gestionnaires ne confient aux glisseurs – les dealers – qu'une petite quantité à la fois, généralement un lot d'héroïne. Un lot se compose de cent fioles. Elles sont collées sur un long morceau de scotch d'où les glisseurs les arrachent une à une à mesure qu'ils les vendent. En l'occurrence, ils vendaient aussi de la drogue directement à l'appartement.

Boyle : Que pouvez-vous dire d'autre de cet appartement au grand jury ?

Gittens : L'appartement est connu dans la rue à cause de sa porte rouge vif. Les junkies appellent parfois le crack qui y est vendu la cocaïne de la porte rouge. La couleur a une importance pour deux raisons. D'abord, dans ce quartier, le rouge est connu pour être la couleur du Mission Posse. Seuls les membres du Mission Posse en portent, souvent sous la forme d'un bandana rouge dépassant d'une poche ou utilisé comme ceinture. L'utilisation du rouge sur la porte a également une importance parce que le crack vendu par le Posse se présente dans des fioles munies d'un bouchon en plastique rouge. Cette marque a pour nom « bouchon rouge » dans la rue. Vous entendrez des mômes parler d'une « bouteille au bouchon rouge ».

Boyle : Et la fiole au bouchon rouge est connue pour être l'emballage du Mission Posse pour le crack ?

Gittens : Dans ce quartier de la ville, oui.

Boyle : Bien, inspecteur Gittens, vous vous êtes personnellement rendu sur les lieux le soir de la fusillade, exact ?

Gittens : Exact.

Boyle : Y avez-vous trouvé des armes ?

Gittens : Oui, dans l'escalier de secours, j'ai trouvé un Mossberg. Je l'ai envoyé à l'analyse. La balistique a pu confirmer que le fusil était l'arme du crime. L'identification a aussi pu identifier les empreintes de Harold Braxton à quatre endroits différents de l'arme. J'ai également trouvé un sweat-shirt à capuchon de Harold Braxton dans l'appartement. J'ai su que c'était le sien grâce à une déchirure distinctive et à un logo de l'université St. John.

Boyle : Le fusil était-il lié à Harold Braxton d'une autre manière ?

Gittens : Oui, nous avons ensuite parlé à un témoin qui a avoué l'avoir vendu à Braxton plusieurs mois plus tôt. Le témoin a prétendu avoir rapporté l'arme de Virginie.

Boyle : Inspecteur, à partir de toutes ces preuves, avez-vous une opinion à propos de ce qui s'est passé au 52, Vienna Road, le 17 août dernier ?

Gittens : Oui. Selon mon opinion, Braxton était seul dans l'appartement ce soir-là pour diriger l'opération de drogue du Mission Posse. L'équipe des stups l'a surpris en se présentant devant la porte rouge. Il était piégé à l'intérieur. Braxton a paniqué, saisi l'arme et tiré à travers la porte, puis il a fui par un escalier de secours, en lâchant l'arme dans sa fuite.

Boyle : En êtes-vous sûr de cette opinion ?

Gittens : Sûr et certain.

Transcription d'une audition sur la requête du défendant
exigeant de l'accusation de dévoiler l'identité
de l'informateur confidentiel Raul.
Tribunal du Sussex,
7 mars 1988

Contre-interrogatoire de l'inspecteur Julio Vega par maître Maxwell Beck.

Maître Beck : Inspecteur, pouvez-vous nous décrire Raul ? À quoi ressemble-t-il ?

Inspecteur Vega : Hispano-américain de taille moyenne, teint moyen, cheveux bruns, yeux bruns.

Beck : Allons, vous pouvez mieux faire. Vous l'avez rencontré à plusieurs reprises, non ? Ne pouvez-vous pas nous signaler un trait particulier ? Une cicatrice ? Un tatouage, un zézaiement, une jambe de bois ?

Le procureur adjoint Boyle : Objection.

Le juge : Retenue.

Beck : Connaissez-vous le nom de Raul ?

Vega : Son surnom dans la rue est « VF » pour vieille fripouille.

Beck : Mais quel est son vrai nom ?

Vega : Je ne détiens pas ce renseignement.

Beck : Vous le connaissez depuis des années mais vous avez toujours ignoré son identité ?

Vega : Dans la rue, cela n'a rien d'inhabituel.

Beck : Inspecteur Vega, savez-vous ce qu'est un registre d'achat ?

Vega : Il s'agit d'un registre au service des stupéfiants où nous consignons tous les achats de drogue que nous effectuons.

Beck : Ainsi tout achat sous contrôle est consigné, exact ?

Vega : Chaque achat de drogue, oui. Peu importe qu'il s'agisse d'un achat sous contrôle ou d'un achat incognito.

Beck : Et quelle est la différence ?

Vega : Eh bien, un achat incognito est un achat de drogue effectué par un policier incognito. Mais nous ne pouvons pas faire tous nos achats, parce que les dealers finissent par nous connaître. Nous procédons donc à des achats sous contrôle, ce qui consiste à demander à quelqu'un de faire l'achat pour nous.

Beck : Je vois. Donc si vous aviez effectué un achat incognito vous-même, vous l'auriez consigné dans le registre, exact ?

Vega : Exact.

Beck : Et quand vous avez demandé le mandat de perquisition dans ce cas, vous avez déclaré que vous aviez effectué un achat à l'appartement à la porte rouge l'après-midi même, n'est-ce pas ?

Vega : Oui.

Beck : Et disiez-vous vrai ?

Vega : Oui.

Beck : Mais vous n'avez pas consigné cet achat dans le registre, n'est-ce pas ?

Vega : Je ne me rappelle pas.

Beck : Voudriez-vous consulter le registre des achats du 17 août 1987 ?

Vega : Oui.

[Maître Beck montre au témoin un registre portant l'étiquette *Pièce à conviction n° 14.*]

Vega : Je n'ai pas dû l'inscrire.

Beck : Mais vous êtes sûr d'avoir effectué cet achat ?

Vega : J'en suis sûr.

Beck : Bon, si vous avez effectué cet achat, vous avez dû repartir avec de la drogue, exact ?

Vega : Bien sûr.

Beck : Et il s'agissait de...

Vega : De crack. Nous en avons acheté une bouteille.

Beck : Par bouteille, vous voulez dire une petite fiole en plastique ?

Vega : Oui.

Beck : Et, selon le règlement du service, une preuve de ce genre doit être remise au responsable des pièces à conviction et être également enregistrée, exact ?

Vega : [Pas de réponse.]

Beck : Mais vous n'avez pas enregistré cette fiole de cocaïne auprès de la salle des pièces à conviction, n'est-ce pas ? Aimeriez-vous voir le registre ?

Vega : Parfois...

Beck : Inspecteur Vega, si vous avez vraiment effectué un achat à la porte rouge cet après-midi-là, pourquoi la preuve ne figure-t-elle pas dans le registre ?

Vega : [Pas de réponse.]

Beck : Inspecteur ?

Vega : Parfois quand nous saisissons de la drogue, nous nous contentons de la jeter pour que personne ne puisse l'utiliser. Nous n'avions pas d'accusé à ce moment-là. Nous avions besoin de la fouille pour avoir une affaire. Comme nous n'avions pas encore d'affaire, la drogue ne constituait une preuve contre personne. J'ai dû la jeter.

Beck : Vous l'avez jetée. Cela vous arrive souvent de jeter des preuves ?

Vega : Tout le temps. Je veux dire, pas des preuves. On saisit de la marchandise – s'il n'y a pas d'affaire à laquelle la relier, qu'est-ce que nous devrions faire d'autre ? La laisser là pour qu'un môme puisse se servir ?

Beck : Inspecteur Vega, permettez-moi de formuler une hypothèse. Disons, par simple curiosité, juste pour le plaisir, disons qu'il n'existe pas de Raul.

Boyle : Objection.

Le juge : Rejetée. Maître Beck, vous avancez en terrain miné.

Beck : Je comprends, Votre Honneur. Inspecteur Vega, disons qu'il n'existe pas de Raul ; c'est juste une hypothèse. Deux jeunes inspecteurs des stups entendent une rumeur dans la rue selon laquelle quelqu'un vend du crack dans un certain appartement. C'est juste une rumeur. Peut-être vient-elle d'un junkie. Vous comprenez cette prémisse ?

Vega : Oui.

Beck : Et ce genre de chose se produit-il ? Que vous entendiez une rumeur à propos de vente de drogue ici ou là ?

Vega : Tous les jours.

Beck : Tous les jours, excellent. Bon, ces deux jeunes inspecteurs savent que le renseignement est vrai, que le tuyau est correct. Mais la source est douteuse. Ils savent que le juge ne va pas délivrer un mandat fondé sur le tuyau d'un junkie. Mais ces deux jeunes inspecteurs veulent faire une descente dans cet endroit et le fermer, ils veulent obtenir ce mandat et entrer dans cet appartement, ils y tiennent tant...

Vega : Ce n'est pas ce qui s'est produit.

Beck : Je comprends. C'est une hypothèse.

Vega : Ce n'est pas ce qui s'est produit.

M. Beck : Oui, je comprends. Nous le supposons pour l'instant. Ces deux jeunes inspecteurs avec ce tuyau douteux ont besoin de l'enjoliver un peu afin de convaincre le juge de leur accorder le mandat, n'est-ce pas ? Alors au lieu de dire « Ce tuyau vient d'un junkie », ils disent : « Ce tuyau nous vient d'un dénommé Raul, qui est fiable à cent pour cent. » Ils vont peut-être même jusqu'à inventer un achat incognito, juste pour s'assurer qu'ils obtiendront le mandat. Qui le mettra en cause ? Ce n'est rien qu'une banale descente. Combien de descentes effectuez-vous en un an, inspecteur ?

Vega : Des dizaines, des centaines peut-être.

Beck : Donc ces inspecteurs mentent pour obtenir le mandat. Ce n'est pas un gros mensonge. Après tout, ils ont bon cœur. Ils savent qu'il y a vraiment un dealer derrière cette porte rouge, non ? C'est juste un pieux mensonge. Vous savez ce qu'est un pieux mensonge, inspecteur ?

Vega : [Pas de réponse.]

Beck : Inspecteur, savez-vous ce qu'est un pieux mensonge ?

Vega : C'est quand on dit un mensonge pour de bonnes raisons.

Beck : Exactement. C'est un mensonge qu'on dit pour de bonnes raisons. C'est alors que tout foire. Un des flics est assassiné et soudain tout le monde veut savoir. Qui est Raul ? Et où est la preuve de cet achat incognito ?

Boyle : Objection. Si c'est une question, j'aimerais que maître Beck la pose.

Le juge : Retenue. Posez une question, maître Beck.

Beck : Inspecteur Vega, ma question est la suivante : ce scénario n'expliquerait-il pas toutes les irrégularités de cette affaire ?

Boyle : Objection !

Beck : Inspecteur, cela n'expliquerait-il pas que personne ne puisse trouver Raul et que personne ne puisse même nous dire à quoi il ressemble ?

Boyle : Objection !

Beck : Inspecteur, cela n'expliquerait-il pas pourquoi l'achat sous contrôle n'a jamais été consigné ?

Boyle : Objection.

Le juge : Retenue. Maître Beck...

Beck : Inspecteur, il n'y a pas de Raul, n'est-ce pas ?

Le juge : L'objection est retenue, maître Beck !

Beck : Inspecteur, s'il existe vraiment un Raul, pourquoi ne le montrez-vous pas ? Où est-il ?

Le juge : Maître Beck, j'ai dit que cela suffisait !

Ordonnance du tribunal datée du 4 avril 1988

... Il est ordonné par la présente à l'accusation de localiser et produire le témoin dénommé Raul avant sept (7) jours ouvrables. L'accusation satisfera à cet ordre en produisant les nom et prénom de Raul, sa date de naissance, son adresse actuelle, son numéro de sécurité sociale...

Rapport de police daté du 5 avril 1988

Rapport de : Inspecteur J. Vega (insigne 78760)

Consacré deux tours de garde (16 h-24 h, 24 h-08 h) à chercher informateur Raul sans parvenir à le localiser. Ai informé le procureur adjoint Boyle de ce fait. Je pense que Raul a volontairement quitté le quartier parce qu'il rechignait à être impliqué dans les poursuites contre Harold Braxton pour le meurtre de mon équipier, l'inspecteur Arthur Trudell. Le soussigné va poursuivre ses recherches.

Note et décision du tribunal datées du 1 juin 1988

... Que Raul existe ou non, cette dernière hypothèse paraissant à présent la plus probable, l'État a commis une faute délibérée en privant la défense d'un témoin essentiel, ce qui a causé un tort irréparable à ladite défense...

C'est donc le cœur lourd que la cour rend sa décision.

L'acte d'accusation prétendant que l'accusé Harold Braxton se serait rendu coupable d'un meurtre au premier degré sur la personne d'Arthur M. Trudell est par la présente classé.

Coupure de journal : « Un policier mêlé à une controverse autour d'un meurtre prend sa retraite. »
Le Boston Globe, *17 janvier 1992, p. B7*

L'inspecteur Julio Vega, l'équipier de l'inspecteur des stupéfiants assassiné, Arthur Trudell, et une figure centrale du procès controversé d'un chef de gang de Boston pour ce crime, a discrètement pris sa retraite de la police de Boston. Vega avait été écarté du service actif après le classement de l'affaire Trudell en 1988.

Selon le porte-parole de la police, Vega a pris sa retraite un jour avant d'avoir terminé sa quinzième année dans les forces de police, une date critique pour le calcul de sa pension.

Le département n'a fourni aucun renseignement sur les projets d'avenir ni l'adresse de Vega.

Vega, quarante et un ans, n'a pu être joint pour commentaires.

18.

Un grincement de clé dans la serrure me fit sursauter. Je jetai un coup d'œil à l'horloge : près de sept heures du soir. Était-ce possible ? Cela faisait-il vraiment cinq heures que je me trouvais là ? Depuis peu, j'avais commencé à porter des lunettes de vue, des verres ronds à monture en métal, et je les enlevai pour me frotter les yeux comme un enfant. Mes muscles, ma colonne vertébrale, mes yeux, tout était douloureux, mais ce n'était pas seulement dû à l'épuisement. Quelque chose dans l'affaire Trudell m'avait filé la chair de poule. Mais je n'arrivais pas à mettre le doigt dessus.

Nouveaux grattements maladroits à la porte d'entrée. Puis le silence retomba. Des bruits de fond étaient perceptibles – le bourdonnement des néons, les craquements du bâtiment, un klaxon.

À la réception, je toussai pour m'éclaircir les cordes vocales.

— Qui est-ce ?

— Qui est-ce ? Mais qui êtes-vous donc, bordel ?

— Ben Truman.

— Ben Truman ? Qui ?

— Franny, c'est vous ?

— Oui. Ouvrez cette porte, voulez-vous ?

J'ouvris la porte et découvris Franny Boyle, le procureur de l'Unité des enquêtes spéciales, l'air un peu embrumé par l'alcool. Il serrait ses clés dans sa main gauche. Sa main droite tremblait visiblement. Sa cravate dépassait de la poche de son manteau et sa chemise était ouverte, révélant un col de T-shirt élimé.

— Vous m'avez foutu la trouille de ma vie, vieux, grommela-t-il. (L'alcool avait encore épaissi son accent bostonien, ce que je n'aurais pas cru possible.) Je viens juste piquer un petit roupillon ici, d'accord ? Pas question que je paie un taxi et je supporte pas ce putain de métro.

Il entra.

— Bien sûr. Tout ce que vous voudrez, Franny.

Il longea le couloir en traînant les pieds. Son torse épais roulait à chaque pas, ce qui lui donnait l'allure d'un petit remorqueur.

— Ça va, Opie, je fais ça tout le temps.

— Vous êtes sûr que ça va, Franny ?

— Super.

— Où est Caroline ?

— Comment je le saurais, bordel ?

— C'est juste que... elle ne m'a pas dit au revoir.

Il s'arrêta et se tourna vers moi.

— Vous la tringlez ?

— Non !

— Sûr, Opie ?

— Certain, oui.

— Et pourquoi pas ? Elle ne vous plaît pas ?

— Vous infligez toujours des contre-interrogatoires aux gens ?

— Elle est divorcée. Vous le saviez ?

— Non.

— Eh bien c'est vrai.

Boyle opina du chef comme s'il venait d'éclaircir un malentendu, puis il reprit son chemin. À la porte de la salle de conférences, il s'immobilisa. Les dossiers – merde ! Boyle contempla la table qui disparaissait sous les papiers. Chaque carton portait la mention *État contre Braxton* notée au marqueur. Il gonfla les joues.

— Qu'est-ce que vous foutez, vous lisez ces conneries ?

— Je lis ce qui concerne Braxton, c'est tout.

— Si vous voulez entendre la vérité un jour, passez me voir.

— Bien sûr, Franny.

Boyle me gratifia d'un regard épuisé et entra dans son bureau où il s'écroula aussitôt sur le canapé.

— Hé, n'allez pas raconter à Caroline que j'ai dit qu'elle

s'envoyait en l'air avec vous, d'accord ? Elle pourrait mal le prendre.

— Oh, je ne crois pas, Franny.

— Elle ne raffole pas de moi, de toute façon. Elle pense que je suis véreux.

— Ce n'est pas vrai.

Je l'enveloppai d'une vieille couverture en laine.

— Elle me déteste. Elle veut se débarrasser de moi mais Lowery s'y refuse.

— Dormez, Franny, ça vous fera du bien. Je suis sûr qu'elle ne vous déteste pas.

— Un jour, elle a dit à des gens : « Franny est tellement véreux qu'il est obligé de se gaver de vermifuges. » Comme si c'était drôle. Elle pense que je l'ignore, mais j'en ai eu vent.

— Elle a dit ça ?

— Ouais. Charmant, non ? De toute façon, ce n'est pas vrai. Je ne suis pas véreux. Je ne suis pas véreux...

Je m'apprêtais à le rassurer de nouveau, mais Boyle s'était déjà endormi.

De retour dans la salle de conférences, je rassemblai les papiers, les rangeai dans les cartons et remportai le tout dans le bureau de Danziger. Les ronflements nasillards de Boyle s'élevaient de la pièce voisine.

C'est alors que j'eus une illumination. Je compris l'importance de l'affaire Trudell.

Quand on est fatigué, il est facile de prendre des pensées ordinaires pour des éclairs de lucidité. Cette ruse de l'esprit fatigué explique pourquoi nos meilleures intuitions semblent toujours survenir à trois heures du matin et pourquoi on éprouve toujours un plaisir exquis à s'efforcer de les récupérer au réveil. C'est une erreur de perception de se croire perspicace, et j'étais tellement fatigué ce soir-là que, eh bien... je crus comprendre la situation.

L'affaire Trudell, tous les actes cachés et les mobiles secrets devinrent clairs. Je savais que Raul n'existait pas – pas le Raul décrit dans le mandat, en tout cas. L'inspecteur Julio Vega avait inventé Raul avec les meilleures intentions du monde afin d'amener les juges à délivrer des mandats de perquisition. Les tribunaux avaient insisté pour que Vega propose mieux que tous les junkies et les balances qui lui filaient des renseignements dans la rue, alors il avait inventé l'informateur par excellence, un oracle de coin de rue si fiable qu'il ne pouvait exister que dans l'imagination d'un juge. Et puis tout avait foiré. D'une balle, Harold Braxton avait non seulement assassiné l'équipier de Vega mais révélé la supercherie. Il avait converti un faux mandat de routine en une cause. Et transformé Julio Vega, un flic obscur sans rien d'exceptionnel, en un méchant menteur maladroit avec son visage en une d'*USA Today*. C'est ainsi que Harold Braxton s'en était tiré pour le meurtre d'Artie Trudell.

Dans le bureau de Danziger, je me plantai devant la photo de l'équipe initiale des enquêtes spéciales, celle où on voyait Artie Trudell avec son gigot de bras posé sur l'épaule de Bobby Danziger.

Et je compris.

Avec une certitude digne de trois heures du matin, je sus que Danziger avait été écœuré de voir Braxton repartir libre comme l'air après avoir descendu Trudell. Je sus que c'était pour cette raison que Danziger avait conservé le dossier – il voulait rouvrir l'affaire. Et je sus qui Danziger avait dû contacter. Ni Franny Boyle ni Martin Gittens, car ni l'un ni l'autre ne semblait conscient que Danziger avait ressuscité cette vieille affaire. Non, il ne pouvait s'agir que de l'autre membre de la vieille garde au courant de ce qui s'était vraiment passé ce soir-là : Julio Vega.

19.

Ce ne fut pas Caroline mais un petit garçon qui ouvrit la porte. À son attitude, on devinait que le coup de sonnette avait interrompu une activité très importante dans la vie d'un enfant de neuf ou dix ans. Sans me laisser le temps d'ouvrir la bouche, le gamin ronchonna :

— Maman, il y a un flic qui veut te voir.

— Qu'est-ce qui te fait penser que je suis flic ?

— Vous êtes là pour voir ma maman, non ?

— Ta maman ? Je me dis que je m'étais peut-être trompé d'appartement. Je vérifiai même le numéro sur la porte.

Caroline apparut, en s'essuyant les mains sur son jean et en repoussant ses cheveux d'un revers de main.

— Ben ! Qu'est-ce que vous faites ici ?

— Il faut que je vous parle. J'ai étudié les dossiers de Danziger...

— Je vous présente Charlie, m'interrompit Caroline avec un regard lourd de sous-entendus. Charlie, je te présente Ben Truman. Ben est un ami de grand-papa et c'est à cause de lui que grand-papa a des ennuis.

Le gamin m'adressa un vague signe de la main.

— Charlie, enfin ! Comment se comporte-t-on quand on fait la connaissance de quelqu'un ? Allez.

Charlie leva les yeux au ciel, puis me tendit une main.

— Enchanté, monsieur Truman.

Sa poignée était ferme, comme le lui avait appris Caroline, sans aucun doute.

— Ouille.

Je tombai à genoux en me tenant la main comme si le gamin venait de me briser les os.

Charlie me regarda d'un air effaré, puis sourit. Les garçons ne sont que des hommes en miniature (et vice versa) ; le meilleur moyen de les toucher est de flatter leur ego. Il recula et se colla contre Caroline qui croisa les bras sur son torse.

— Va faire tes devoirs, lui dit-elle en lui tapotant la poitrine.

— Je n'ai pas de devoirs.

— Alors occupe-toi des devoirs de demain.

— Comment je peux faire les devoirs de demain puisque je ne les ai pas encore ?

Il se dévissa le cou pour la regarder, mais elle refusa de se rendre au bon sens. Charlie émit un grognement de lassitude, puis s'éloigna.

— Vous pouvez vous relever, Ben. Le temps de la complicité entre hommes est passé.

— Ce temps-là ne passe jamais. Il est juste en suspens lorsqu'il y a des femmes dans le coin.

— Quelle pensée terrifiante.

Je jetai un coup d'œil à la pièce dans laquelle nous nous tenions. Une pile de magazines menaçait de glisser de la table basse – *The New Yorker, Cosmo, People.* À côté étaient posés trois exemplaires du *New York Times*, encore dans leur enveloppe de plastique bleu – où ils resteraient jusqu'à la fin de l'affaire Danziger, sans aucun doute. Une canette ouverte de Diet Coke. Un jeu de Nintendo. Un poster de Miró au-dessus d'une cheminée vide. Dans un coin, le sac de hockey de Charlie et deux crosses. Un désordre familial confortable.

— Je ne parle généralement pas boutique ici, m'informa Caroline. Je me consacre à Charlie.

— Désolé. Une pensée m'a traversé. Je ne savais pas où m'adresser sinon.

Elle regarda la chemise que je tenais à la main.

— Vous avez dîné, Ben ?

Devant mon hésitation, elle enchaîna : « Venez » et me conduisit dans la cuisine. D'une main, elle chercha le pan de sa chemise et le tira sur ses fesses.

Dans la cuisine, une petite table était dressée pour deux. Caroline appela Charlie pour qu'il ajoute un couvert.

— Vous êtes sûre qu'il y en aura assez, Caroline ? Je ne voudrais pas m'imposer.

Elle me montra un plat allant au four avec huit blancs de poulet dedans.

— Tout ça pour vous deux ?

Charlie débarqua dans la cuisine en chaussettes.

— Elle en fait trop pour qu'on en mange toute la semaine.

Caroline le menaça de sa spatule et retourna à ses préparatifs.

Le gamin m'adressa un petit sourire satisfait. Il appréciait la cuisine de sa mère même si cela signifiait une semaine de poulet. Je lui rendis son sourire pour lui faire savoir que je le comprenais.

— À table, les garçons.

Je m'assis en face de Charlie pendant que Caroline remplissait nos assiettes.

— Du riz ? De la salade ?

L'instant avait quelque chose d'étrangement émouvant. Une suggestion d'intimité, de chaleur attentive.

— Que voulez-vous boire ? J'ai du lait, du jus de pomme, du jus de pomme-canneberge, du jus d'orange, de l'eau, de la bière –, non désolée, je n'ai pas de bière. J'ai du vin. Vous buvez du vin ?

Comme j'acquiesçai, Caroline sortit la bouteille qu'elle me tendit pour que je la débouche.

— Je prendrai du vin, dit Charlie.

— Tu boiras du lait.

Le dîner fila rapidement. Je complimentai Caroline sur son poulet, ce qui lui donna l'occasion d'asticoter Charlie.

— Tu vois, certains apprécient ma cuisine.

Mais pendant la plus grande partie du dîner, Charlie et moi bavardâmes et Caroline écoutait. Un sourire amusé – genre demi-Elvis – flottait aux coins de ses lèvres tandis que son fils abordait une diversité de sujets. Elle n'intervint que pour corriger son savoir-vivre. (« Les Bruins, c'est des cons ! – On ne dit pas con, Charlie. ») Le hockey et le cinéma semblaient être les deux grandes passions de Charlie. Sans qu'on ait besoin de trop insister, il récita au mot près les dialogues entiers de la dernière comédie en date, en imitant toutes les voix. Il allait fêter Thanksgiving avec son père et Noël et le Nouvel An avec sa mère. Il détestait l'école, et selon lui, l'État du Maine se situait quelque part entre le Groenland et le cercle polaire. C'est du moins ce qu'il m'affirma, avec un sourire Elvis à lui. Pendant toute la conversation, je ne cessai d'observer Caroline du coin de l'œil. La seule présence de Charlie paraissait l'adoucir. Pas tant dans sa façon d'être ; elle restait sévère avec Charlie et ombrageuse avec moi. Mais on notait une détente autour de ses yeux et de sa bouche – un adoucissement léger, à peine perceptible de ses traits – qui transformait une femme simplement séduisante en une presque belle. Nul doute que c'est le signe qu'un homme prend de l'âge quand il estime que la maternité flatte une femme, mais c'était le cas.

Après le dîner, Charlie prit consciencieusement son assiette, la posa à côté de l'évier, puis disparut pour aller regarder la télé – avec tact, pensai-je. Caroline entreprit de rincer la vaisselle, que j'essuyai ou plaçai dans le lave-vaisselle.

— Alors, qu'est-ce qui était si important ?

— Je crois que Danziger était en train de rouvrir l'affaire Trudell.

À ma grande déception, cela ne parut pas l'impressionner. Elle ne leva même pas les yeux de l'évier.

— Pourquoi ? Parce qu'il avait le dossier ? J'ai des dossiers plus vieux que Charlie. Cela ne veut rien dire, sauf peut-être que c'est une affaire que vous ne voulez pas lâcher.

— Exactement. Peut-être que Danziger ne pouvait pas la lâcher.

— Trop tard. L'affaire a été classée – quand, il y a dix ans ?

— À peu près. Mais on ne pouvait pas parler en l'occurrence de chose jugée. Le juge a classé l'affaire avant qu'elle ne fasse l'objet d'un procès. Il n'y avait donc pas de raison légale pour que Danziger ne la rouvre pas.

— Mon Dieu, mon Dieu, « chose jugée ».

— Ce n'est pas comme ça que vous dites ?

— C'est comme ça qu'on dit. Vous avez travaillé au noir en tant qu'avocat ?

— Non, mais on sait lire dans le Maine, vous savez.

— Des livres entiers ?

— Bien sûr, s'ils sont pas trop longs.

Elle eut un sourire prudent et me tendit le plat à essuyer.

— J'ai raison, n'est-ce pas ?

— Oui. Mais même si vous avez raison, même si Danziger voulait rouvrir l'affaire Trudell, il n'y a toujours pas de preuves. Rien ne prouve que Braxton ait tué Trudell. Rien. Toutes les preuves sont parties avec le mandat. Un flic a inventé un informateur, c'est ça, non ? Comment s'appelait-il, Ragu ?

— Raul.

— Raul. Alors pourquoi Danziger aurait-il voulu rouvrir l'affaire ?

— Je ne sais pas. Peut-être avait-il trouvé de nouvelles preuves.

— Douteux. Écoutez, Ben, des affaires tournent mal tout le temps. Des coupables s'en tirent. Cela arrive, cela fait partie du système. Bob Danziger le savait.

— Oui, mais là c'était différent. Trudell était son ami. Ça se voit sur cette photo. Artie Trudell n'était pas une simple victime pour Danziger.

— Il reste qu'il n'y a pas de preuve. C'est une affaire impossible à prouver.

— Et si Danziger ne le pensait pas ? Et s'il estimait qu'on pouvait sauver l'affaire ?

— Comment ?

— Je ne sais pas. Et si Danziger pensait que Raul était réel ? S'il pouvait prouver que Raul existait vraiment – que Vega n'avait pas menti pour le mandat de perquisition – alors le mandat serait valable et on récupérerait toutes les preuves. On finirait par coincer Braxton pour le meurtre de Trudell.

— Ben, si Raul existait vraiment, les flics l'auraient présenté. Ils ne laisseraient pas un tueur de flic s'en tirer rien que pour protéger un informateur.

— Julio Vega a déclaré avoir cherché Raul mais n'avoir pu le trouver parce que ce dernier s'était évaporé dans la nature.

— Oui, bon, Julio Vega est un menteur.

— Peut-être que Danziger ne le pensait pas.

— Peut-être, mais, dans ces affaires, l'explication la plus simple est généralement la bonne.

— Le rasoir d'Ockham, grommelai-je.

Elle me regarda comme si je venais de roter.

— C'est une règle de logique voulant que l'explication la plus simple soit la bonne.

Elle ferma le robinet et me fixa.

— Quoi ? Hé, vous n'êtes pas en train de vous adresser à un golden retriever. Je vous l'ai dit, on lit des livres à Versailles. J'ai même failli devenir professeur dans le temps.

— Ah oui ? De quoi ?

— D'histoire.

— Et qu'est-ce qui s'est passé ?

— Ma mère est tombée malade.

— Désolée. Elle va bien ?

— Non. Elle est décédée. C'est une longue histoire.

— Je suis désolée.

— Non, je vous en prie. Elle est morte de la meilleure façon, si c'est possible.

— Très bien, si vous le dites. (Elle posa une main humide en signe de sympathie sur mon bras.) Bon, quoi qu'il en soit, vous n'êtes pas professeur d'histoire ; cela ne tient pas debout d'aller déterrer une affaire vieille de dix ans.

— Sauf que Danziger était en train de la déterrer.

Elle haussa les épaules, rechignant à m'accorder ce point.

— Qu'est-ce que vous voulez faire alors ?

— Je veux parler à Julio Vega.

— Je ne saurais même pas où le trouver.

— La police de Boston le saura. Vega est resté suffisamment longtemps pour toucher une retraite. Ils doivent avoir une adresse où envoyer le chèque. Vous pourriez le leur demander.

— Julio Vega.

— Vous pouvez le trouver pour moi, Caroline. Faites-moi cette faveur.

Elle leva les yeux au ciel.

— Pourquoi pas ? Cela ne fera de mal à personne.

Une fois Charlie au lit, Caroline et moi sirotâmes le reste du vin assis sur le canapé. Caroline ne but pas beaucoup, peut-être deux verres, mais elle rosit. Elle s'excusa pour le désordre et tenta sans grande conviction de ranger un peu.

— Franny m'a dit que vous étiez divorcée.

— Vraiment ?

— Bien entendu, il était à moitié bourré.

— C'est bien Franny.

— Et votre mari, est-ce comme ça que Charlie...

— Oui, Ben, c'est comme ça qu'on fait les bébés.

— Que s'est-il passé ?

Elle soupira.

— Nous étions très jeunes et très bêtes. Nous étions à la fac de droit ensemble. Je suis tombée enceinte. Nous avons cru que cela signifiait que nous nous aimions.

— Ça devait être plus que ça.

— Comme nous n'avons duré que dix-huit mois, il ne devait pas y avoir grand-chose de plus, non ?

— Vous le voyez de temps en temps ?

— Quand il vient chercher Charlie et le ramène. Nos rapports n'ont rien d'hostile. C'est juste qu'à part Charlie nous n'avons rien en commun. Nous sommes comme des étrangers enchaînés ensemble.

— Comment était-il ?

— Il... il est très ambitieux.

— Vous le voyez parfois au tribunal ?

— Non, il a abandonné le droit il y a des siècles. Nous sommes payés à l'heure. Et il n'y a que vingt-quatre heures dans une journée. (Se surprenant à virer au cynisme, elle se reprit :) Non, je ne voulais pas dire ça. Ce n'est pas un mauvais bougre.

— Peut-être que vous remettrez ça un jour.

— Quoi, le mariage ? Certainement pas. J'ai purgé mes dix-huit mois.

— Et si l'homme idéal se présente ?

Elle ricana.

— Je suis sincère.

— Oh, Ben, c'est gentil. Je déteste vous enlever vos illusions, mais autant que vous le sachiez : l'homme idéal, c'est comme le lapin de Pâques ou le Père Noël. On cesse d'y croire en grandissant.

— Ce serait dommage si vous vous trompiez, si l'homme idéal attendait quelque part.

— Ben réfléchissez un peu : s'il y avait un homme idéal pour tout le monde... Bon, je ne l'ai pas rencontré, disons les choses comme ça. Peut-être cela me serait-il arrivé si j'avais attendu. Je ne le saurai jamais. Il ne faut pas regarder en arrière.

— Vous avez raison. Il ne faut pas regarder en arrière.

— Je croyais que vous étiez historien.

Je chassai sa remarque d'un geste – chassai toute ma vie antérieure. Je n'avais pas envie d'y songer. Dans mon esprit, la pensée germait, tranquillement, que toute cette rétrospection était un gaspillage – un gaspillage irrésistible, mais un gaspillage quand même. Nous avançons dans le temps tel un homme dans une barque, en regardant derrière nous tout en allant de l'avant.

— Parfois, même les historiens ne regardent pas en arrière.

— D'accord.

Elle leva son verre et je fus pris d'une immense envie de l'embrasser. Glisser la main sur sa nuque et me pencher pour un baiser genre CinémaScope de luxe. C'était ce qu'elle semblait attendre.

— Quel dommage que nous ne puissions pas avoir de petits garçons sans les hommes, reprit-elle.

— Oui, c'est malheureux, acquiesçai-je, mes émotions battant en retraite.

— Quoi qu'il en soit... comme j'ai déjà un fils, j'en ai terminé avec tout ça, je crois.

— Les hommes ne sont pas bons qu'à ça, Caroline.

Elle n'eut pas l'air convaincue.

20.

Le lendemain matin, John Kelly et moi étions de nouveau ensemble. Je le charriai d'avoir fui la corvée du tri des dossiers de Danziger, mais ne lui demandai pas où il était allé.

L'adresse fournie par Caroline, la dernière résidence connue de l'inspecteur Julio Vega, était un bungalow à Dorchester ; une maison de plage égarée sur un terrain minuscule dans une rue miteuse. Dans la cour de devant, du sable hérissé de touffes de digitaire sanguine.

— Vous lui parlez, Ben Truman. Il faut que je jette un coup d'œil derrière.

Matraque dans le dos, Kelly disparut à droite de la maison.

Je frappai à la porte, puis descendis du perron pour attendre. Des brindilles de digitaire m'écorchaient les chevilles. Je frappai de nouveau, plus fort.

Un homme finit par répondre sans ouvrir la moustiquaire. Un Hispano corpulent en T-shirt et pantalon de survêtement. Ventre dilaté. Peau pâle, couleur béton. Il ne pouvait s'agir du type de la photo, le beau Latino à la moustache. Il me toisa sans rien dire.

— Je cherche Julio Vega.

— Qui êtes-vous ? Un journaliste ?

— Non, je suis un flic.

— Un flic ? Vous ressemblez pas à un flic.

Je brandis mon insigne. L'homme ouvrit la moustiquaire, le prit et rentra pour l'examiner.

— Êtes-vous Julio Vega ?

— Les Julio Vega courent les rues, mec.

Il étudiait l'insigne, le nez dessus, le corps tanguant un peu.

— C'est quoi, ça ? Versailles, Maine ?

J'eus du mal à me retenir de le féliciter pour sa prononciation. Je lui demandai de nouveau s'il était bien Julio Vega.

— Qui vous envoie ?

— Personne. J'ai trouvé votre nom dans les dossiers de Robert Danziger.

Il balaya la cour du regard, puis ouvrit la porte et me lança mon insigne.

— J'ai rien à dire, chef.

— Et si je revenais avec une assignation à comparaître ? Cool, comme réflexion, non ? Un peu théâtral peut-être mais cool. On est en train de constituer un grand jury. Ils aimeraient peut-être avoir de vos nouvelles...

Il grogna et disparut à l'intérieur. La porte se ferma avec un bruit sec.

Je contemplai la petite cour scrofuleuse en me sentant complètement idiot. Peu importait que personne n'ait assisté à la scène – l'embarras est un réflexe, développé, codé. Il n'a pas besoin de public.

Je frappai de nouveau.

Cette fois l'homme ouvrit la porte avec un verre à la main. Il fit la grimace et agita ses glaçons.

— Bon, qu'est-ce que vous allez faire maintenant, Joe Friday, enfoncer la porte ?

Je compris soudain – avec retard – que l'homme était ivre.

— Ne me fermez plus cette porte au nez.

— Vous avez cette citation ?

— Je l'obtiendrai si nécessaire.

— Excellent. Apportez-la-moi. Je me torcherai le cul avec.

Il referma la porte, me laissant m'interroger sur l'instant exact où cet entretien avait déraillé.

Kelly apparut, en jouant de sa matraque.

— Alors ?

— Je ne crois pas qu'il veuille nous parler.

— Non ? Il l'a dit ?

— Eh bien, il n'a pas exactement employé ces termes.

Kelly se planta sur le petit perron en béton et frappa à la

porte avec la matraque. Quand la porte se rouvrit, Kelly dévisagea Vega et lui dit poliment :

— Nous avons besoin de vous poser quelques questions, inspecteur Vega. Cela prendra moins d'une minute.

Vega réfléchit, haussa les épaules, nous dit d'entrer et repartit en traînant les pieds.

Kelly me jeta un coup d'œil. *Pas la mer à boire, si ?*

Nous suivîmes Vega dans une pièce jonchée de cochonneries et de journaux jaunis. Quelques photos visiblement là depuis des années – des nièces tout sourire, des grands-parents en Kodachrome. Vega désigna une antiquité de fauteuil, le coussin du siège défoncé, le tissu usé et luisant. Une têtière tachée reposait sur le dossier. Je pris garde de ne pas y poser la tête en m'asseyant. Vega se laissa tomber dans le fauteuil voisin, face à la télé. Sans la porte à moustiquaire entre nous, j'avais enfin l'occasion de bien le voir. Une vraie ruine. Il était pieds nus et ses ongles formaient des angles bizarres. Je me surpris à contempler bouche bée ces ongles de pied, puis une cicatrice rose à l'air spongieux sur son poignet gauche, enfin ses cheveux trop longs et emmêlés. L'ancien inspecteur remplit son verre avec un flacon de vodka Cossack. Un lourd cendrier en verre était posé sur son accoudoir. Il prit une cigarette abandonnée au bord du cendrier et, voyant qu'elle était éteinte, la ralluma.

— Chef, laissez-moi vous dire quelque chose. Vous êtes un flic, je suis un flic. Il y a une manière de traiter les gens. Avec respect. On ne traite pas un flic comme un petit merdeux croisé dans la rue. Ce couplet sur les citations à comparaître et le grand jury, vous le gardez pour les mauvais garçons. Vous parlez à un flic, vous parlez à un frère. Avec respect. Je l'ai mérité. Demandez donc à votre ami.

Il désigna Kelly avec sa cigarette.

— Vous avez raison.

— Quatorze ans, je l'ai mérité. Peu importe ce que vous avez entendu dire.

— Vous avez raison. Je suis désolé.

— Vous êtes un flic, je suis un flic. C'est la seule raison de votre présence ici. Respect.

Il fit tinter les glaçons dans son verre, but une gorgée. Vodka dans la main droite, cigarette dans la gauche. Il soufflait par les narines en buvant, réfléchissant tranquillement, concentré.

— Il y a une manière de traiter les gens. Demandez au vieux là.

Kelly l'ignora. Il parcourait la pièce à longues enjambées, examinant le désordre accumulé. Il tenait sa matraque dans son dos comme s'il s'agissait du catalogue des objets exposés.

Vega et moi regardâmes la télé. Les meilleurs moments du football. Un arrière zigzaguait pour échapper aux plaqueurs.

— Vous aimez le football, inspecteur Vega ?

— J'aime Barry Sanders, mec. Regardez-moi ça.

Nous regardâmes.

— Il est trop rapide, Barry est juste trop rapide.

— Inspecteur, j'ai besoin de vous poser des questions à propos de Bob Danziger. (Vega me jeta un coup d'œil et se retourna vers la télé.) Ce que j'ai besoin de savoir c'est pourquoi Danziger avait un dossier sur vous dans son bureau. Un dossier de sursis avec mise à l'épreuve.

— Il y a plein de dossiers sur moi.

— Plein, mais Danziger n'en avait qu'un, celui-là. Peut-être que cela ne veut rien dire, qu'il suivait votre affaire pour des raisons personnelles, parce que vous le connaissiez. C'est ça ?

— Vous vous y prenez mal. Un bon inspecteur ne pose pas de questions auxquelles on ne peut répondre que par oui ou par non. Il faut laisser la question ouverte. Faites-les parler. Guettez les incohérences. (Il fixait toujours la télé ou faisait semblant. Il était à la fois ivre et pas ivre – ou pas assez.) Si vous parlez, vous n'écoutez pas, vous apprenez que dalle. Il faut faire parler les gens. C'est pas vrai ?

— C'est vrai, renchérit Kelly. Posez de nouveau la question, Ben. De la bonne façon.

— D'accord. Parlez-moi de Raul.

— Je ne sais rien de Raul.

— Dites-moi ce que vous savez.

— Il n'y a pas de Raul, c'est tout ce que je sais, point barre.

Il regardait toujours la télé, les meilleurs moments du foot du dimanche précédent.

— Regardez-moi ça. On peut pas le toucher, il est trop rapide. Je parie toujours sur les Lions. Quel que soit le score, je suis toujours Sanders. Ces cons de Lions gagnent jamais, mais je peux pas miser contre Barry, hein ?

— Julio, pourquoi Danziger s'intéressait-il à l'affaire Trudell ?

— Comment je saurais pourquoi Danziger ferait ceci ou cela ? Vous avez lu mon dossier, non ? Tout ce que j'ai à dire à ce sujet est dans le dossier.

Sanders, en short argenté et chemise bleu pâle, dansait devant les plaqueurs.

— Vous savez pourquoi j'aime le football, chef ? J'aime le terrain, toutes ces lignes. Une ligne tous les mètres, cent lignes, toutes bien droites. Une grille. Tout se passe sur cette grille. Tout le monde essaie de tromper l'autre, d'avoir l'autre, mais tout se passe sur cette grille, en pleine vue. Regardez Barry. Il feinte et il se tortille et tout s'affole. Puis c'est fini, et ils recommencent, bien proprement. Voilà pourquoi c'est passionnant quand il sème le bordel. Parce que c'est toujours entre parenthèses, et puis tout rentre dans l'ordre. C'est, comment dire, la tension, vous voyez, chef ? (Il but une nouvelle gorgée.) Voilà pourquoi on aime le football.

— Julio, pourquoi Danziger s'est-il fait tuer ?

— Il a poursuivi un gamin du Mission Posse, Gerald McNeese. G-Mac l'a pris personnellement. G-Mac a brisé le code : il a descendu un procureur. Donc il faut qu'il paie. C'est la règle.

— Ça se résume à ça ? Vous le croyez ?

— Pourquoi pas ?

— Parce que Danziger vous interrogeait sur Raul.

Vega hésita.

— Julio, Danziger était votre ami. Artie Trudell aussi. Vous leur devez quelque chose.

— Laissez tomber, petit. Venez pas me dire ce que je dois. Je sais ce que je dois et ce que je ne dois pas. Je sais aussi ce que certains me doivent.

— Qu'est-ce que Danziger vous a demandé à propos de Raul ?

— Vous vous plantez complètement, chef. Cette histoire avec Danziger n'a rien à voir avec Raul. Artie ne s'est pas fait tuer à cause de Raul. C'est des conneries. Ça a toujours été des conneries.

— Des conneries, répétai-je, contrarié, perdu. Mais Raul, c'était pas des conneries, n'est-ce pas ?

— Le juge a dit qu'il n'y avait pas de Raul. Que je l'ai inventé. C'est comme ça que cela a été consigné. J'ai purgé mon temps pour ça, c'est fini. C'est tout ce que j'ai à dire.

— Écoutez, Julio, je vous le demande – en tant que flic – où Artie et vous avez-vous eu le tuyau à propos de la vente de drogue à la porte rouge ? Si ce n'est pas Raul qui vous a filé le tuyau, alors qui est-ce ? Le renseignement vient forcément de quelque part.

Vega écrasa sa cigarette et en alluma une autre.

— Il y avait bien un Raul n'est-ce pas ? Le juge s'est trompé.

— Vous ne comprenez pas.

— Non, effectivement. Aidez-moi.

— Des tas de flics utilisent Raul depuis longtemps.

— Il existe donc ?

— Je n'ai pas dit ça. Peu importe, toute cette histoire n'a aucune importance.

Vega fixa le fond de son verre. Voyait-il Artie Trudell, mort mais toujours debout, tenant toujours ce tuyau ? Combien de fois se repassait-il la scène en boucle ? Combien de fois avait-il regardé Trudell mourir ?

— Artie s'est planté tout seul devant cette porte, dit-il, faussement coopératif. Moi aussi. C'était idiot. L'opération n'avait rien de nécessaire.

S'il y avait un signe là, je le ratai.

— Julio, est-ce que Danziger...

— Ben, m'interrompit Kelly. Cela suffit, il est temps de partir. Inspecteur Vega, merci de nous avoir reçus.

Vega fixait toujours les meilleurs moments du football, la grille où tout était fixé et où l'ordre ne cessait de renaître.

Dans la voiture, Kelly me réconforta.

— C'était bien, Ben Truman. Il vous a donné un peu ; il n'est pas prêt à vous donner davantage. Ne vous inquiétez pas, nous reviendrons. Parfois cela prend du temps.

— Il ment encore.

— Oui. Mais je suis sûr qu'il a ses raisons.

On oublia vite que Vega mentait ce jour-là. En fait, toute l'histoire passa aux oubliettes – Vega, Trudell, Raul, la porte rouge, tout. Quand Kelly téléphona à Caroline pour prendre des nouvelles, nous apprîmes par l'Unité que Ray Ratleff était mort, la tête explosée tout comme Danziger. On ne pouvait plus rien reprocher à Gerald McNeese ; le seul témoin à charge contre lui venait de mourir. Et cela allait être difficile de rendre Raul responsable de ce meurtre.

21.

Le corps gisait dans Franklin Park, étendu sur un lit de feuilles détrempées sous une passerelle en pierre. On avait jeté une bâche en plastique dessus, mais Ray Rat étant trop grand, le bout de ses jambes dépassait – pantalon relevé, tibias osseux, baskets Nike.

Une foule s'était massée derrière le ruban de la police. Des photographes de presse tournaient en quête de l'angle idéal, leur téléobjectif pointé sur le cadavre.

Un groupe d'inspecteurs bavardait autour du corps, inconscients de ce qui reposait à leurs pieds. L'un d'eux expliquait que le secret de la vraie sauce marinara, c'était d'ajouter un peu de sucre à tous les autres ingrédients, les tomates, le basilic, l'origan, l'huile d'olive ; et il était bien placé pour le savoir parce que, quoiqu'étant lui-même d'origine germano-irlandaise et incapable jadis de distinguer une sauce marinara du Ketchup, il avait épousé une Italienne pure souche et cela faisait bien quinze à seize ans qu'il voyait sa femme préparer la sauce en question... J'attendais le moment où le type finirait par poser un pied sur le cadavre comme sur un bord de trottoir.

Kelly se présenta et demanda ce qui se passait.

— Quelqu'un a explosé ce mec, répondit l'un des inspecteurs. Un homme plus âgé avec un énorme visage plat et carré. C'est la jungle ici. Voyez ce que je veux dire ? Il m'adressa un grand clin d'œil de vaudeville.

Kelly s'agenouilla et repoussa la bâche du visage de Ratleff, du moins ce qu'il en restait. L'orbite et l'œil droits avaient éclaté, mais sinon le crâne et le cuir chevelu étaient intacts. Un liquide noir luisait dans l'orbite et souillait la glorieuse coupe afro de Ratleff. Kelly rabattit la bâche, mais l'image s'attarda tels les traits flous du suaire de Turin.

— Une affaire louche, ricana le flic au visage plat.

Kelly ignora le commentaire.

— Quand cela s'est-il produit ?

— Il y a environ deux heures, je dirais. La *rigor mortis* n'a encore touché que le visage et les paupières. (Il se corrigea :) La paupière.

— Des témoins ?

— Rien. Des empreintes de pas, mais c'est un parc public, il y a des milliers de traces. (Le flic contempla le corps de Ratleff avec une expression mélancolique.) Pas de témoins. Personne ne voit jamais rien par ici.

À vingt mètres de là, Caroline était plongée dans une discussion animée avec Kurth et Gittens. Le visage sévère et grêlé de Kurth était tendu. Il paraissait éclairé de l'intérieur comme les moines du Greco.

— Comment cela a-t-il pu se produire ? demandait-il, visiblement agité quand nous approchâmes.

— Je ne vois pas ce que vous voulez dire, Ed, répondit Gittens.

— Vous trouvez le type, et quarante-huit heures plus tard, il est mort ? Comment cela peut-il se produire ?

— Je n'en ai pas la moindre idée, Ed.

— Comment l'avez-vous trouvé ?

— Je vous l'ai dit, Ed, j'ai eu un tuyau. Demandez à ces types. (Gittens nous désigna de la tête Kelly et moi.) Vous êtes fumasse parce que vous ne l'avez pas trouvé. C'est votre problème, Ed, pas le mien. Qu'est-ce que je peux vous dire ? Vous l'aviez sous le nez et n'avez pas été foutu de le voir ? Est-ce ma faute, Ed ?

Gittens prenait un plaisir insolent à titiller Kurth en lui donnant du Ed à tout bout de champ. Personne ne semblait appeler Kurth par son prénom. Ou c'était un choix de Kurth ou un effet de sa personnalité tordue. Mais Gittens insistait sur le Ed, au point que le mot sonnait vaguement ridicule, comme tous quand on ne cesse de les répéter.

— D'accord, Martin, cela suffit, intervint Caroline.

— Écoutez, insista Gittens, si Braxton a trouvé Ray Rat, c'est parce que Ray a merdé. Il est rentré chez lui. Il savait qu'il n'aurait pas dû mais il l'a fait quand même. Si vous suggérez que quelqu'un de la zone A-3 a rencardé Braxton...

— Je ne fais allusion à personne d'autre de l'A-3, riposta Kurth.

— Qu'est-ce que c'est censé vouloir dire ? (Gittens affectait la perplexité plutôt que la colère, pour bien montrer qu'il ne considérait pas Kurth comme une menace.) Allons, Ed. Si vous avez quelque chose à dire, ayez les couilles de lâcher le morceau.

Ed Kurth avança d'un pas, mais Kelly s'interposa entre les deux. Les dominant avec sa bonne tête de plus qu'eux, il leur décocha un regard de père désapprobateur.

— Cela suffit, vous deux. Vous avez dit ce que vous aviez à dire.

Mais Kurth ne voulait pas – ou ne pouvait pas – céder. Sa colère avait une qualité explosive que ne possédait pas celle de Gittens. Il était carrément incapable de la chasser. Il conserva un air mauvais jusqu'à ce que Kelly lui colle sa matraque en travers de la poitrine et lui ordonne de reculer.

— Ed, dit Caroline, Martin a raison, vous délirez. Allez marcher un peu, calmez-vous et revenez quand vous serez prêt à travailler.

Kurth parut un instant sur le point de péter les plombs, et je ne sais pas trop ce qui se serait passé s'il l'avait fait. J'ignorais ce qu'il possédait de violence rentrée. Mais s'il s'était attaqué à Gittens, il l'aurait brisé en deux – devant une foule comprenant des photographes de presse. Heureusement Kurth n'explosa pas. Il tourna les talons et se dirigea vers les vertes prairies de Franklin Park. Ce fut franchement un soulagement de le voir partir.

— Il va passer un arbre à tabac, m'exclamai-je.

— Ben, avertit Caroline en secouant la tête. Pas maintenant.

Parfois Caroline me rappelait étrangement ma mère. C'est une pensée troublante – et peu érotique – pour un homme, et généralement je la chassais de mon esprit dès qu'elle surgissait. Mais ce « Ben » sec et bref aurait pu sortir de la bouche d'Annie Truman. Il me pétrifia.

— C'est Braxton, dit Gittens d'une voix neutre, les yeux sur le cadavre de Ray Ratleff.

Caroline opina du chef.

— Nous avons un mobile, une occasion, un crime signé.

— Je suis d'accord, nous en avons suffisamment, dit Caroline, pincez-le.

22.

Pincer Braxton était plus facile à dire qu'à faire. Il avait trouvé une planque et personne – ni les flics, ni les glisseurs d'Echo Park, ni même l'Armée rouge de balances de Gittens – n'avait la moindre idée de l'endroit où il se cachait. Il n'y avait rien d'autre à faire qu'attendre. Et attendre encore. Finalement Braxton ou un des membres de son équipe commettrait une erreur qui le mettrait dedans. En tout, l'attente durerait quatre jours.

Cette attente mit à rude épreuve les nerfs de tout le monde, dont les miens. Depuis mon arrivée en ville, j'avais été porté par un courant. Je filais devant les événements, des arrêts le long de la rivière, et j'aurais cru que le flot me porterait jusqu'au bout. Et voilà que le courant ralentissait et que tout se mettait à patiner. L'après-midi, j'accompagnais Gittens aux Flats pour tenter d'obtenir des tuyaux par intimidation. Le soir, je restais aux bureaux de l'Unité, ou bien je dînais avec les Kelly, ou encore j'explorais la ville, en parcourant les quartiers comme ma mère sillonnait Versailles.

Peut-être était-ce à cause de l'atmosphère bizarre du moment, mais je décidai tout à coup que je n'aimais pas Boston. Son côté introverti, borné, doutant de soi-même – la capitale idéale pour les gens de la Nouvelle-Angleterre. Je ne parvenais même pas à apprécier la beauté manifeste de la ville. Bien entendu, avec le recul, je sais que cela ne tenait pas à Boston. J'y avais vécu heureux jadis, j'avais même considéré la ville comme un second foyer. Mais maintenant tout était différent et je ne pouvais plus voir Boston du même œil. Je ne pouvais pas y poser mes valises, pas là. J'attendais. Quoi ? Je l'ignorais.

Le jeudi soir – le premier jour de cette période oisive, interstitielle –, n'arrivant pas à dormir, vers minuit, je me retrouvai debout en sous-vêtements devant la fenêtre de ma chambre d'hôtel, à songer au pays. Les lampadaires du South End clignotaient en dessous. (J'étais descendu au Back Bay Sheraton, un de ces cubes modernes en béton lâchés au milieu du quartier du XIXe siècle, tels des vaisseaux spatiaux tombés du ciel.) Avide d'entendre une voix familière, j'appelai le poste de Versailles sous prétexte de prendre des nouvelles.

— P'lice de Versailles.

— Maurice, qu'est-ce que tu fous là ?

— Je parle au téléphone.

— J'entends, oui – ils te font répondre au téléphone maintenant ?

— Hum-hum.

Je réfléchis une seconde.

— C'est une bonne idée, Maurice. C'est celle de qui ?

— Dick.

Dick Ginoux décrocha sur l'autre poste et me mit au courant des derniers potins. Maurice avait pris l'habitude de traîner dans les parages et il s'était révélé un élément utile pour répondre au téléphone, balayer par terre, etc. Diane Harned était passée l'après-midi même pour prendre de mes nouvelles.

— Je lui ai dit que tu allais rester là-bas et elle en a eu le cœur presque brisé.

Quant à Dick lui-même, il avait en fait arrêté un conducteur en état d'ivresse, ce qui n'arrivait pas souvent, puisque les chauffeurs ivres s'écrasaient rarement contre le poste dont Dick sortait peu.

Ils me manquaient tous, plus que je ne l'aurais cru.

— Dick, salue tout le monde et dis-leur que je vais bien, d'accord ?

— D'accord, Ben. Accroche-toi. Je suis sûr que le Chef est fier de toi.

— Dick, c'est moi le chef.

— Je sais, Ben. Tu vois ce que je veux dire.

— Des nouvelles du procureur ?

— Oui. Ils ont trouvé les empreintes de Harold Braxton

partout dans le bungalow. À huit endroits différents, je crois. Ce doit être ton homme. Autre chose. Red Caffrey a téléphoné. Il s'est dit qu'il fallait qu'il nous signale que, deux semaines environ avant qu'on découvre le corps dans le bungalow, un Noir avec une drôle de coupe de cheveux s'est arrêté à sa station-service dans une Lexus blanche avec des plaques du Massachusetts. Le môme a acheté une carte routière et un jerrican d'essence. Red dit qu'il n'en a pas pensé grand-chose, sinon que le môme n'avait pas l'air d'aller avec la voiture, tu vois ? Un jeune Black qui débarque avec une bagnole à cinquante mille dollars et... en plus, il savait même pas de quel côté se trouvait le réservoir. Red dit qu'il a eu une sorte de pressentiment, que peut-être la voiture était volée. Mais le contact n'avait pas été trafiqué. Et le môme avait la clé. Quoi qu'il en soit, Red a noté la plaque : *I doc.*

— I doc ?

— Oui, I d-o-c.

— Tu l'as vérifiée ?

— On n'arrive pas à joindre le service du Massachusetts, mais elle n'a pas été signalée pour vol.

— C'est bien, Dick. Fais-moi une faveur, va revoir Red Caffrey pour lui montrer ces photos d'identité judiciaire. Et demande autour de toi si quelqu'un d'autre a aperçu ce type. Et Dick, tu as vu mon père ?

— Non.

— Bon, fais un saut à la maison, d'accord ? Il est mal en point, je crois.

C'est également pendant cette interruption que je fis la connaissance d'Andrew Lowery, le procureur de Boston. Sur ordre. Lowery fit savoir par l'intermédiaire de Caroline que John Kelly et moi devions nous présenter à son bureau le vendredi à neuf heures du matin. Ce genre de réunion donne rarement de bons résultats et celle-là ne fit pas exception à la règle.

Lowery était dans son bureau au tribunal du comté de Sussex. À notre arrivée, calé dans son fauteuil, les pieds posés sur un tiroir ouvert, le procureur suivait, absorbé, un reportage des informations télévisées.

... la police continue à passer au peigne fin les quartiers de Dorchester, Mattapan, Mission Flats et Roxbury en quête du tueur du procureur adjoint...

Andrew Lowery était un Afro-Américain frêle mais bel homme avec des lunettes rondes dans lesquelles se reflétaient les images diffusées par la télévision. Il portait une chemise bleue à rayures multicolores avec manchettes et col blancs.

Sur le seuil, Kelly s'éclaircit la gorge.

Lowery nous fit signe d'entrer sans quitter l'écran des yeux. Nous attendîmes encore une ou deux minutes le temps que le procureur zappe sur la chaîne des informations câblées de Nouvelle-Angleterre pour avoir les dernières nouvelles concernant sa propre affaire. (Il disposait en fait de trois postes de télévision posés sur un meuble face à son bureau, mais un seul était allumé.)

Le reportage terminé, Lowery enfila son veston pour notre entretien. Je n'avais jamais vu costume mieux coupé et, sans être un expert, j'en conclus qu'il portait du sur-mesure.

— Merci d'être venus, nous dit-il quand nous nous installâmes autour de la table de conférences. Vous obtenez tout le soutien dont vous avez besoin, j'espère ?

La question s'adressait à Kelly, mais ce dernier me passa la parole.

— Oui, répondis-je, tout va bien.

— Vous voulez un café ? Autre chose ?

— Non, merci.

Le bureau était austère et solennel, avec son tapis d'Orient visiblement précieux et son ameublement de style Bauhaus. Trois diplômes de Harvard étaient accrochés au mur, de l'université, de la faculté de droit, de l'École d'administration Kennedy. Le seul rappel de l'esthétique habituelle des bureaux de fonctionnaires était un sceau encadré du comté du Sussex qui représentait les trois monts sur lesquels Boston avait été construite par des pèlerins sans imagination.

— Je sais que vous avez fort à faire. (Lowery joignit les doigts.) Je ne vous retiendrai donc pas longtemps. J'ai un ami qui me préoccupe beaucoup. Je crois que vous l'avez rencontré : Julio Vega.

Kelly et moi échangeâmes un regard.

— Il paraît que vous avez interrogé l'inspecteur Vega.

— Qui vous l'a dit ? demanda Kelly.

— Mon petit doigt.

— Et qu'est-ce que votre petit doigt vous a raconté de notre discussion ?

Sans changer d'expression, Lowery se détourna de Kelly. L'ignorant purement et simplement.

— Chef Truman, j'espère que vous comprendrez. Je vais vous prier de laisser Vega tranquille. Il n'est pas bien.

— Dans quel sens ?

— Dans tous les sens. Son état mental – je ne sais pas ce qui se passera si vous deux allez réveiller de vieux fantômes. Je ne veux pas que Vega aggrave son cas.

— Pardonnez-moi, mais il est difficile d'imaginer que la situation de Vega puisse empirer.

— Cela ne m'est pas difficile. Je crains que Julio ne se fasse du mal un jour. Il est instable. Et, de toute façon, je ne vois pas où vous voulez en venir. Puis-je vous demander pourquoi vous vous intéressez à l'affaire Arthur Trudell ?

Je l'informai que Danziger s'était penché dessus.

— Bob Danziger devait avoir une centaine d'affaires en cours. La question est : détenez-vous quoi que ce soit qui relie les deux affaires ? Existe-t-il un lien ?

— Non, monsieur. Pas encore.

— Bien, je vous demande simplement de prendre des gants avec Vega. Si vous voulez lui parler, cela peut s'arranger. Mais pourquoi réveiller un chien qui dort ?

— Cela semble être une approche populaire.

— Chef Truman – Benjamin – j'ai davantage de responsabilités que vous.

— Vraiment, monsieur ?

Il se pencha en avant et croisa les mains sur la table.

— Oui. Mon travail ne consiste pas seulement à faire appliquer la loi ; mais aussi à préserver l'ordre. Vous comprenez la distinction.

— Pas vraiment.

— L'affaire Trudell est un sujet brûlant dans cette ville. Sur le plan racial.

Kelly croisa les mains sur la table, imitant l'attitude de prière de Lowery.

— Je suis sûr que l'affaire Trudell est également une affaire brûlante pour sa famille. Comme l'affaire Danziger pour la sienne.

Lowery ne réagit pas. Il contempla Kelly un moment avant de répondre.

— Pourquoi ne chercherions-nous pas à traiter les deux affaires avec discrétion, inspecteur Kelly. Par égard pour *les deux* familles.

Nous nous serrâmes la main et prîmes congé. Kelly et moi allions franchir la porte quand Lowery ajouta :

— Inspecteur Kelly, je sais que vous avez longtemps œuvré dans cette ville, mais n'oubliez pas que maintenant vous vous y trouvez en invité.

— En invité ?

— Oui. Et nous nous sommes efforcés d'être de bons hôtes. Nous avons fait preuve de beaucoup de courtoisie, en vous assurant entre autres la coopération de la police. Mais cela n'a rien d'obligatoire. Nous ne sommes pas tenus d'être de bons hôtes. J'espère que vous continuerez à vous conduire en bon invité.

23.

Le premier baiser de Caroline :

Le dimanche, John Kelly avait pris Charlie pour la journée. Il avait apparemment pour mission de satisfaire tous les caprices de son petit-fils, un excès de générosité offert à Charlie en guise d'expiation pour son déménagement dans le Maine. Il incombait donc à Caroline de me distraire, un arrangement qui paraissait des plus naturels à ce moment-là. En effet, j'avais passé les dernières soirées avec les Kelly et un train-train familier s'était déjà instauré. Après le dîner, je jouais au hockey avec Charlie sur sa PlayStation, puis sirotais des Bushmills avec le vieil homme avant de regagner mon hôtel.

Cet après-midi-là, Caroline et moi convînmes de nous retrouver à la librairie Victor Hugo Avenue dans Newbury Street. C'était une lumineuse journée d'automne. Le soleil donnait une netteté à tout ce qu'il touchait. On avait l'impression de voir la rue en haute définition – des adeptes du grunge sortant avec des démarches de félins de Tower Records ; des couples en promenade ; d'onéreuses voitures européennes avançant au pas dans la circulation.

La librairie était un dédale d'allées et de salles bourrées de livres poussiéreux, ternis par le temps. Les livres s'alignaient dans l'escalier et sur les murs, s'empilaient sur les planchers grinçants, débordaient des étagères. Le paradis. En attendant Caroline, je flânai dans les pièces de l'étage. Je feuilletais tranquillement un guide de voyage quand je fus interrompu par une voix féminine : « Ben ? » Je reconnus la voix et gardai le nez dans mon ouvrage dans l'espoir que sa propriétaire finirait par renoncer. Mais la voix insista. Elle modula l'unique syllabe de mon prénom en un glissando crispant.

C'était Sandra, ma petite amie de licence, la fleur du communisme de l'université de Boston. Elle était plus mince que jamais mais au moins elle avait échangé ses lunettes à lourde monture noire de l'époque contre un modèle plus chic. Elle croisa les bras et sourit. Puis, avançant la tête comme un oiseau de proie, elle demanda :

— Tu es seul ici ?

— Non.

— Moi non plus. (Elle plaça sa main perpendiculairement à sa bouche, comme une mauvaise actrice s'adressant aux derniers rangs et confia :) Je fréquente quelqu'un.

Je m'entendis répondre « Moi aussi » sans réfléchir. Il semblait important d'être à égalité avec Sandra.

— Elle ne va pas tarder.

— Je te croyais dans le Maine ?

— J'y suis.

— Et ta mère ?

— Elle s'est éteinte cet été.

— Oh, Ben, je suis navrée.

— Merci.

— C'est bon de te voir, mentit-elle. Qu'est-ce que tu fais maintenant ? Tu as repris tes études quelque part ?

Je secouai la tête.

— Alors ?

— Je... je suis un genre de policier.

— Un policier ! Encore ? Dans ta petite ville ? Comment s'appelait-elle déjà ?

— Versailles.

— Versailles, c'est ça.

— Je suis le chef de la police là-bas.

— Eh bien !

Je m'efforçai de trouver des intentions flatteuses dans cette expression, mais j'eus du mal. Ce *Eh bien* signifiait que j'alimenterais bientôt les commérages de la cafétéria. *Vous vous rappelez Ben Truman ? Vous ne devinerez jamais ce qu'il fait maintenant...*

— Et ton travail ?

— C'est mon travail. Pour l'instant, du moins.

— Oh.

Ses joues rosirent. Elle parut chercher un nouveau sujet.

— Et qui est ton nouveau petit ami ?

— Il s'appelle Paul. Il est en bas. Il est génial ! Il a une chaire à la fondation Across The River. Tout le monde dit qu'il décrochera la MacArthur.

— Vraiment !

— Et ta petite amie ? Elle est ici ?

J'eus le malheur de ne pas répondre tout de suite.

— Ben ?

— Eh bien, elle n'est pas vraiment... je ne sais pas trop quand elle doit arriver.

— C'est elle ?

Caroline fit son apparition à nos côtés. Vêtue d'un jean et d'une veste de base-ball noire, elle paraissait être une forme de vie supérieure à Sandra – bien charpentée et sûre d'elle, radieuse à la perspective d'un après-midi à elle, sans enfant à garder ni dossiers à étudier.

— C'est elle quoi ? demanda Caroline, curieuse.

— La petite amie de Ben ?

Caroline me jeta un coup d'œil perplexe.

— Je disais juste à Sandra...

Ma langue gonfla comme un pamplemousse.

Sandra eut l'air momentanément perdue, puis elle additionna visiblement deux et deux. Un autre morceau à mettre sous la dent de la foule de la cafétéria : *Et alors – oh, c'est fort –, il a prétendu que cette femme était sa petite amie mais manifestement elle tombait des nues...*

Je sentis alors les mains de Caroline sur mon cou et ses lèvres sur les miennes et le souffle chaud de ses narines sur ma joue.

— Désolée pour le retard. Les embouteillages.

Sandra parut saisie, comme si elle venait de surprendre ses parents en flagrant délit. Elle prit congé et fila.

— Merci.

— Ce n'est rien, chef Truman.

Le souvenir de Bob que gardait Caroline :

— Bobby n'était pas du style ange vengeur. Il ne voyait pas l'Étrangleur de Boston dans tous les dossiers qu'il ouvrait. C'était toujours : « Ce gosse n'est pas si mauvais que ça » ou encore : « Regardez son casier. Pas de violence. Juste une histoire de drogue. » Il était tellement *raisonnable*, bon Dieu. (Elle pressa le mot comme un citron.) C'est vrai, il préférait porter les araignées dehors plutôt que de les écraser ! On voit mal arriver ce genre de choses à un type pareil !

Nous étions dans un bar baptisé Small Planet dans Copley Square.

En égrenant ses souvenirs, Caroline dessinait des petits sillons avec sa fourchette sur sa serviette.

— Mais quelque chose a changé pour Bobby. À la fin, il semblait avoir perdu ce courage, cette équanimité. Je l'observais parfois quand ses verdicts tombaient. Il ne regardait jamais l'accusé. Comme s'il avait honte. Il fixait le sol, le plafond, mais jamais l'accusé.

— Pourquoi cela ?

— Je ne sais pas. Peut-être était-il inquiet. Il y a toujours ce fond de doute, l'éventualité qu'on se soit trompé. Il faut pouvoir vivre avec ça. Un peu d'insensibilité n'est pas inutile pour faire ce métier.

— Et Danziger n'était pas insensible ?

— Pas vers la fin, non. Juste avant de mourir, il a décroché une inculpation dans une grosse affaire de gang. Vraiment une grosse prise. Je suis allée le féliciter. Je croyais qu'il exulterait. Mais il était désespéré. Comme vidé, à défaut d'une meilleure expression. Ne sachant pas quoi lui dire, je lui ai demandé ce qu'il ressentait. Vous savez ce qu'il m'a répondu ? « De la répulsion. »

— De la répulsion ? Pour quoi ?

— Pour l'ensemble du système. Pour le jury qui feignait de connaître la vérité, pour le juge qui feignait de savoir comment réagir, pour l'État qui enfermait un gamin de dix-huit ans dans un endroit comme Walpole. De la répulsion à l'encontre de l'accusé aussi, non parce qu'il avait commis le délit, mais parce qu'il avait déclenché tout le processus, cette machine irrésistible. Il avait obligé Bobby à le faire. Bobby m'a dit : « J'ai l'impression que c'est moi qui suis coupable. » Il ressentait cette répulsion pour lui-même, pour sa participation.

— Il devait être épuisé, c'est tout.

— Non, répliqua-t-elle fermement. Pas épuisé – secoué.

L'épuisement est un état progressif. Ce qui est arrivé à Bobby a été soudain. Quelque chose l'ébranlait vraiment.

— Quoi ?

— Je n'en ai aucune idée.

— Et vous, Caroline ? Est-ce que vous détournez les yeux quand le verdict tombe ?

— Moi ? Non, impossible ! Je regarde l'accusé. Il le faut. Il faut que je voie ce tressaillement lorsqu'il entend le mot *coupable.* Je veux voir ses yeux ciller quand il comprend qu'il ne s'en est pas tiré, qu'il y a un prix à payer finalement. Et je veux qu'il sache que j'en suis l'agent.

Un sourire flottait sur ses lèvres, un sourire de vilaine fille, de lépidoptériste en train d'épingler un spécimen rare sur sa planche à papillons. Je me demandai à quel malheureux accusé elle songeait.

— Est-ce que cela fait de moi quelqu'un de mauvais ?

— Probablement.

Sans raison, Caroline et moi décidâmes de nous arrêter dans tous les bars que nous croiserions dans Newbury Street ce dimanche, du beuglant chic à l'angle de Mass Ave au Ritz avec ses auvents bleus et ses portiers en livrée de même couleur. À la fin de cette course d'obstacles, elle tenta de m'entraîner aussi dans le bar du Ritz, mais je refusai.

— Je ne pense pas que je serais à l'aise au Ritz.

Nous entrâmes donc dans le jardin public où, malgré le crépuscule, quelques touristes béaient encore devant la statue équestre de George Washington. Washington les contemplait sereinement de sa monture, serrant les vestiges d'une épée. (La lame a été arrachée si souvent que la ville ne la remplace plus. Mais le général Washington s'accroche avec entêtement à sa garde vide.)

— Vous voulez me prendre en photo ? me demanda un type.

Ne faisait-il pas trop sombre pour qu'on voie quelque chose ?

— Pas grave, moi, je verrai.

— Vous feriez mieux de vous adresser à elle, dis-je en refilant la corvée à Caroline, j'ai bu.

Il se planta devant la statue de Washington et Caroline prit l'appareil.

Agréablement gris, je l'observai placer les touristes. Et dans mes pensées la vraie Caroline fut supplantée par des images d'elle au tribunal quelques jours plus tôt. Des flashs : la serviette molle avachie contre sa cheville, la flamme formée par les courbes de ses mollets, l'arc de son dos lorsqu'elle avait serré sa veste contre elle. Je tentai de les remplacer par d'autres images, moins chargées, en vain.

Nous entrâmes dans un salon de thé baptisé Finale. Une salle ovale avec de petites tables, à l'éclairage tamisé.

— Caroline, pourquoi Lowery veut-il nous tenir à distance de Vega ?

— Il ne doit pas vouloir qu'on fiche la pagaille dans l'affaire Trudell. Il était le procureur quand l'affaire a tourné court, et cela le hante encore. Les électeurs n'aiment pas voir des assassins de flic s'en tirer sans dommage. Cela laisse une mauvaise impression. Et Andrew repart bientôt en campagne. Mon père lui a-t-il mené la vie dure ?

— Il s'est mordu la langue, surtout.

— Cela ne lui ressemble pas.

— À quoi Lowery se présente-t-il ?

— Selon la rumeur, au poste de maire. Le premier maire noir de Boston et républicain en plus. Mais qui sait ?

— Mais cela n'a toujours pas de sens à mes yeux. Élections ou non, Artie Trudell était un flic.

— Ce n'est pas si simple, Ben. On classe des affaires pour des tas de raisons. (Elle me regarda en quête de signes de compréhension, en vain.) Écoute, certaines affaires restent non résolues parce que quelqu'un le veut ainsi. Comme l'affaire DeSalvo, l'Étrangleur de Boston. Pendant trente-cinq ans ici, le secret le moins bien gardé chez les flics et les procureurs a été qu'Albert DeSalvo n'était pas l'Étrangleur. On l'a collé dans une cellule avec un violeur en série qui lui a tout raconté à propos des meurtres et comme c'était un type instable, il s'est approprié toutes ces histoires et il est allé avouer des trucs qu'il n'avait jamais commis. Il s'est planté sur toutes sortes de détails, mais tout le monde s'en fichait. Il était plus simple de faire croire que l'affaire était close. L'ennui, c'est que si quelqu'un prouvait un jour que DeSalvo n'était pas l'Étrangleur, pas mal de gens auraient à rendre des comptes.

— Qui veut voir l'affaire Trudell enterrée ?

— Lowery, d'abord. Julio Vega et Franny, aussi, j'en suis sûre. Aucun d'eux ne s'est couvert de gloire.

— D'après Franny, tu penses qu'il est véreux. C'est à cause de ça ?

Elle secoua la tête.

— Écoute, je n'ai aucune idée de ce que Franny a vraiment fait dans l'affaire Trudell. J'ai mes soupçons. C'est difficile de croire que Vega ait inventé tout seul tout ce binz à propos de Raul. Mais je ne reproche pas à Franny d'être véreux. Je lui reproche d'être un ivrogne, ce qui serait ses oignons s'il n'avait pas cessé d'être un bon avocat.

— Pourquoi Lowery le protège-t-il ?

— Parce que Franny en sait plus long que ce qu'il a dit et que Lowery veut que cela reste ainsi. Alors il le garde dans l'équipe et Franny la ferme.

La première fois que j'embrassai Caroline :

Elle recula, sourit et prononça mon nom.

— Tu es sûr de vouloir faire ça ?

— Oui, tout à fait sûr.

Une voiture passa et nous la suivîmes des yeux un peu mal à l'aise. Nous étions devant mon hôtel. Le portier nous observait. L'air nocturne était frais.

— Ben, tu n'as pas besoin de me séduire. Ce n'est pas nécessaire.

— Et si je le souhaite ?

— Ce serait du gâchis.

Dans la chambre d'hôtel, nous nous embrassâmes, maladroitement, et Caroline suggéra que nous nous couchions. Nous nous déshabillâmes et nous allongeâmes face à face. Elle s'approcha pour m'embrasser de nouveau. Nos genoux se heurtèrent. Elle prit mon visage entre ses mains et l'étudia.

— Pourquoi ai-je l'impression de t'avoir déjà rencontré ?

— Je ne sais pas. Je crois que je me souviendrais.

Plus tard, Caroline rassembla ses affaires et partit dans la salle de bains pour se laver et s'habiller. J'allumai la télé et, à son retour, je regardais un vieux film.

— Qu'est-ce que c'est ?

— *Rio Bravo.* Tu veux le regarder ?

— C'est un John Wayne ?

— Là c'est un Angie Dickinson.

— De *Police Woman* ?

— Oui.

— J'ai bien aimé cette série.

— Je n'ai jamais compris ce qui se passait entre Earl Holliman et elle là-dedans.

Caroline enfila sa veste.

— Angie Dickinson lui plaisait mais il ne pouvait pas le lui avouer à cause de leur boulot.

— Oh.

— Ben, il faut que je rentre retrouver Charlie.

À la télé, Angie Dickinson disait à John Wayne : *C'est ce que je ferais si j'étais le genre de fille que vous croyez.*

— Pas grave. Je sais comment ça finit.

Elle grimaça.

— Et comment ça finit ?

— Tout le monde s'est trompé sur tout le monde, en résumé.

— C'est pas une fin, ça.

— Il y a aussi une fusillade. Mais ce n'est pas vraiment l'important.

24.

Au bout de quatre jours de traque de Harold Braxton – depuis que Caroline avait donné le feu vert pour le pincer après le meurtre de Ray Rat –, la police de Boston restait bredouille. Braxton s'était évaporé.

Gittens et moi arpentâmes quotidiennement les Flats, interrogeant quiconque lui avait déjà filé un tuyau. C'était fascinant d'observer Gittens, cet homme subtil capable d'établir des contacts avec toute sorte de gens. Il y parvenait grâce à un arsenal de petits talents. Il parlait un espagnol passable. À l'instar d'un politicien, il avait ce don de se rappeler le nom des gens, pas seulement ceux des informateurs mais également ceux de leurs parents et associés. Et surtout, il avait du jugement. Il n'avait aucun désir d'accumuler les arrestations et il était tout à fait disposé à ignorer des délits mineurs là où d'autres flics auraient sévi. Il serait exagéré de dire que ce talent était apprécié par une populace reconnaissante. Gittens restait un flic et on se méfiait de lui. Mais il jouait gracieusement son rôle, il était respectueux, il repérait des nuances et des complexités qui échappaient aux autres.

En l'occurrence, cela ne suffit pas. Braxton avait disparu et, à ce moment-là, la police le cherchait moins qu'elle n'attendait qu'il se trahisse. On posta des agents à des endroits probables où ils se mirent à guetter leur proie tels des chasseurs derrière des leurres. Convaincu de connaître Braxton mieux que quiconque, Gittens installa quelques policiers de la zone A-3 dans divers points des Flats. Kelly et moi y eûmes droit également. On me posta, seul, devant l'immeuble où vivait la petite amie de June Veris – un site peu prometteur, selon moi, bien que Gittens affirmât le contraire.

J'arrivai à mon poste tôt le lundi matin vers sept heures. Sous un ciel gris maussade, je m'adossai à une porte pour siroter un café dans un gobelet en carton. Ma mission était de surveiller l'immeuble d'en face, au cas où Braxton y aurait passé la nuit. Au cinéma, on appelle ça « planquer » bien que je n'aie jamais entendu un flic utiliser ce terme. Appelez cela comme vous voudrez, c'est à crever d'ennui. Et pour un anxieux comme moi, c'est une vraie invitation aux emmerdes. Rien de pire qu'un esprit oisif.

Mes pensées revinrent à Caroline et à notre rencontre de la veille. Quel sens cela avait-il eu pour elle ? Et pour moi ? C'est bien beau d'attirer quelqu'un au lit avec des intentions joyeuses, mais il y a toujours le risque que les choses paraissent plus compliquées le lendemain matin – notamment quand on ne sait pas trop qui a attiré qui au lit. Non que je fusse tombé amoureux de Caroline. Rien d'aussi spectaculaire ni d'aussi clair ne s'était produit. Je suis trop prudent pour être frappé par ces coups de foudre. Mais il s'était passé quelque chose. Je ne pouvais m'empêcher de penser à elle – ou plus exactement de l'idée que je me faisais d'elle, parce qu'il faut dire que Caroline Kelly était un être difficile à cerner. Elle pouvait être chaleureuse et fougueuse un instant, froide et lointaine celui d'après. On avait le sentiment qu'elle ne voulait pas qu'on la perce avant qu'elle ne s'y sente prête. Avant qu'elle ne l'ait décidé. Quand elle avait dit la veille « Tu n'as pas besoin de me séduire, Ben », sa voix semblait être porteuse d'un avertissement : *Ne va pas croire que tu puisses me séduire.* Cette circonspection était-elle la conséquence de son divorce ? Impossible à dire.

Avec le recul, je comprends que c'était justement les contradictions de Caroline qui m'empêchaient de passer à autre chose. Plus elle m'intriguait, plus je pensais à elle ; plus je pensais à elle, plus elle m'intriguait. Était-elle belle ou juste débordante de vie ? Était-elle chaleureuse, comme elle l'avait été avec Charlie (et moi) ou irascible, comme elle se plaisait parfois à l'être ? Je voulais la comprendre intellectuellement, réduire toute cette merveilleuse complexité et cette personnalité insaisissable à quelques adjectifs simples. Non, je n'étais *pas tombé amoureux* d'elle. Après un certain âge, on ne *tombe* pas amoureux. Tomber, avec ses implications de délire et de perte de contrôle, cesse d'être la bonne métaphore. Non, on étudie son amante. On l'observe. On la fait tourner au creux de la main comme une pièce issue d'un pays étranger. Mais c'est également un genre d'amour.

Je réfléchissais à tout cela – Caroline, le souvenir du goût de sa bouche, de ma main sur son dos musclé, le facteur de complication qu'était Charlie, l'éventualité de l'amour, toutes ces considérations s'agitaient dans mon esprit et j'étais en train de les trier, de les classer, parce qu'il faut être prudent avec ces choses, l'émotion, je veux dire, il faut y réfléchir, non se ruer dedans comme Annie Wilmot avec Claude Truman – quand Bobo fit son apparition.

Bobo n'avait pas le même aspect que la semaine précédente, lorsque Gittens l'avait sorti du conteneur stand de tir à l'usine de retraitement des ordures. Terminés le sweat-shirt des Lakers et la combinaison de travail tachée. Terminée la stupeur droguée. Là Bobo trahissait un sens du style bien défini. Il portait sa casquette de pêcheur grec sur un œil. Et il marchait d'un pas rythmé et fier et comme il boitait légèrement de la jambe gauche, il avait des allures d'oiseau à l'aile brisée.

Bobo était à une rue de moi lorsqu'il me reconnut, ou du moins sentit le danger. Un Blanc dans ce quartier – un Blanc avec une coupe de cheveux ratée qui boit du café, un Blanc qui le regarde comme s'il le connaissait –, tout compte fait, pour Bobo c'était synonyme d'ennuis. Ennuis du style maintien de l'ordre. Il traversa immédiatement la rue, en regardant à droite et à gauche, pour mettre un peu de distance entre nous.

Même les gens respectueux de la loi deviennent souvent nerveux en présence de flics. Mais Bobo ne paraissait pas troublé pour deux sous. Bobo était cool. En arrivant à la hauteur des voitures garées le long de l'autre trottoir, il me jeta un coup d'œil et cela s'arrêta là. Il n'eut l'air ni de me reconnaître ni d'avoir peur. Puis il disparut au coin de la rue.

J'hésitai, puis après un dernier regard désespéré au 442, Hewson Street – l'immeuble que j'étais censé surveiller – je décidai de suivre Bobo. Une décision impétueuse. Je ne savais pas si j'essaierais de lui parler ou si j'étais juste curieux de voir ce qu'il mijotait. Surtout, je crois que j'en avais ma claque de fixer l'immeuble de la petite amie de June Veris – fixer, siroter du café, pisser à la supérette du coin, fixer encore. Quatre jours de ce régime-là suffisaient. Je suivis donc Bobo.

Comme il n'y avait pas foule dans Hosmer Street, une rue assez passante qui traverse Mission Flats d'est en ouest, je restai à bonne distance de lui. Il frima le long de Hosmer avant de tourner à gauche dans une rue latérale portant le nom charmant de Blue Moon Lane. Le temps que j'arrive à l'angle, il se glissait déjà dans l'entrée sans porte d'un immeuble en grès.

L'immeuble était un des huit ou dix qui s'alignaient le long de la rue. Tous étaient bien entretenus, celui de Bobo étant l'exception. J'ai vu des photos de Berlin après la Seconde Guerre mondiale et cet immeuble me les rappelait. Pas de porte d'entrée et pas une vitre aux fenêtres. Chacun des éléments fragiles de l'ensemble – vitres, cadres de fenêtres, gouttières – avait été démoli. Ne restait plus que la belle façade de pierre, une clôture cisaillée à la pince, et une pancarte INTERDICTION D'ENTRÉE menaçante.

Je me dis (je me trompais, en fait) que Bobo était entré pour acheter de la drogue. Sinon pourquoi traîner dans un endroit pareil ? Je décidai donc d'attendre qu'il ressorte. Cinq, dix minutes – combien de temps cela prendrait-il ?

Mais Bobo ne réapparut ni au bout d'un quart d'heure, ni d'une demi-heure, ni d'une heure.

Je décidai donc d'entrer pour la simple raison évidente que *C'est ce que ferait Gittens.* Après avoir observé et admiré sa maîtrise du travail de flic à Mission Flats au cours de ces derniers jours, j'avais commencé à l'imiter consciemment. Je dégainai pour la même raison, bien qu'en trois ans de métier je ne l'aie jamais fait. *C'est ce que ferait Gittens,* ou du moins je l'espérais.

À l'intérieur, je trouvai un escalier central. Les portes des appartements manquaient et le soleil qui entrait à flots par les fenêtres éclairait les pièces vides. Les planchers disparaissaient sous une couche de crasse. Mais des vestiges poignants venaient contrebalancer le côté sordide : des lambeaux de papier peint aux murs ; une cheminée devant laquelle une famille s'était jadis réchauffée ; de vieux journaux ; un matelas taché. Je montai au premier étage où m'attendaient d'autres pièces désertes, puis au deuxième où je finis par trouver Bobo.

Il était par terre, seul, dans une pièce sur la façade. Un bout de carton collé contre la fenêtre rendait l'endroit plus lugubre que le reste. Peut-être Bobo avait-il bouché la fenêtre lui-même, en quête d'intimité ou d'un peu d'obscurité pour dormir. Adossé au mur, il semblait justement dormir. Une seringue gisait à côté de lui avec un peu de liquide jaunâtre dedans. Il était peu probable que Bobo ne se soit injecté qu'une demi-seringue. Il devait être parti dans les vapes en préparant le second shoot.

— Bobo ! (Je m'agenouillai près de lui et tâtai son cou à la recherche d'un pouls. Je le secouai.) Bobo !

Il gémit, fixa sur moi des yeux laiteux et les referma.

— Bobo ! Réveille-toi. Ça va ?

— Humm !

— Bon Dieu, Bobo, je vais t'appeler une ambulance.

Je sortis la radio que l'on m'avait donnée au cas où je repérerais Braxton dans Hewson Street.

— Pas d'am-bu-lance. Pas d'am-bu-lance. (Bobo se redressa tant bien que mal sur son séant. Vaseux, il se couvrit le visage de ses mains, frotta, puis ouvrit les mains comme un enfant qui joue à faire coucou !) Je te connais ?

— Je suis un ami de Martin Gittens. Nous t'avons vu à la décharge l'autre jour.

— Ouais, ouais, c'est ça, murmura-t-il. Tu m'as foutu un coup dans les couilles.

— Non.

— C'était mes couilles, mec. Tu crois que j'ai oublié ?

— C'était tes couilles mais ce n'est pas moi qui ai tapé dedans.

Il ferma de nouveau les yeux.

— D'accord, d'accord. Je t'en veux pas. C'est rien que des couilles, OK ?

— OK, Bobo.

Qu'est-ce qu'il s'était injecté ? De l'héroïne, probablement.

— File-moi mon matos, mec.

— Je ne peux pas. Je suis flic.

— Tu vas m'arrêter ?

— Non.

— Alors file-moi mon matos.

Il tendit la main vers la seringue mais parut incapable de l'atteindre.

— Je peux pas t'aider, Bobo. Désolé.

Il ferma les yeux et s'assoupit.

— Pourquoi t'es venu ici ? demanda-t-il au bout d'un moment.

— Je cherche Braxton.

— J'croyais que tu cherchais Ray. T'es au courant pour Ray ?

— Oui, je l'ai appris. C'est pour ça qu'on cherche Braxton.

— Vous autres z'avez bien entubé Ray.

— Nous n'avons pas entubé Ray, Bobo. C'est Braxton qui l'a fait.

— Comme tu veux, patron. (Il dodelinait de la tête.) T'es venu ici chercher Braxton ? Tu vas pas le trouver ici.

— Je suis venu te parler.

— Ouais. Et de quoi qu'on va parler ?

— Braxton. Tu sais où il est ?

— Peut-être. (Le son de sa réponse lui plut et il la répéta avec un sourire en coin.) Peut-être.

— Bobo, je peux toujours t'embarquer si je suis obligé.

— T'as dit que tu le ferais pas. (Il ouvrit un œil.) En plus, Gittens te laissera pas. Il m'aide.

— C'est comme ça que ça marche ?

— C'est comme ça que ça marche. Allez, mec, aide-moi aussi.

Il désigna du menton la seringue par terre.

— Bobo, je ne peux pas faire ça.

— Comment tu t'appelles, d'abord ?

— Ben Truman.

— Eh bien, agent Truman, je vais t'expliquer un truc. Tu veux quelque chose, tu donnes. Ça se résume à ça. Le capitalisme.

— Bobo, est-ce que tu sais où est Braxton ?

— C'est bien ce que je disais. Tu veux quelque chose, mais tu veux rien donner.

Je sortis un billet de vingt et le lui balançai sur les genoux. Ce n'était pas peu. Cela représentait beaucoup pour moi. Je ne possédais pas l'instinct de Robin des bois de Gittens qui volait les dealers pour financer les balances.

Il jeta un coup d'œil au billet, mais ne bougea pas.

— File-moi mon matos, tu veux, fit-il en s'efforçant de lever les yeux.

— Non.

— Va chercher Braxton tout seul alors.

— Bobo, je pourrais te filer un autre coup dans les couilles. On dirait que ça t'aide à coopérer.

— Tu pourrais mais tu le feras pas.

— Ah oui ? Et pourquoi pas ?

— Parce que tu le veux pas.

— Tu me connais mal.

— Si, si, m'assura Bobo. Si, si.

Il tendit une main léthargique vers la seringue que je saisis au vol. Il s'affaissa sur le côté et resta ainsi, secoué de rire. J'approchai la seringue de la fenêtre pour l'examiner à la lumière. Un truc en plastique bon marché mais étonnamment propre. Elle ne pesait presque rien. Je secouai le liquide.

— Donne-moi ça.

— Bobo, je te l'ai dit, je ne peux pas. Tu n'en as pas besoin maintenant de toute façon.

— Et si tu me laissais en juger ?

— Et si tu me disais où se trouve Braxton ?

— Si je le fais ? Tu m'aideras ?

Je secouai la tête.

— Alors on verra qui il tue ensuite.

Je revins sur mes pas et lui tendis la seringue.

— J'ai besoin de ça aussi.

Il montra de la tête une ceinture sur ses genoux.

— Prends-la.

— J'peux pas, mec. J'suis défoncé. Aide-moi.

Je lui tendis la ceinture.

Bobo prépara la seringue d'un doigt, puis plaça la ceinture autour de son bras, serra et s'en fourra une extrémité entre les dents. Il me tendit la seringue.

Je m'éloignai.

Bobo posa la seringue et retira la ceinture de sa bouche.

— Tu veux que je te parle de Braxton oui ou non ?

— Oui.

— Eh bien je peux pas parler avec ce truc dans la bouche. J'ai que deux mains.

Je m'agenouillai près de lui.

— Tiens ça.

Je tirai sur la ceinture.

Bobo chercha longtemps une veine. L'aiguille perça son bras quatre fois. Lorsqu'il en trouva une, il soupira :

— Tu veux le faire ?

— Bobo, dis-moi seulement où se trouve Braxton. Je t'ai filé ta came.

— Tu veux le faire ?

— Où est-il ?

— Fais-le.

— Non.

Il saisit le pouce de ma main libre, le plaça sur le piston, puis posa son propre pouce sur le mien.

— Nous le ferons ensemble. Tu veux être un flic, il faut que tu saches comment ça marche.

Je ne résistai pas.

— Faisons-le ensemble, insista-t-il avec un sourire de dingue.

— Bobo, où est Braxton ?

— Il y a une église dans Mission Ave, Calvary Pentecostal. Le prêtre là-bas, le révérend Walker, il recueille parfois Braxton quand il a des ennuis. Il l'a vu naître. Il l'aide. Peut-être que tu trouveras Braxton là-bas.

Là-dessus, le pouce de Bobo pressa le mien et le piston, après une brève résistance virginale, glissa à l'intérieur de la seringue. Je relâchai la ceinture. Les yeux de Bobo se plissèrent quand la chaleur de l'orgasme à l'héro le traversa.

Je songeai : *Il l'aurait fait de toute façon, que je l'aide ou non. Je n'ai rien fait en réalité. Rien que Gittens n'aurait fait.*

Je ne trouvai pas Braxton à l'église Calvary Pentecostal ce jour-là. Mais je pris l'habitude d'y passer quand je ne fixais pas l'immeuble de Hewson Street. Je me voyais déjà capturer seul Braxton dans son église, mettant ainsi un terme à l'affaire.

Ce que je n'avais pas compris, c'était que la police de Boston venait d'identifier un nouveau suspect – moi.

25.

— Votre nom figurait dans les dossiers de Danziger.

Ce fut un instant saisissant, bien que l'affirmation en soi n'eût rien d'une surprise. Apprendre que mon nom figurait dans les dossiers de Danziger n'était pas un choc : Danziger et moi avions échangé quelques mots le jour de son arrivée à Versailles. Non, le plus saisissant, c'est que soudain et irréfutablement ce simple fait me transformait en paria. Rien de plus facile pour Lowery et Gittens, en se fondant sur ce fait unique, de m'imaginer en train de faire sauter la tête de Bob Danziger. Ça s'entendait dans leurs voix. J'étais out. On était à la veille de Halloween. Gittens, Andrew Lowery et moi étions réunis dans une salle d'interrogatoire aveugle du commissariat de la zone A-3.

Avec son costume croisé aux revers pointus, Lowery semblait comiquement déplacé. Debout à l'angle le plus éloigné de moi, il paraissait tout petit, à peine plus haut qu'une poupée.

Les doigts de Gittens lissaient la peau de son front allongé, un signe de légère perplexité chez lui.

— Monsieur Truman, voulez-vous expliquer ce qui se passe ?

— *Monsieur Truman* ? Expliquer quoi exactement ?

— Pourquoi vous nous avez menti.

— Je ne vous ai pas menti. Je pensais juste que ce n'était pas pertinent.

— Oh ! s'il vous plaît, explosa Lowery. Vous pensiez que ce n'était pas pertinent ?

— Quel rapport cela a-t-il avec l'assassinat de Danziger ?

— Le mobile ! dit Lowery.

— Ben, reprit un Gittens apaisant, vous voulez un avocat ?

— Non ! Bon Dieu, Martin ! Où est Kelly ? Pourquoi ne l'avez-vous pas convoqué ?

— Nous ne pensons pas que sa place soit ici. Nous ne pensons pas que l'un ou l'autre des Kelly doive assister à ceci, franchement. Voulez-vous que je vous lise vos droits ?

— Bien sûr que non.

— Ainsi vous comprenez vos droits mais vous y renoncez ?

— Martin, mais de quoi parlez-vous ?

— Comprenez-vous vos droits et y renoncez-vous ?

— Non ! Oui ! Mais de quoi parlez-vous ?

Lowery jaillit de son coin à petits pas de danseur.

— De quoi parlons-nous ? Pourquoi ne nous avez-vous pas dit que votre mère s'était tuée ? Pourquoi ne nous avez-vous pas dit que Danziger enquêtait sur vous ?

— Je ne vous ai pas dit que ma mère s'était tuée parce que cela ne vous concerne pas, nom de Dieu. Et je n'ai pas dit que Danziger enquêtait sur moi parce qu'il n'y avait pas matière à enquête.

— Pas matière à enquête ? (Lowery ouvrit brusquement un dossier.) 16 août 1997, Anne Wilmot Truman est retrouvée morte dans la chambre 412 du Ritz-Carlton à Boston. Cause de la mort : suicide par surdose de barbituriques.

— Ma mère s'est suicidée. Et alors ?

— Ben, expliqua Gittens, le suicide assisté est illégal au Massachusetts. C'est un meurtre.

— Je n'ai pas dit qu'il était assisté. J'ai dit que ma mère s'était suicidée.

— Danziger en jugeait autrement apparemment.

Je me calai contre le dossier de ma chaise et fixai les plaques du plafond avec un sourire incrédule.

— Danziger est venu me parler, pour vérifier. À sa place, j'en aurais probablement fait autant. Nous avons parlé, il a demandé ce qui s'était passé, je lui ai tout expliqué. Il était satisfait. C'est la dernière fois que nous avons eu des nouvelles de Robert Danziger avant qu'on découvre son corps.

— Nous ?

— Moi.

— Qu'est-ce que vous lui avez expliqué ?

— Vous devez déjà le savoir.

— Répétez-le.

— Je lui ai dit que ma mère souffrait d'une maladie incurable. Qu'elle savait que l'Alzheimer la dévorait et qu'elle ne voulait pas vivre cet enfer jusqu'à la fin. Je lui ai dit qu'elle avait pris une décision affreusement douloureuse et je l'ai soutenue. Mais c'est elle qui a pris sa décision. Elle a fait ce qu'elle devait faire et c'est tout. Il n'y avait pas d'affaire, certainement pas un meurtre.

— Alors pourquoi avez-vous menti à ce propos ? insista Lowell.

— Je vous l'ai dit, je n'ai pas menti.

— Vous avez juste oublié de dire spontanément que vous aviez un mobile pour tuer Danziger.

— Je n'avais pas de mobile pour... nom de Dieu ! Est-ce que vous m'écoutez ?

Lowery me soumit à un contre-interrogatoire au bénéfice d'un jury imaginaire.

— Chef Truman, la maladie de votre mère vous coinçait dans le Maine. Elle bouleversait votre vie, tous vos grands projets d'avenir. Cela ne vous a-t-il pas sacrément arrangé qu'elle meure ?

— Non !

— Sa mort vous a libéré, n'est-ce pas ?

— Ce n'est pas ce qui s'est produit.

— Pourquoi l'a-t-elle fait à Boston ? Pourquoi pas chez elle ?

— Boston, c'était chez elle. Elle voulait mourir ici. Elle ne s'est jamais vraiment sentie chez elle à Versailles.

— Et quand Danziger a débarqué ?

— Je vous l'ai dit. Nous avons parlé très brièvement. Je lui ai dit que c'était un suicide. Il m'a présenté ses condoléances. Je l'ai remercié. Point barre. Là où je n'ai pas de chance, c'est que Braxton l'a trouvé alors qu'il était encore dans le Maine.

— Le lieu du crime est couvert de vos empreintes.

— Bien sûr que le lieu du crime est couvert de mes empreintes : c'est moi qui ai découvert le meurtre. Voilà pourquoi j'ai donné mes empreintes – pour qu'on puisse les exclure des preuves, comme pour n'importe quel flic. Le lieu du crime était aussi couvert des empreintes de Braxton.

Lowery faisait les cent pas, bras croisés. Remonté, son poignet de chemise révélait une élégante montre en or de la taille et de l'épaisseur d'un quarter.

— Est-ce pour cette raison que vous avez insisté pour venir ici ? Parce que je n'en ai jamais vraiment vu l'intérêt jusqu'à maintenant. C'est vrai, pourquoi venir si loin pour vous tenir informé d'une affaire alors que vous auriez pu le faire par téléphone ? Mais maintenant je comprends. Vous n'étiez pas mû par un intérêt professionnel, n'est-ce pas ? Vous aviez une raison personnelle de venir. Qu'est-ce que vous espériez réussir ici ? Nous orienter vers quelqu'un d'autre ? Braxton, peut-être ? Ou est-ce juste que vous ne supportiez pas de rester dans l'ignorance, sachant que la piste finirait par remonter inévitablement jusqu'à vous ?

— C'est ridicule. Martin, vous abondez dans ce sens ? Vous pensez vraiment que j'aurais pu faire ça ?

— Vous auriez dû nous l'avouer d'emblée, Ben.

Gittens semblait ne savoir que dire.

Je secouai la tête.

— C'est surréaliste.

— Oh, c'est très réel, psalmodia Lowery, je vous assure. Permettez-moi de vous donner un conseil. Rentrez chez vous. Engagez un avocat. Il y a plus de preuves contre vous que vous ne l'imaginez.

— Qu'est-ce que cela signifie ?

— Ben, avez-vous cru que Danziger suivait juste une intuition lorsqu'il s'est rendu dans le Maine pour vous parler ? Pensiez-vous qu'il n'avait pas de preuves ?

— Vous êtes en train de monter un coup contre moi.

— Pas du tout, dit Lowery.

— C'est un coup monté.

— Tenez-vous à l'écart de cette enquête. Mieux encore, restez à distance de cette ville, pour votre bien. S'il s'avère que vous êtes un tueur de flics...

— Monsieur Lowery, seriez-vous en train de me menacer ?

— Je vous dis juste que les choses en sont là.

26.

Mon premier instinct fut de qualifier toute l'affaire d'erreur, une histoire kafkaïenne d'accusations opaques, de preuves dissimulées, un faux procès. Bien sûr que je n'étais pas un assassin. Martin Gittens devait au moins savoir ça. J'eus également une réaction absurde : il me traversa l'esprit qu'on me distribuait à tort le rôle du méchant criminel et que je ne réussirais jamais à être convaincant. Qui y croirait ? Mais la réalité de la situation ne tarda pas à me rattraper. Dans la rue devant le commissariat, je regardai autour de moi avec la paranoïa poisseuse et frénétique du fugitif – attentif à ce qui m'entourait tout en contemplant la scène en spectateur.

J'essayai en vain de joindre John Kelly, puis me ruai aux bureaux de l'Unité des enquêtes spéciales pour voir Caroline – pour expliquer. Ou peut-être obtenir une explication.

Caroline refusa d'abord de me recevoir. Franny Boyle fit plusieurs tentatives musclées pour me sortir de la réception et, devant mon refus d'obtempérer, menaça d'appeler les flics. C'est seulement quand je repoussai Franny que Caroline fit son apparition dans la zone d'attente et accepta de m'entendre, à la condition toutefois qu'un flic soit présent, pour être témoin de la conversation.

— Caroline, tu as besoin d'un témoin rien que pour me parler ?

— Qu'est-ce que tu veux que je dise ?

— Que tu me crois, par exemple.

— Ben, je ne te connais même pas.

Elle appela Edmund Kurth et pendant environ vingt minutes nous attendîmes son arrivée en silence. Caroline faisait preuve de prudence. Les yeux et les oreilles de Kurth lui éviteraient d'être appelée à la barre en tant que témoin essentiel, des fois que je laisserais échapper des aveux. Théoriquement, la présence de Kurth permettrait peut-être un jour à Caroline de me poursuivre personnellement pour le meurtre de Danziger.

À son entrée, Kurth me contempla d'un air mauvais, sa présence reptilienne d'autant plus alarmante à présent que j'étais l'objet de son attention.

— Bien, dit Caroline, qu'est-ce que vous voulez dire ?

— Vous savez ce qui se passe ?

— Oui, bien sûr.

— Alors racontez.

— Vous avez menti.

— À qui ?

— À moi, à mon père, à tout le monde.

— Non. Je n'accepte pas ça.

— Votre mère s'est-elle tuée ?

— Oui.

— Et Danziger vous a-t-il interrogé à ce sujet ?

— Oui.

Caroline haussa les épaules. *Et voilà.* CQFD.

— Vous ne voulez pas entendre ma version des faits ?

— Pas vraiment. Si vous voulez faire une déposition à l'inspecteur Kurth, j'attendrai dehors.

— Non. Je veux que vous l'entendiez. Caroline – écoutez rien qu'une minute.

Elle s'assit à la table de conférences, le visage vide d'expression. Elle semblait être à des kilomètres de là. J'eus la sensation que la vraie Caroline – son moi – m'observait d'un lieu quelconque, tandis que cette autre Caroline – le médiateur, la doublure – était assise à la table.

— Je ne peux pas le faire comme ça.

— Comme quoi ?

— Faut-il qu'il soit là ?

— Kurth ? Oui.

— Je ne sais pas par où commencer.

— Dites-moi pourquoi elle l'a fait.

— Elle souffrait de la maladie d'Alzheimer.

— On n'en meurt pas.

— Si ! Pas directement, mais c'est possible. Vous ne connaissiez pas ma mère. Elle n'allait pas se laisser faire. C'était une femme intelligente et raffinée et puis ce truc lui est tombé dessus – vous ne pouvez pas imaginer.

Elle me regardait fixement.

— Cela a commencé à lui grignoter l'esprit petit à petit, comme une chenille, une feuille. Elle ne pouvait pas attendre les bras croisés qu'on l'efface. Elle a pris la décision tant qu'elle le pouvait encore.

— La décision de se tuer.

— La décision de mourir d'une façon acceptable pour elle.

— Et vous l'avez aidée ?

— Je l'ai écoutée, je lui ai parlé, oui.

— Comment s'y est-elle prise ?

— Séconal. Son médecin lui en prescrivait pour l'aider à dormir. Elle a stocké ces petites gélules rouges jusqu'à ce qu'elle en ait quatre-vingt-dix. Elle s'était renseignée. Elle savait exactement combien il lui en fallait pour une dose mortelle.

— Pourquoi le Ritz-Carlton ?

— Elle l'aimait. Elle se souvenait qu'elle allait y prendre le thé quand elle était petite. Son père l'y emmenait. Ils se sont brouillés plus tard, lorsqu'elle s'est mariée. Après ils s'adressaient à peine la parole. Elle était capable de dire précisément où ils s'asseyaient, son père et elle, toujours près d'une fenêtre donnant sur le jardin public. Elle décrivait les tentures bleues, les verres bleu cobalt, toute la salle. C'était leur endroit à eux.

— Et où étiez-vous lorsqu'elle est passée à l'acte ?

— À votre avis, Caroline ?

— Pourquoi n'avez-vous dit à personne que Danziger vous en a parlé ?

— Parce que je craignais ça. Je craignais justement ceci.

— Alors vous avez menti et aggravé la situation.

— Oui, j'ai menti. Oui, j'ai aggravé la situation. J'en suis désolé.

— Je n'en doute pas.

Une ombre passa sur son visage et, un instant, je crus avoir aperçu la vraie Caroline – l'invisible debout près de la fenêtre les bras croisés, la Caroline qui était avec moi à peine quelques jours plus tôt, qui m'embrassait. Mais l'instant passa. Le lien s'évanouit.

— C'est tout ce que vous voulez dire ?

— Je crois, oui.

Il me fut impossible de dissimuler la blessure dans ma voix, aussi pathétique que cela puisse paraître.

— Très bien. J'ai écouté. J'ai fait ce que vous avez demandé.

— Où est votre père ? J'ai essayé de le joindre.

— Ben, je ne veux pas que vous l'appeliez. Ni lui ni moi.

— Caroline, fis-je en jetant un coup d'œil à Kurth, pouvons-nous parler une minute, seuls ?

— Non. Certainement pas. (Elle se leva puis hésita.) Tu m'as tellement déçue, Ben. J'ai cru que tu étais quelqu'un de bien.

27.

L'église Calvary Pentecostal Church of God in Christ avait été au départ le temple Beth Adonai. Ce nom restait visible, gravé dans l'architrave au-dessus de l'entrée principale. D'autres vestiges demeuraient. La grille en fer forgé était entrelacée d'étoiles à six branches. Des vitraux, protégés à présent par des grillages, illustraient des épisodes de l'Ancien Testament : Adam et Ève chassés de l'Éden ; le sacrifice d'Isaac ; Moïse recevant les tables de la Loi sur le mont Sinaï. Les symboles chrétiens ajoutés semblaient relativement transitoires. On avait l'impression que, si les juifs égarés de Mission Flats décidaient un jour de revenir de banlieue, leur temple serait restauré en quelques heures.

Je me rendis directement en ces lieux après mon entrevue avec Caroline. Ces derniers jours, j'avais intégré cette église dans mes rondes, dans ma poursuite de Harold Braxton. Là je venais pour une raison différente. Je n'avais nulle part où aller, pour réfléchir. Il était difficile de ne pas considérer l'église comme un sanctuaire au sens légal archaïque, un lieu sacré où les fugitifs comme moi échappaient à l'arrestation.

J'entrai dans le bâtiment par une porte en bois énorme. À l'intérieur je traversai le vestibule avant de me retrouver dans le lieu de culte, qui s'élevait vers un dôme en forme de bulbe – une touche d'exotisme européen qui rappelait de nouveau les locataires originels du bâtiment. Taché d'humidité et veiné de fissures, le dôme vous figeait sur place.

Je descendis l'allée en effleurant chacun des bancs. Je refis les gestes habituels de ma recherche de Braxton. J'essayai des portes – de bureaux, de débarras, la sacristie, tout endroit susceptible de servir de cachette. Comme d'habitude, le bâtiment semblait désert. Toutes les salles sentaient la poussière et le renfermé comme si elles n'avaient pas été utilisées, voire aérées depuis un bon moment.

Je m'assis sur un banc. J'étais partagé entre le besoin de fondre en larmes et une volonté tout aussi puissante de me battre, pour prouver mon innocence. Je m'avachis et appuyai ma tête contre le dossier. Le dimanche matin, sans aucun doute, des petits en proie à l'ennui étudiaient les fissures du dôme, en suivaient les trajectoires avant qu'elles ne s'arrêtent brutalement ou ne se mêlent à d'autres fissures plus profondes.

Je pris conscience que je n'étais plus seul.

Du fond de l'église, un gamin me dévisageait. Il était trapu et grand, avec la peau très sombre et un bandana rouge voyant posé sur sa tête comme une calotte. Il ne s'agissait pas de Braxton. Je n'avais jamais rencontré ce gamin-là. Les bras croisés, il m'observait.

Ses yeux se levèrent vers le dôme.

— Qui es-tu ? Qu'est-ce que tu fais ici ? lui demandai-je.

Pas de réaction.

Je quittai le banc et suivis l'allée moquettée de rouge. Le môme avait déjà disparu. Je fonçai vers le perron de l'église. Plus une trace de lui.

De retour à l'intérieur, je me plaçai à l'endroit où se trouvait ce visiteur et levai les yeux vers le dôme. J'y découvris une galerie à sa base, un détail que je n'avais pas encore remarqué. Il me vint soudain à l'esprit qu'il devait exister un moyen d'y accéder. Pour nettoyer le dôme, le repeindre ou y remplacer une ampoule. C'était le seul endroit où je n'avais pas cherché.

Dans un bureau donnant sur le vestibule, je trouvai une secrétaire remplissant des enveloppes.

— Puis-je vous aider ?

Je lui dis que j'étais un flic, ouvrant même mon porte-insigne pour rendre la chose plus officielle.

— Y a-t-il un moyen de monter dans le dôme ?

— Pourquoi diable voulez-vous monter là-haut ?

— Je ne sais pas trop, répondis-je plutôt honnêtement.

Elle me conduisit à un escalier caché derrière une porte verrouillée.

En de meilleures circonstances, j'aurais signalé ma position, au cas où. C'était manifestement impossible maintenant. Toutefois affronter seul Braxton, s'il était effectivement là-haut, était stupide. Où se trouvait John Kelly ? Où donc ne cessait-il de disparaître ? Je notai le nom de Gittens et dis à la secrétaire :

— Si je ne suis pas revenu dans dix minutes, appelez ce numéro et dites à votre interlocuteur que Ben Truman est ici, d'accord ?

À Gittens de voir. Il pouvait soit me laisser là, soit se déplacer, comme il le souhaitait. À ce moment-là, c'était la seule précaution que je pouvais prendre.

Je montai. Un escalier tournant six fois sur lui-même. Au sommet, une porte étroite, si étroite qu'il fallait la franchir de biais.

Sur la galerie qui longeait la base du dôme.

Avec un garde-fou à la hauteur de la cuisse – trop bas pour être visible du chœur – et trop bas pour y prendre appui afin de regarder par-dessus bord. Le sol de l'église était très loin en dessous – à deux, trois étages au moins. Un tapis rouge couvrait l'allée centrale et s'étalait sous l'autel.

Non loin sur la galerie, de la literie – non, des vêtements en tas par terre.

Et de l'autre côté du dôme, Harold Braxton, les yeux écarquillés, qui me contemplait bouche bée.

Je dégainai mon arme. Pour la deuxième fois en une semaine. Les flics à la télé dégainent toujours. Je l'armais. L'arme paraissait lourde, étrangère. *Je passe à la télé. Dans ma propre série.*

Je regardai l'arme dans ma main, puis Braxton.

Il y eut un son creux.

Qui résonna. À l'intérieur et à l'extérieur de mon crâne. Un son mais aucune douleur. Pas la moindre sensation.

J'étais étendu sur la galerie. La joue pressée contre un lino marron poussiéreux. Je n'avais pas le souvenir d'être tombé. Un plan du film avait dû sauter – debout, puis par terre.

June Veris me dominait – énorme en T-shirt rouge – une grande tête léonine, le teint pâle, l'œil endormi. Il tenait une matraque qui me rappela celle de Kelly.

— Me regarde pas, connard. Me regarde pas.

Je m'obstinai.

— T'as entendu ce que je viens de te dire ? Baisse les yeux, bordel !

Je m'exécutai. Tourner la tête fit naître une douleur sourde, lancinante. Mon cerveau clapotait dans sa coquille comme un jaune d'œuf, tremblant, menaçant de déchirer la membrane délicate. Je palpai l'arrière de mon crâne. J'avais les cheveux trempés.

— Qu'est-ce qu'on fait maintenant, cousin ? dit Veris.

Je levai les yeux.

Un autre son – non une douleur, un son – résonna à l'intérieur de mon crâne.

Il y eut un silence étrange. Comme dans un rêve. J'analysai le son. Manifestement celui de la matraque s'abattant sur mon crâne. Je voulais me le rappeler.

Cette fois le coup me projeta la tête vers l'avant. M'enfonça le menton dans la poitrine.

Mon corps se recroquevilla, par réflexe – mon visage racla le sol jusqu'à ce qu'il déborde de la galerie au-dessus du tapis rouge à trois étages en dessous. Je rejetai la tête en arrière.

— J't'ai dit de baisser les yeux, bordel.

J'obéis. Le jaune d'œuf trembla. Je ne ressentais pas de douleur mais quelque chose de plus lointain – la conscience objective d'une blessure – une rumeur de douleur.

La main de Veris fouilla mes poches, en sortit mon portefeuille et mon porte-insigne.

— Qu'est-ce que tu veux faire maintenant, cousin ?

— Laisse-le, dit une voix. Ça va, file.

Je tournai la tête : Veris s'éloigna tranquillement, se faufila par la porte et disparut. Ses pas claquèrent dans l'escalier.

Harold Braxton tenait mon arme.

— Grave, ce truc.

Il s'agissait d'un Beretta 9 mm. Il retira le chargeur, lequel chargeur tomba par-dessus bord et atterrit sur le tapis avec un bruit doux.

J'eus un bref passage à vide – comme si je m'étais endormi – et au réveil j'entendis Braxton qui demandait :

— Pourquoi t'es venu ici ?

— Le procureur a lancé un mandat d'arrêt contre vous.

— T'es tout seul ?

J'acquiesçai. Le jaune d'œuf roula, frissonna, mais tint bon, bien qu'à présent la douleur fût très réelle. Je décidai de ne plus bouger d'un iota.

— Oui, seulement moi.

— Tu viens vraiment du Maine ?

— Oui.

Braxton ferma mon porte-insigne et le jeta par terre à côté de moi.

— J'ai pas descendu ce proc.

— Oh !

— Écoute-moi ! Je ne lui ai pas tiré dessus.

— Cela n'a pas d'importance.

— Cela n'a pas d'importance ?

— Le procureur veut juste t'interroger. Tu peux lui dire...

— Lui dire quoi ? grommela-t-il. Que je suis innocent ? Bon Dieu, tu penses qu'elle va me croire ? Ils pensent que je tue des flics. J'ai jamais tué aucun flic.

— En fait ils pensent que j'en ai tué un moi aussi.

Je me redressai à quatre pattes.

— Reste allongé, ordonna-t-il. Qu'est-ce que tu racontes ?

— Ils pensent que j'ai tué ce procureur.

— T'es un flic, non ? Et ils pensent que toi, tu as tué un proc ?

— Exact.

— Mec, quel merdier. Quel merdier.

Je me relevai tant bien que mal. Au-dessus de moi – tout proche à présent – se trouvait le nombril du dôme, ce petit creux imprécis. À ma gauche, le vide – de l'air – et en dessous, le tapis, une traînée rouge de l'autel à l'allée.

Braxton s'éloigna de moi. Il balança mon arme vide par terre et dégaina la sienne, une petite chose au canon court.

— Vous pouvez m'aider, lui dis-je.

— T'aider, toi ?

— Ils vont me le coller sur le dos, le meurtre Danziger. Je le sens.

— C'est Gittens, hein ?

— Quoi ?

— Gittens ? Qui fait encore des siennes.

— Qu'est-ce que vous...

Il y eut un bruit à l'avant de l'église.

Debout, en proie au vertige, je me tournai pour regarder

par-dessus bord – *qui était là ?* – le liquide dans mon crâne bougea – il m'aspira –, je tendis la main vers le garde-fou mais il était trop bas et je le ratai – entraîné par l'élan – le jaune d'œuf se répandit – et je tombai.

Mon bras s'enroula autour du garde-fou. Mais le garde-fou glissa le long de ma manche et dépassa mes doigts. J'eus le temps de me dire : je tombe.

Braxton m'enfonça un poing dans le dos en agrippant mon sweat, puis plaqua l'autre main sur mon bras.

Nous nous regardâmes. Il haletait, terrifié à présent, et luttant pour résister au poids de mon corps.

— Tire !

Je battis l'air en quête du garde-fou ou du rebord de la galerie, mais j'étais maladroit, effrayé, désorienté.

Braxton se pencha dangereusement par-dessus le garde-fou, haletant toujours. Mon poids n'allait pas tarder à nous faire basculer tous les deux..

— Ne lâchez pas !

Un fracas en dessous. Gittens se rua dans l'église. Il nous vit Braxton et moi, jura tout bas et courut vers l'escalier.

— Gittens !

— Merde.

Braxton me tira suffisamment haut pour me permettre d'agripper le garde-fou et ensemble, nous parvînmes à faire basculer mon corps. Je m'affalai sur la galerie comme un marin dans un canot de sauvetage.

Le bruit des pas de Gittens sur les marches s'amplifiait.

Braxton se précipita vers le tas de vêtements, se déplaçant aussi vite qu'il l'osait sur cette étroite galerie.

Je me relevai de nouveau en titubant. Le poids de ce jaune en mouvement me déséquilibrait, menaçait de me faire passer de nouveau par-dessus bord. J'avançai d'un pas chancelant vers Braxton.

Braxton, qui venait de rassembler ses vêtements, se redressa pour me regarder. Il avait une expression incrédule. Il secoua la tête et revint à ses vêtements qu'il entreprit de nouer les uns aux autres. Titubant ainsi vers lui, je devais ressembler à Frankenstein.

Je lui agrippai le bras et serrai. Il tenta de se dégager, mais j'avais décidé que rien – rien – ne m'obligerait à ouvrir les doigts. Braxton était fort, mais il s'avérait que je l'étais aussi. C'était contre les mains de Claude Truman qu'il luttait.

— Il n'y a pas de sortie, Harold. Pas d'issue. Ne leur résistez pas.

— Je ne l'ai pas fait, gémit-il. Je ne l'ai pas fait.

— Harold, qu'est-ce que tu vas faire ? T'envoler ?

Gittens venait de s'encadrer dans la porte. Haletant. Il posa un pied sur la galerie en tenant le chambranle d'une main pour s'équilibrer.

— Lâche-moi, grogna Braxton. Je ne l'ai pas fait.

Gittens brandissait un pistolet, un Beretta bleu-noir comme le mien.

— Ben. À plat ventre.

Braxton regarda l'arme puis moi.

— Ben, si Braxton est coupable, alors vous ne l'êtes pas. À plat ventre.

Gittens arma le Beretta et à cet instant – quand j'entendis le mouvement métallique de la glissière...

Je vis Gittens...

Pourquoi devrais-je me mettre à plat ventre ?

Et je compris. Je sus ce qui allait suivre.

— Ben, répéta Gittens, à plat ventre.

Gittens avait l'intention de tuer Braxton. Ni son visage ni sa voix ne le trahissaient. Mais je le savais. Il n'y aurait pas d'arrestation. Ce serait une exécution pure et simple. Et il me proposait un marché : Braxton ou moi.

Je décidai que cela ne se produirait pas.

— Ben !

Même si Braxton était un assassin et un tueur de flics – même si c'était œil pour œil, vie pour vie – et même si cela devait me libérer de cette accusation absurde du meurtre de Bob Danziger, un homme que je n'avais rencontré qu'une fois, je ne pouvais pas laisser faire, encore moins participer. J'étais allé trop loin.

Je lâchai le bras de Braxton.

— File.

Il me regarda, ne sachant pas s'il devait me faire confiance. Puis il saisit les vêtements et les balança par-dessus bord. Le tas se déploya en une corde grossière, chemises, serviettes et Dieu sait quoi, tous noués les uns aux autres. Il accrocha la corde au garde-fou. Mais elle était trop courte. Elle s'arrêtait à trois mètres du sol de l'église.

— Ben, écartez-vous, m'ordonna Gittens.

Je le regardai.

Braxton enjamba le garde-fou.

Pris de vertige, je m'effondrai à genoux.

Braxton s'accrocha à la corde un instant, se balançant, jouant des jambes.

Gittens lui tira dessus mais rata son coup.

Le coup de feu fut assourdissant dans l'église vide.

Braxton se laissa tomber sur le tapis rouge. Il atterrit sur les genoux, se redressa sans attendre et fonça à l'abri de la galerie, hors de portée de Gittens.

Gittens fit le tour, mais en vain. Il ne put viser que lorsque Braxton franchit la porte d'un bond et il ne prit même pas la peine de tirer. Il leva son arme et me dévisagea d'un air mauvais.

Troisième partie

Que nul, malavisé et inculte, ne s'avise de monter sur le siège du jugement, qui est pareil au trône de Dieu, au risque d'apporter des ténèbres et non la lumière, et de la lumière à la place des ténèbres et, de sa main maladroite, tel un fou, de condamner l'innocent au glaive et libérer le coupable, au risque de tomber de haut, comme du trône de Dieu, en tentant de voler avant que d'avoir des ailes.

Bracton, *On the Laws and Customs of England*
vers 1250.

28.

L'échec est un point fixe, un ancrage dans le courant qui ne cesse de vous tirer en arrière. Retour à cet endroit, à cet instant. Retour à l'instant de l'erreur quand tous les bras du fleuve s'offraient à vous et que le choix vous appartenait encore. Vous revenez en spectateur, mélancolique, réprobateur, pour dire *Voilà ce que j'aurais dû faire* ou *Voilà ce que j'aurais dû dire.*

Douze heures après ma rencontre avec Braxton, je me réveillai dans un lit d'hôpital, bourrelé de remords. Aurais-je dû parler de ma mère aux Bostoniens dès le début ? Étais-je ridicule de me lancer ensuite tout seul à la poursuite de Braxton ? Ou s'agissait-il juste d'une tentative désespérée de prouver que Braxton – ou n'importe qui d'autre que moi – était coupable du meurtre de Danziger ?

On s'affairait silencieusement dans le couloir. Mélange d'odeurs, le pot-pourri caractéristique de l'hôpital : ammoniaque, eau de Javel, alcool, urine. Immobile, je faisais semblant de dormir. Une bulle de respect entoure les malades plongés dans le sommeil et je tenais à préserver cette intimité le temps de trier les événements de l'après-midi.

L'église avec son dôme en mamelon. Titubant vers Braxton, lui agrippant le bras, puis le lâchant pour qu'il glisse le long de cette corde de fortune et se rue à l'extérieur de l'église. Ensuite, les flics avaient envahi le bâtiment. Nerveux, en état d'alerte maximal. Craignant de me bouger, ils s'agenouillèrent tour à tour à mon chevet pour m'examiner le blanc des yeux. Répétant tels des perroquets des conseils médicaux, contradictoires pour la plupart, « Ne bougez pas », puis « Pouvez-vous bouger ? ». Deux urgentistes débarquèrent et, après un interrogatoire déconcertant visant à vérifier que mon cerveau fonctionnait encore (« Quel jour sommes-nous ? Qui est le président ? »), ils m'aidèrent à me relever et me conduisirent dehors. Sur le trottoir, quelqu'un me tendit une serviette. Je surpris mon reflet dans le rétroviseur d'une voiture. J'avais l'oreille, le cou et les épaules souillés de sang. Pas le moindre signe de Braxton.

Dans mon lit d'hôpital, je ne cessai de passer ces événements en revue, de les battre comme des cartes avant de les reclasser.

Un homme se racla la gorge pour indiquer sa présence. Je me redressai tant bien que mal : John Kelly était assis au pied de mon lit. Un crayon entre ses longs doigts, les mots croisés du dimanche du *Boston Globe* sur les genoux. Il arborait de petites lunettes en demi-lune qui lui donnaient l'air assez âgé et distingué.

— Qu'est-ce que vous faites ici ?

— Je rends visite à un ami hospitalisé.

— D'accord, mais... vous n'êtes pas au courant ? J'ai tué Danziger. C'est ce que tout le monde pense.

— Oui, je suis au courant.

— Vous ne le croyez pas ?

Il haussa les épaules.

— Je ne peux ni le croire, ni ne pas le croire. Je n'ai pas assez d'éléments.

— Vous pensez donc que je l'ai peut-être fait ?

— C'est une possibilité.

— Vous me prenez pour un fou criminel.

— Non, je ne pense pas. Je ne crois pas que vous en soyez capable, Ben Truman. Mais je peux me tromper. Nous verrons bien.

Je grognai. Kelly retourna à ses mots croisés.

Je sombrai dans le sommeil.

— Quelle heure est-il ? demandai-je en me réveillant.

— Presque deux heures.

— Quel est cet hôpital ?

— Boston City. Ils vous ont gardé une nuit en observation. Vous sortirez dans la matinée. Comment vous sentez-vous ?

— Comme dans un dessin animé. Vous savez quand un

type reçoit un coup de poêle sur le crâne, que sa tête vibre, cernée de lignes tremblotantes ?

Kelly plissa les yeux. *Quoi ?*

— Ils vous ont donné quelque chose contre la douleur. Cela va vous rendre somnolent.

Je me laissai aller contre mon oreiller.

— Braxton m'a aidé.

— Il a décidé de ne pas vous tuer. Ce n'est pas la même chose.

— Non. Je me suis affalé sur le garde-fou. J'allais tomber. Il m'a tiré en arrière.

— Je suis sûr qu'il a fait ce qu'il pensait devoir faire. Pas la peine de lui décerner des médailles.

— Bien. Monsieur Kelly, pourquoi avez-vous...

— Pourquoi quoi ?

— Vous n'arrêtez pas de disparaître. J'avais besoin de vous. Où allez-vous ?

— Sur la tombe de ma fille.

Je me souvins de la petite fille pâle avec le casque de cheveux noirs de la photo dans le salon de Kelly.

— Theresa ?

— Theresa Rose.

— La sœur de Caroline... ?

— Sa petite sœur, oui. Mais elle ne ressemblait pas à Caroline. Elle était plus délicate. Plus douce. (Il sourit.) Non que Caroline ne soit ni délicate ni douce.

— Elle refuse de me parler, vous savez.

— Difficile de le lui reprocher, non ?

— Non. Bon, au moins vous êtes là. Vous ne pensez pas que je l'ai fait, si ?

— Je viens de vous le dire.

— Répétez-le-moi.

Il retira ses lunettes, se frotta les yeux du pouce et de l'index, puis rechaussa ses lunettes avec un soupir.

— Je ne pense pas que vous ayez pu le faire.

— Bien. Parce que je ne l'ai pas fait.

Mes yeux se fermèrent.

— De quoi Theresa Rose est-elle morte ? demandai-je à mon réveil.

— Cancer.

— Quel âge – cela vous ennuie d'en parler ?

— Non. Elle avait huit ans quand elle est tombée malade, dix quand elle est morte.

— Je suis navré.

— Le cancer vous dévore, vous le saviez ? Il est vivant. Il se nourrit de vous pour se développer. (Un instant Kelly parut perdu et indiciblement triste.) Bon, ce n'est pas une excuse. Vous avez raison. Vous êtes mon équipier, j'aurais dû être avec vous. C'est le premier commandement. Pardon.

— Vous vous rendez souvent sur sa tombe ?

— J'essaie d'y passer tous les jours, si possible.

— Qu'y faites-vous ?

— Je m'assois, c'est tout.

— Pourquoi ?

— Parce que cela me donne l'impression qu'elle est plus proche.

Depuis l'enterrement, je n'étais jamais retourné sur la tombe de ma mère.

— Est-ce que cela n'aggrave pas les choses ?

— Cela s'arrange avec le temps, Ben Truman. Cela ne disparaît jamais complètement, mais cela s'arrange.

Je ne savais pas trop quel rôle avait joué Theresa Rose Kelly dans la décision de son père de venir me veiller cette nuit-là. Mais elle avait joué son rôle. Le besoin de protéger d'un père impuissant. De me défendre, moi, sa pupille, du dernier danger arbitraire en date.

Le sujet des proches disparus commençait à nous mettre mal à l'aise Kelly et moi et il y eut un instant de flottement. Pour le chasser, je lui demandai comment il s'en tirait avec ses mots croisés.

— Oh ! ça. Je l'ai trouvé dans la salle d'attente. Je suis très mauvais. Rendormez-vous, Ben Truman.

Je repartis dans une fugue somnolente et aussitôt les doutes m'assaillirent. Peut-être avais-je rêvé l'incident dans l'église, ou du moins l'avais-je mal interprété. Gittens était-il vraiment sur le point de tuer Braxton ? Quelle preuve avais-je de ses intentions ? C'est le problème clé avec l'histoire : on ne peut voir les événements qu'à travers un prisme fêlé, les perceptions erronées de témoins. La vérité historique, si tant est que cela existe, se perd immédiatement dans un brouillard de mauvaise vision, mauvaise mémoire, mauvais compte rendu. Pas mal comme sujet de thèse, si jamais j'en écris une.

Je repoussai mes doutes. J'avais bien vu. Je savais ce que Gittens avait prévu et j'avais libéré Braxton plutôt que de le lui abandonner. J'avais sauvé Harold Braxton.

— Je peux vous dire quelque chose, monsieur Kelly ? Je pensais que Gittens allait...

Mais à cet instant, je me ravisai. Ma tête me faisait mal. J'avais dû me tromper pour Gittens. C'était impossible. Je ne sais pas.

— Essayez de dormir, Ben. Je vais rester ici un moment.

Je voulais le remercier d'être venu. Il était le seul. Je voulais lui dire combien j'appréciais sa présence. Mais les mots se coincèrent dans ma gorge et je le regardai, bouche bée, comme un poisson pêché en quête d'oxygène.

— Ça va, Ben, je sais. Essayez de dormir.

Dans mon rêve, je flottais sur le lac Mattaquisett. Sous un ciel nuageux. Dans ma vision périphérique, les collines vertes autour du lac, tapissées de sapins. À un moment, je cessai de sentir l'eau sous moi. Elle devait encore être là ; je flottais sur quelque chose. Mais je n'arrivais pas à la sentir. Je roulais sur le ventre. La surface du lac se creusait sous moi comme sous les pattes d'une nèpe – un film de tension superficielle juste assez solide pour supporter mon poids. Mais en dessous, l'eau du lac avait disparu. Je voyais le fond baigné de soleil, où des crabes et des créatures des profondeurs filaient entre des galets secs. Des poissons passaient en voletant, leurs minuscules nageoires battant l'air. Je savais que, si je bougeais, la surface de bulles de savon qui me maintenait éclaterait. Je m'employai donc à rester immobile. En suspens, le souffle coupé. Mes bras et mes jambes commencèrent à me faire mal. Il me faudrait bientôt remuer. Le fond du lac devint sombre et envahi d'herbes, un endroit traître rempli d'insectes aquatiques et de bêtes glissantes et dévorantes, et ma capacité de conserver mon immobilité commençait à flancher.

Précisons d'emblée que je ne crois guère aux interprétations freudiennes des rêves. Je préfère la biochimie – les enzymes réagissent à la chair du cerveau ; les images aléatoires sont des produits dérivés non voulus. L'interprétation des rêves m'apparaît donc comme un acte de foi, comme de voir Jésus dans son pain de viande. L'interprétation révèle davantage sur celui qui perçoit que sur la chose perçue. Mais les émotions brutes provoquées par les rêves n'en sont pas moins réelles. L'enzyme heurte la chair du cerveau, grésille – et le rêveur ressent de la peur, ou de la tristesse, ou un vertige, etc.

À mon réveil, l'angoisse du rêve s'attarda. Je me sentais menacé.

Je me redressai sur un coude. Mon crâne palpitait. La pièce était sombre.

Une forme se dessinait à la porte. Un homme que je ne reconnaissais pas. Petit, ni mince ni gros. Il entra avec les bras à demi tendus, telles des pinces de homard.

— Qui êtes-vous ?

Il se figea.

Je cherchai l'interrupteur de la lampe.

— Qui êtes-vous ?

C'était un flic, en uniforme.

— Je m'appelle Pete Odorico.

— Qu'est-ce que vous faites ici ?

— Vous venez de hurler.

Il avança encore. L'équipement accroché à sa ceinture cliqueta.

— Restez où vous êtes.

— Je suis un flic.

— Tout le monde est flic par ici. Faites-moi plaisir, ne bougez plus. Qu'est-ce que vous fichez ici ?

— Je vous garde.

— Vous me gardez ? Qui vous a dit de me garder ?

John Kelly entra dans la chambre.

— Ah, vous avez fait la connaissance de Peter.

— Qui est-ce, nom de Dieu ?

— Un ami.

— À qui ?

— À moi.

— Eh bien, je ne le connais pas.

— Il est OK, Ben. J'ai travaillé avec son père. J'ai vu naître Peter. Je lui ai demandé de monter la garde cette nuit.

Pete Odorico me lança un regard hargneux.

— Hé, vieux, je ne suis plus de service depuis minuit. Si vous voulez pas que je reste, je serai ravi de rentrer me coucher.

Kelly lui tapota l'épaule.

— Tu resteras jusqu'au lever du jour.

L'agent m'étudia un instant et demanda :

— C'était quoi ce rêve ?

— Peu importe.

— Peut-être que je peux vous aider.

Kelly passa son long bras autour du cou du policier et le ramena à son poste dans le couloir. Une fois la porte fermée, Kelly dit du flic de quarante ans :

— C'est un brave type.

— Vous avez mis un garde ? Pourquoi ?

Kelly réfléchit un instant.

— Parce qu'il y a quelque chose qui cloche.

29.

Vendredi matin, on frappa légèrement à la porte et Caroline entra, un sac en plastique à la main.

— Bonjour. (Surprise de voir son père, elle grimaça.) Désolée de te réveiller.

— Non, non.

— Comment va la *cabeza* ?

Elle fit mine de se shampouiner l'arrière du crâne.

— Ça va.

Je froissai la couverture sur mes genoux pour dissimuler une érection matinale qui menaçait de jaillir des draps tel un écureuil. Cette tumescence était moins due à une excitation sexuelle qu'à un simple problème hydraulique, l'habituelle réaction de manche à air des hommes endormis. Mais cela réveilla des souvenirs du corps de Caroline, ce qui ne fit qu'aggraver les choses. J'étudiai sa tenue, tentant de voir au travers. Elle portait un nouveau tailleur vaguement bohémien, cette fois avec une veste à cinq boutons ouverte au col. Rien de provocateur ni de révélateur. L'ourlet de la jupe était sous le genou. La veste ne révélait qu'un étroit V de peau constellée de minuscules et ravissantes taches de rousseur.

Caroline entreprit de sortir des vêtements neufs de son sac. Ses gestes avaient quelque chose d'hésitant, comme si elle regrettait d'être venue, comme si la chose la dégoûtait.

— Je ne m'attendais pas à te voir ici.

— Je ne m'attendais pas à venir ici.

— Mais tu as changé d'avis ?

— Non, renifla-t-elle. Apparemment tu as un nouvel ami.

— Oh ?
— Harold Braxton te réclame.
— Quoi ?
— Nous l'avons arrêté hier soir. Il refuse de parler. Il dit qu'il veut te voir et que, si tu ne veux pas venir, il veut Max Beck.
— Mais Lowery m'a dit que j'étais viré de l'enquête.
— Tu ne fais plus partie de l'enquête. (Elle croisa les bras, pencha la tête et me dévisagea de son air de mère sévère.) Est-ce à dire que tu refuses de le faire ?
— Non, c'est juste que... je suis surpris que tu le demandes.
— Écoute, Ben, ce n'est pas exactement ainsi que nous aimerions procéder. Mais comme nous n'avons pas suffisamment de charges contre lui, nos options sont limitées. Si te confier l'interrogatoire amène Braxton à parler, alors c'est ce qu'il faut qu'on fasse.
— Bien que je sois un suspect moi aussi.
— Nous écouterons. Nous vous écouterons tous les deux.
— Pourquoi devrais-je vous aider ?
— Si tu tires quoi que ce soit de lui, cela ne pourra que jouer en ta faveur.
— Et dans le cas contraire ?
Elle ne répondit pas.
Je consultai John Kelly.
— C'est votre décision, Ben. Si vous décidiez de rester en dehors du coup, personne ne pourrait vous jeter la pierre.
— Ce doit être déjà trop tard, non ?
— Excellent, dit Caroline. Kurth attend dehors pour nous y conduire. (Elle me lança une chemise extraite de sa petite pile. Une chemise Oxford blanche des plus classiques.) Ta chemise était tout ensanglantée. Je t'ai acheté ça.
— Merci. Combien je te dois ?
— Tu amènes Braxton à parler, nous sommes quittes.
Elle s'exprimait d'un ton mécanique, peu familier, froid.
— Caroline, on peut parler une minute ?
— Nous n'avons rien à nous dire.
John Kelly voulut sortir, mais sa fille lui ordonna de ne pas bouger.
— Très bien. D'accord. Merci pour la chemise.
Elle produisit un demi-sourire peiné et sardonique à la fois.
— D'habitude, remarqua-t-elle, c'est l'avocat de la défense qui fournit une chemise propre au meurtrier.

30.

En ses ultimes jours d'existence, le vieux QG de la police de Boston dans Berkeley Street dégageait une impression de lassitude. Le bâtiment semblait prêt à lâcher un soupir d'épuisement avant d'expirer. (Environ un mois plus tard, la police s'installait dans un cube de verre dans Tremont Street, un immeuble moderne épuré pour un service moderne épuré. C'était l'idée, du moins.)

Kurth et Caroline nous conduisirent John Kelly et moi dans une salle d'interrogatoire proche du bureau de la criminelle. Une petite salle glorieusement délabrée avec de la peinture écaillée aux murs et des fenêtres embuées. Les seules concessions à la modernité étaient une machine à café et un appareil à air conditionné d'apparence toxique qui encombrait la moitié d'une fenêtre. À ce détail près, les poulets qui avaient travaillé en ces lieux pendant la Prohibition auraient reconnu la salle sur-le-champ.

Nous retrouvâmes le reste de notre équipe. Le procureur général Lowery arborait un nœud papillon maïs et d'élégantes chaussures à bout renforcé. J'aperçus mon reflet dans les verres convexes de ses lunettes. Il me salua d'un hochement de tête sec. Martin Gittens m'emprisonna une main entre les siennes et s'enquit de mes blessures. Son soudain intérêt pour mon bien-être était un soulagement après le drame de la veille. J'interprétai cela comme le signe que ses soupçons à mon égard s'étaient apaisés pour une raison ou une autre. Peut-être avais-je gagné une louche de confiance maintenant que je venais d'être blessé au combat. C'était ce que j'avais envie de croire en tout cas. C'était probablement aussi ce que Gittens voulait me faire croire ; il utilisait l'élan de ma propre panique – mon impuissance – contre moi dans une sorte de judo émotionnel.

Nous entrâmes dans une salle exiguë derrière un miroir sans tain. De cet endroit, m'avertit Lowery, ma conversation avec Braxton serait observée et enregistrée.

— Vous serez sur la bande vous aussi, chef Truman, pas seulement Braxton.

— Cela devrait m'aider à me détendre.

Kelly qui dominait le groupe tel un père protecteur m'adressa un regard plein de reproches. *Ben, taisez-vous.*

Braxton entra dans la salle d'interrogatoire, encadré de deux flics en uniforme. Il portait un jean trop large, une chemise en flanelle et une casquette des Dodgers de Brooklyn brodée du numéro 42 de Jackie Robinson. Les chevilles entravées, il s'approcha de la chaise à petits pas de geisha. Une fois Braxton assis, un des flics menotta sa jambe droite au pied de la chaise et le laissa seul dans la pièce. Il fixa le miroir comme s'il pouvait voir au travers, comme s'il nous observait.

Et pendant une bonne minute, nous l'observâmes aussi. Ma rencontre avec Braxton datait de la veille, mais c'était ma première occasion de le détailler. Je cherchai des indices de sa célèbre létalité. Vu les descriptions exaltées du personnage, je m'attendais à moitié à le voir rougeoyer tel un bout de charbon incandescent. Mais son aspect physique était décevant, autant que sa photo d'identité judiciaire. Il était plutôt petit, environ un mètre soixante-quatorze, et sec. Il avait des manières de petite frappe des rues. Il affichait un sourire méprisant ; il croisa les bras (dans la mesure où ses menottes le permettaient). Mais toutes ces poses puaient le manque de sincérité. C'était du théâtre. Braxton jouait le rôle du gangster, mais c'était la vision de quelqu'un d'autre, pas la sienne. Peut-être cela nous était-il destiné. Nous exigions un certain style de lui – un style qui devait peut-être davantage à Hollywood qu'à Mission Flats, mais nous le lui réclamions tout de même – alors il nous donnait satisfaction. Il parcourut la pièce du regard, sans cesser apparemment de vérifier son attitude.

— Commençons, dit-il au miroir.

Kurth m'escorta dans le couloir.

— Lisez-lui ses droits, assurez-vous qu'il signe la fiche. (Il me tendit une fiche des droits orange. Ses yeux me transpercèrent.) N'oubliez pas, nous écoutons.

Et un instant plus tard, j'étais assis en face de Harold Braxton.

— Salut !

Pas de réponse.

La proximité de Braxton me surprit. Dans la salle d'observation, le miroir sans tain et les haut-parleurs minuscules avaient exagéré la distance entre nous. Il m'était apparu comme une silhouette sur un écran de télé, mis sous verre, diffusé à partir d'un studio Dieu sait où. Maintenant, seulement séparé de moi par les quelques centimètres du plateau de table en Formica, Harold Braxton avait une présence indéniable.

— Il faut que je vous informe de vos droits, lui annonçai-je avant de lui réciter le catéchisme Miranda. (Une fois la chose faite, je lui glissai la fiche.) Il faut que vous la signiez.

Il ploya la fiche entre le pouce et l'index, puis la glissa vers moi comme s'il n'était pas satisfait de sa résistance à la traction.

— Je ne peux pas vous parler sans cette signature.

— Non.

Je lui glissai de nouveau la carte.

— Signez-la. Sinon je pars.

Un sourire flotta sur ses lèvres. Il signa la carte – comme pour me rendre service, me rassurer.

— Connaissez-vous un type du nom de Ray Ratleff ?

— Je le connaissais, oui.

— Pourquoi cet imparfait ?

— Il est mort. Vous n'êtes pas au courant ?

— Vous savez quelque chose à ce sujet ?

— Juste ce que j'ai vu à la télé.

— Pourquoi voulait-on le tuer ?

— À vous de me le dire.

— Je vous pose la question, Harold.

— Ray était un drogué. Cela doit avoir un rapport.

— Ce qui signifie ?

— Ce qui signifie : vous traînez avec des junkies, des glisseurs et de la merde, vous finissez généralement les pieds devant. J'ai croisé plein de types comme Ratleff. Passez donc dans mon quartier, je vous en montrerai.

— Avez-vous déjà joué les glisseurs ?

— Qu'est-ce que cela a à voir avec Ray Ratleff ?

— Vous l'avez dit vous-même, c'est peut-être un coup de glisseurs.

— Vous avez mon dossier de probation. Vous savez ce que j'ai fait. Ces types l'ont, j'en suis sûr. (Il désigna le miroir de la tête.) D'accord, vieux, je vais vous dire ce qu'il y a dedans. De la délinquance juvénile, j'ai fait surtout du trou. Je me suis fait choper pour distribution, classe B, rien que de la blanche. Non-lieu pour les deux. Sinon je suis clean.

— Clean ? Et Artie Trudell ?

Les sourcils de Braxton se froncèrent.

— Le flic qui s'est fait descendre à travers la porte, Harold.

— Je n'avais rien à voir avec ça. L'affaire a été classée.

— Pourquoi vous a-t-on accusé ? Ils ont trouvé votre nom dans l'annuaire ?

— Demandez à votre ami Raul.

— Qui est Raul ?

Un sourire suffisant.

— Peut-être êtes-vous Raul. C'est la rumeur, non ?

Pas de réponse.

Cela ne menait à rien.

— Écoutez, vous allez répondre à mes questions, oui ou non ? Vous ne m'avez rien dit.

Haussement d'épaules.

— Je ne sais rien.

— Alors que faites-vous ici, Harold ?

— On m'a arrêté.

— Vous avez pris la peine de me faire venir ici rien que pour me dire que vous ne savez rien ?

— Ils croient vraiment que vous avez buté ce proc ?

— Je ne crois pas.

— Vous l'avez fait ?

— Non.

— Sur la tombe de votre mère ?

— Sur la tombe de ma mère.

— Eh bien, je ne l'ai pas fait non plus.

— Alors c'est ça ? Vous êtes innocent ?

— Oui.

— Pourquoi me le dire ?

— On est à Boston, mec. L'Alabama du Nord.

— Ce serait un truc racial ?

— C'est toujours un truc racial.

— Je ne crois pas, Harold, pas cette fois. Les preuves abondent.

Nouveau sourire caustique. Il se pencha en avant, tirant les menottes sur la table, et s'appuya sur ses avant-bras.

— Laissez-moi vous dire un truc. Ces flics ont pas besoin de preuves. Ils peuvent toujours en trouver une fois qu'ils ont résolu l'affaire. (Il me fixa un instant. Un voile de points noirs lui gâchait le nez. Sinon, il était beau avec ses yeux bruns et sa queue de cheval de moine.) Allez, terminez-en avec vos questions.

— Êtes-vous déjà allé dans le Maine ?

— Pourquoi j'irais dans un trou paumé...

— C'est non ?

— Un putain de non.

— Connaissiez-vous Robert Danziger ?

— Bien sûr que je le connaissais.

— Comment ?

— Il m'a poursuivi quelque chose comme cinquante fois.

— Et quel effet cela vous a fait ?

— Oh, j'étais vraiment ravi.

— Répondez à la question. Quel effet cela vous faisait-il que Danziger ne cesse de vous poursuivre ?

— Quel effet ça vous ferait ?

— Cela dépendrait des circonstances.

— Exactement. Le type a un boulot à faire. Ça ne me posait pas de problèmes. Il n'y avait rien entre lui et moi.

Mes questions étaient obtuses et Braxton le savait. Il y avait presque de la gentillesse dans le ton qu'il employait, dans sa complaisance. Les criminels font souvent preuve d'une fausse bonhomie vis-à-vis des flics, par désir d'établir le contact, d'en appeler à leur bonne volonté. Mais là c'était pire – il se montrait condescendant à mon égard.

— Où étiez-vous mardi soir et mercredi matin quand Ray Ratleff a été tué ?

— À une soirée à Grove Park. Il y avait vingt ou trente personnes. Vous voulez des noms ?

Je lui passai un bloc-notes jaune posé sur une table voisine et Braxton écrivit des noms en majuscules.

— C'est tout ce que vous avez ?

— Vous avez autre chose à me dire ?

— Je veux vous parler, chef True-Man.

— Ben. Pourquoi moi ?

— Parce que vous et moi nous avons besoin l'un de l'autre.

— Vraiment ? Pourquoi ai-je besoin de vous ?

— Vous avez besoin de prouver que vous ne l'avez pas fait, comme moi. Ils vont le coller sur le dos de l'un de nous, exact ? Vous le savez, non ? Alors si vous réfléchissez un peu, cela nous aide tous les deux. Vous voulez y réfléchir, pour nous deux ?

J'hésitai.

Braxton regarda par-dessus mon épaule dans le miroir, puis ses yeux balayèrent la salle d'un angle à l'autre. Je crus qu'il cherchait des caméras ; en fait, ce qu'il cherchait, c'était un micro. Il se pencha vers moi, appuya son torse contre le bord de la table et murmura :

— Approchez.

— Non.

— Je ne vais pas vous faire de mal.

Je secouai la tête.

— Vous croyez que je vais frapper un flic *dans un commissariat* ? Avec ça ? (Il brandit ses poignets menottés.) Vous me croyez bête à ce point ?

— Quoi que vous me disiez, Harold, je le leur rapporterai de toute façon.

— À vous de voir. Je pense que vous ferez ce qu'il faudra.

Je me penchai pour écouter, méfiant, tel un dompteur fourrant sa tête dans la gueule du lion.

La rapidité de ce qui se passa ensuite me choqua.

Les mains de Braxton claquèrent au-dessus de ma tête. Il me piégea le cou entre ses menottes et me plaqua le visage contre la table. Je ne pouvais plus bouger. La chaîne des menottes m'entrait dans la nuque.

Des cris retentirent derrière le miroir, étouffés.

J'avais l'œil contre le plateau en Formica. Éraflé, gras.

La bouche de Braxton était à quelques centimètres de mon oreille. Je crus qu'il allait la mordre, me l'arracher à coups de dents.

— Vous m'avez aidé dans l'église hier. Pourquoi ?

— Je ne sais pas. Je ne voulais pas...

— Ils vous mènent en bateau.

Son souffle était chaud et humide contre mon oreille.

— Quoi ?

— Ils se jouent de vous, c'est un coup monté. Et moi. Nous deux.

— D'accord, vous êtes innocent. J'ai compris.

— Non ! (Il me cogna contre la table. Sa frustration était palpable. Tout le monde prétend être innocent ; il me disait davantage.) Il faut que je vous dise...

Une porte claqua et un bruit de pas résonna dans le couloir.

Braxton approcha sa tête au point que ses lèvres frôlèrent mon oreille.

— Trouvez Raul.

— Quoi ?

— Suivez Raul. Cela n'a rien à voir avec Ratleff. *Suivez Raul.*

— D'accord.

— Suivez Raul. De Danziger à Trudell, voire avant. Jusqu'à Fasulo. Surveillez...

Il n'eut pas le temps de terminer.

Kelly traversa la salle en deux longues enjambées et frappa Braxton au creux des reins avec sa matraque. Le coup produisit un son creux. Braxton se cambra. Kelly le souleva de la table et le plaqua contre le mur. La chaise, toujours attachée à la jambe de Braxton, ballottait entre eux.

Une fois épinglé au mur, Braxton resta suspendu telle une poupée en chiffon, n'offrant aucune résistance. Mais son visage était transformé. Redevenu le truand méprisant, il affichait son dédain – et la douleur du coup dans son dos.

Kelly le détacha du mur et le plaqua de nouveau dessus. Il pressa sa matraque contre sa gorge.

— Cela suffit ! cria Max Beck. (Je n'avais pas vu l'avocat entrer. Il avait le visage rouge et déjà, à dix heures du matin, son nœud de cravate bâillait.) Lâchez cet homme !

— Oui, renchérit Lowery, calmement. Lâchez-le, inspecteur Kelly.

Kelly obtempéra. Il arrangea sa veste de sport et me demanda si cela allait.

— Oui, ça va.

— C'est un cas d'agression caractérisée, dit Kurth. Excellent. Maintenant on le tient.

Cela se serait certainement passé ainsi – arrestation rapide, lecture de l'acte d'accusation aux flagrants délits, caution prohibitive. Cela se serait passé ainsi à un détail près : le procureur général était présent et il avait d'autres projets en tête.

— Qu'est-ce que vous en dites, chef Truman ? C'est vous la victime en l'occurrence.

Gittens ne me laissa pas le temps de répondre.

— Harold, si jamais tu poses de nouveau la main sur un flic...

— Inspecteur Gittens, fit Lowery, apaisant. (D'un geste, il lui fit signe de se calmer.) Chef Truman, que voulez-vous faire ?

Braxton me fixait.

Kelly m'observait aussi, les sourcils froncés.

— Chef Truman ? insista Lowery.

— Laissez-le partir.

31.

Kelly consentit à interroger de nouveau Julio Vega avec moi. Je lui avais confié que le fait que Danziger ait rouvert l'enquête Trudell me taraudait toujours. Comme les propos évasifs de Vega lors de notre dernière rencontre. Kelly accepta ces explications, ou du moins parut les accepter.

Dans la miteuse petite maison de Vega à Dorchester, nous n'obtînmes pas de réponse quand nous frappâmes à la porte.

— Nous attendrons, annonça le vieil homme.

— Mais nous ne savons pas du tout où il est.

— C'est précisément pour cela que nous attendrons, Ben Truman. Pas la peine de le poursuivre à travers toute la création.

De sa trentaine d'années dans la police, John Kelly avait dû en passer dix rien qu'à attendre. Cela faisait partie du boulot. Au cinéma, les flics n'attendent jamais très longtemps. Ils foncent d'un indice à l'autre tels des colibris parce qu'ils ne disposent que de deux heures pour trouver la solution de chaque crime. En réalité, les policiers attendent des appels radio, des consommateurs d'amphé, des ouvertures. Dans des tribunaux, à des coins de rue, dans des voitures de patrouille à l'arrêt. Ils tournent en rond, à pied ou en voiture. Ils s'ennuient. Ils battent la semelle pour se réchauffer par les nuits froides.

— Combien de temps on attend ?

— Jusqu'à ce qu'il débarque.

— Et s'il ne débarque pas ?

— Oh, il ne va pas tarder, dit Kelly. (Il leva les yeux vers le ciel comme si Vega risquait d'en tomber.) Marchons un peu.

— Bonne idée. Et pourquoi pas un parcours de golf pendant qu'on y est ?

— On a le temps, Ben. Marchons un peu.

Nous prîmes la direction de Dorchester Avenue, Kelly joyeux, moi anxieux. Il sortit sa matraque, qu'il gardait fourrée dans son dos sous sa ceinture. La tenant par la sangle en cuir, il la fit distraitement tourner, comme à Versailles, avec ce rythme répétitif de vrombissement et de tape dans la paume. Deux révolutions dans le sens des aiguilles d'une montre, slap ! Deux dans l'autre sens, slap ! Le rythme épousait celui de nos pas.

Je devrais préciser de nouveau que je ne prétends pas être objectif dans ma description de John Kelly. J'ai tendance à établir des liens de loyauté rapidement ou jamais, et j'avais décidé depuis longtemps que Kelly était un homme que j'appréciais et admirais. Aussi sentimental que cela paraisse, je me sentais proche de lui, plus que ne semblaient l'expliquer les rares journées que nous avions passées ensemble. J'admets donc que ma vision de Kelly ce matin-là était nimbée d'affection. Cela dit, alors que nous longions Dorchester Avenue, il m'apparaissait comme l'essence même du policier. On aurait pu l'habiller d'un costume de flanelle grise ou d'une blouse de chirurgien – voire d'un déguisement de clown –, les gens se seraient tout de même dit : « Voilà un flic. » Jusqu'à ce que je le rencontre, je n'avais jamais pensé qu'on puisse admirer cette qualité.

Révolution, *slap* !

— Il y a une chose que je ne comprends pas, Ben. Ce matin, Braxton vous a réclamé – expressément – rien que pour proclamer son innocence et vous agresser ? Cela ne tient pas debout.

Je poursuivis mon chemin en silence.

— Ensuite vous avez déclaré à Lowery que vous n'aviez pas la moindre idée de ce que Braxton mijotait.

Révolution, *slap* !

— C'était peut-être un pieux mensonge en l'occurrence.

— Ah ! Les pieux mensonges pullulent.

— Quand il m'a sauté dessus, Braxton m'a murmuré à l'oreille. « Trouvez Raul. » Selon lui, tout cela a un lien avec Artie Trudell. Et il a mentionné un autre nom – Fazulo ?

— Fasulo.

— Fasulo. Vous savez qui c'est ?

Kelly ignora la question.

— Pourquoi l'avez-vous gardé pour vous ?

— Parce que Braxton m'a dit que j'étais victime d'un coup monté.

— Vous l'avez cru ?

— Je ne sais pas. Un peu, oui. Après tout, il s'est donné du mal pour me faire passer le message.

Kelly grommela, hum.

— J'aurais dû le signaler. Je ne devrais pas dissimuler des trucs aux autres flics.

— Ne soyez pas ridicule. Nous ne travaillons pas pour la police de Boston. Nous menons notre propre enquête. Nous ne leur révélons que ce que nous voulons bien leur dire. Ils détiennent des renseignements qu'ils ne nous communiquent pas. C'est comme ça que ça fonctionne. Bienvenue dans la confrérie des forces de l'ordre.

— Non, je suis désolé de ne pas vous l'avoir dit.

— Eh bien maintenant c'est fait.

Silence.

— Vous savez qui est Fasulo ?

— Qui *était* Fasulo, corrigea Kelly. Le seul Fasulo de ma connaissance est mort il y a longtemps, en 1977 ou 1978. Il a tué un flic. Frank Fasulo et un autre type – comment il s'appelait déjà ? Sikes. Ils étaient tous les deux ronds comme des queues de pelle. Ils ont essayé de braquer un bar dans les Flats, le Kilmarnock Pub. Il a disparu maintenant et il ne manque à personne. Un coupe-gorge, ce truc. Fasulo et Sikes ont débarqué juste après la fermeture, ils ont collé un flingue sous le nez du barman et lui ont ordonné de leur filer la caisse. Sauf qu'ils ont été trop lents et qu'un flic en patrouille est entré. Ils lui ont sauté dessus et... (Kelly fit quelques pas avant de continuer.) Eh bien, Fasulo était un dur. Il avait fait plusieurs séjours à Walpole, à Bridgewater... Viols, vols à main armée. Il y a des types comme ça... mauvais, de vraies bêtes sauvages, des psychopathes. Pas des masses, mais il y en a. Y a rien à faire sinon les tuer.

Ce commentaire me surprit. Je ne voyais pas Kelly comme un partisan de la peine capitale.

— Ça fait froid dans le dos, non ? En réalité, notre système est conçu pour punir les délits après coup. Nous sommes incapables de prévenir un crime avant qu'il ne soit commis, même si tout le monde le voit venir. Tous ceux qui ont croisé Frank Fasulo savaient qu'il finirait par tuer quelqu'un. Il était un criminel en puissance. Mais nous ne pouvions rien faire sinon attendre que cela se produise pour intervenir et nettoyer derrière. Il ne devrait pas en être ainsi.

— Il a tué le flic qui a interrompu le braquage ?

— Il l'a violé. Il l'a tué. Puis il a dansé autour du bar et fêté ça. (Kelly cessa de faire tournoyer sa matraque.) C'était il y a bien longtemps, Ben Truman.

Le tournoiement et la marche reprirent.

— Que s'est-il passé ?

— Nous – la police – avons retrouvé Sikes dans un hôtel un ou deux jours plus tard. Nous avions cette sorte d'unité militaire à l'époque. La Force de patrouille tactique, ça s'appelait. Casques, tenues noires, tout le toutim. Toutes les villes en avaient une. Ils sont entrés en force dans la chambre et ont descendu Sikes. Fasulo a sauté du Tobin Bridge quelques jours plus tard, ce qui est probablement la seule chose sensée qu'il ait jamais faite.

Nous arrivions à un carrefour sans charme avec un magasin d'occasions délabré à l'angle, un bureau préfabriqué, une demi-douzaine de petites voitures et des centaines de petits fanions triangulaires en vinyle. Nous étions plantés devant le Pleasant Spa. (Dans le vieux dialecte bostonien, un Spa est une supérette.)

Kelly s'arrêta pour prendre la mesure des lieux. La matraque tournoya.

— Comment vous faites ça ?

— Ça ?

— D'accord, mais comment vous y prenez-vous... ?

Kelly contempla sa matraque comme s'il n'avait pas remarqué qu'elle tournoyait.

— Je ne sais pas. Il suffit de...

— Montrez-moi. Lentement.

— Vous la laissez un peu tomber de votre poignet, puis vous la relevez d'un coup par la lanière.

— Laissez-moi essayer.

— Vous savez depuis quand je l'ai ?

— Allons, ce ne sont pas les joyaux de la Couronne. C'est un bâton. Laissez-moi essayer.

Il me la passa et je fis glisser la lanière en cuir autour de mon poignet. Je tentai de l'imiter, en laissant la matraque tomber en avant puis en la rattrapant contre mon torse. L'extrémité libre me sauta au visage.

— Doucement, Ben Truman. N'allez pas vous assommer.

— Faites-moi plaisir. Si je m'assomme, juste au cas où – achevez-moi.

— Doucement.

Le bâton traça maladroitement une révolution et je le rattrapai. Il ne tournait pas en un cercle égal, c'était ça le truc. Le poids était déséquilibré (l'extrémité libre était plus épaisse et plus lourde) et la lanière introduisait suffisamment de jeu pour que l'axe de rotation change constamment. En plus, l'objet étant à peine plus court que le bras, il menaçait de vous frapper à la tête à chaque passage.

— Plus dur qu'il n'y paraît.

— Hé, rendez-moi ce truc avant de vous blesser.

32.

— Encore vous.

Julio Vega s'appuya contre le chambranle. L'ancien flic tenta de fixer ses yeux embrumés sur moi mais son regard léthargique ne réussit qu'à se poser au milieu de ma poitrine.

— Qu'est-ce qui vous amène, Maine ? Gittens vous envoie pour un supplément ?

— Non, monsieur. Gittens ne sait même pas que je suis ici.

— Bien sûr que si, ronchonna Vega qui tourna les talons, pieds nus.

Kelly et moi le suivîmes dans la pièce où nous avions discuté dix jours plus tôt. Vega s'affala dans une des bergères luisantes de sueur et revint à son émission de télévision, ESPN Sports Center.

Il y avait quelque chose de troublant dans l'aspect de Vega. Ce n'était pas seulement qu'il était ivre ou épuisé – bien qu'il fût manifestement les deux. Mais quelque chose manquait, l'avait abandonné. Ce qui se cache derrière le rideau, derrière les tendons et les os de la face, ce qui anime les yeux, le nez et la bouche avait disparu. Je voyais très bien Vega retirer ce visage laid et bouffi et le poser comme une des montres molles de Dalí.

— Vous avez bu, Julio ?

— Bien sûr que j'ai bu. (Il eut un reniflement méprisant.) Question idiote.

— Il faut que je vous parle de Raul.

Pas de réaction.

— J'ai dit qu'il faut qu'on parle.

Je me répétais d'une voix trop forte, comme si je pouvais l'atteindre en criant.

— Hé, Maine, je suis pété, pas sourd.

Kelly et moi échangeâmes un regard. Qu'est-ce qui clochait chez ce type ?

— Julio, quel était le lien de Frank Fasulo avec la descente dans la maison de crack à la porte rouge ?

— Frank Fasulo ? Qu'est-ce que vous racontez, bordel ?

— Le soir de la descente dans l'appartement à la porte rouge, le tuyau de Raul avait un lien avec Frank Fasulo, non ?

— Mec, je sais même pas qui est Frank Fasulo.

Il regardait les meilleurs moments du basket sur l'écran.

— Parlez-moi de ce soir où vous avez fait cette descente Artie Trudell et vous.

— Je vous l'ai déjà dit, j'ai rien à dire à ce sujet.

— Julio, ça ne passe plus. Il faut qu'on en parle.

Il secoua la tête.

— Rien à dire, point barre.

Les mots étaient provocants, mais pas le ton. Vega récitait des phrases répétées maintes fois, tel un acteur reprenant un rôle trop souvent interprété.

— Julio, j'ai besoin de savoir qui était Raul.

Vega m'ignora.

— Très bien, fit Kelly, ça suffit, ces conneries. (Il éteignit la télé.) Vous allez arrêter de déconner et répondre aux questions de monsieur.

— Pour qui vous vous prenez, bordel ?

— La ferme. (Kelly se tourna vers moi.) Posez-lui de nouveau la question.

Vega entreprit de se lever, probablement pour rallumer la télé.

Du bout de sa matraque, Kelly le repoussa dans son fauteuil.

— On s'assoit.

— Qui êtes-vous, bordel ? Rallume la télé, mec.

— Vous voulez que je l'éteigne pour de bon ?

Il brandit la matraque comme pour fracasser l'écran.

— Hé, hé, HÉ ! (Vega faisait appel à moi.) C'est quoi cette histoire ? Le gentil flic et le méchant flic ?

— J'ai dit la ferme. Ben, posez la question.

— Hé, le môme vous l'a pas dit ? (La voix de Vega était douce, contrariée, chagrinée.) Je suis un flic.

— Un flic ? C'est pour ça que vous vous prenez ? Un flic ? (Kelly lui agita la matraque sous le nez.) Vous n'êtes pas un flic, mais une ignominie ambulante. Ne vous présentez jamais comme un flic.

— Qu'est-ce que vous racontez ?

— Vous avez brisé le code, Julio.

— Quel code ?

— Vous avez vendu votre équipier.

— J'ai vendu personne. Artie s'est fait descendre.

— Oui, il s'est fait descendre et ensuite vous l'avez vendu. Vous avez laissé fuir son assassin. Vous avez péché.

— Péché ? Qu'est-ce que c'est que ces conneries ? J'aimais Artie.

— Alors pourquoi avez-vous laissé Harold Braxton s'en tirer ?

— Artie et moi, on était comme des frères, mec...

— Qui a placé Artie devant cette porte ?

— Je ne sais pas. C'était...

— C'était quoi, Julio ?

— Nous avions un tuyau.

Exaspéré, Kelly se planta devant le fauteuil et se pencha vers Vega. On aurait dit la Faucheuse venue chercher l'âme mortelle du flic.

— Très bien, gardez-le pour vous. Protégez Raul, quoi qu'il arrive. Je ne sais pas si vous êtes un lâche, si vous êtes malhonnête ou juste stupide, mais je n'aurais jamais imaginé voir un flic protéger un tueur de flics.

— Mais pas du tout !

— C'est quoi, Julio ? Raul était votre indic, n'est-ce pas ? Votre indic a tué votre équipier, c'est ça que vous craignez que l'on découvre ?

— Non, je, je...

Kelly le dominait de toute sa taille.

— Ne dites jamais que vous êtes un flic. Je suis un flic. Cet homme est un flic. (Il me désigna.) Artie Trudell était un flic. Vous n'êtes rien. Compris ? Rien.

— J'aimais Artie.

La voix de Vega se désintégrait.

— Je ne peux plus écouter ces conneries, soupira Kelly.

Il s'approcha de la fenêtre. Pendant un moment personne ne pipa. Dehors, des gamins, des ados, s'asticotaient, riaient.

La voix douce de Vega :

— Je n'ai jamais su qui était Raul.

D'autres cris juvéniles, une radio, une sirène dans le lointain.

— Je ne l'ai jamais rencontré.

Je jetai un coup d'œil à Kelly. Il regardait par la fenêtre, en secouant la tête.

— C'était juste un tuyau.

— Je ne comprends pas, bredouillai-je. Toute cette affaire... Braxton s'en est tiré parce que vous refusiez de donner Raul. C'était pour empêcher Raul de se faire descendre. C'est ça ?

Vega fixait l'écran de télévision vide.

— Vous n'arriviez pas à le trouver, avez-vous déclaré. Vous avez témoigné, vous avez dit que vous avez cherché Raul, mais en vain.

— Peut-être n'y a-t-il jamais eu de Raul.

— Quoi ?

— Je ne l'ai jamais rencontré.

Je m'agenouillai devant Vega pour le regarder dans les yeux.

— Julio, il est vraiment important que vous disiez la vérité. Arrêtez les mensonges. Tout ce qui s'est passé jusqu'à ce moment-là, cela n'a plus d'importance. Vous ne pouvez pas revenir en arrière. Vous voyez ce que je veux dire ? Mais vous pouvez faire ce qu'il faut maintenant.

Rien.

— Julio, si Braxton a tué Artie Trudell, nous le coincerons. Mais nous avons besoin de savoir ce qui s'est vraiment passé ce soir-là. Si le tuyau à propos de la coke de la porte rouge ne venait pas de Raul, d'où venait-il ?

Rien. J'eus la sensation que le vrai Julio Vega s'éloignait tel un bateau à l'horizon.

— Écoutez-moi, Julio, il n'est pas trop tard. Vous pouvez encore arranger les choses. Revenir en arrière et arranger les choses pour Artie.

C'est alors que, contre toute attente, la réserve de Vega s'effondra tout simplement. Peut-être finit-il par s'étrangler sur l'acide qu'on l'avait forcé à avaler. Remords, culpabilité et regrets à propos de la mort d'Artie Trudell. Lâché par les policiers, détesté par la ville, montré du doigt – la communauté traquant un de ses membres, la foule encerclant l'homme solitaire. Bien entendu, ce n'est qu'une supposition. L'expression de Vega ne trahit rien. Ni larmes ni mélodrame. Seule sa main trembla involontairement. Mais, tout à coup, la vérité jaillit.

— Tout le monde était au courant, dit-il d'une voix égale. Cet été-là, tout le monde aux Flats achetait de la coke à cet endroit. Tout le monde avait cette coke de la porte rouge. Et tout le monde savait que c'était MP qui vendait. Nous le savions tous. Il fallait qu'on ferme ce truc. Tout le quartier était terrifié, à cause des glisseurs, des drogues et des gangs. Mais personne n'acceptait de parler. Nous avons essayé d'acheter un peu de dope, mais personne ne voulait nous aider. Ils ne voulaient pas être mêlés à ça. Nous n'avons pas pu trouver de dénonciateur, et sans dénonciateur, nous ne pouvions obtenir un mandat.

— Alors vous avez inventé Raul ?

Il fit non de la tête.

— D'où venait le tuyau ?

— Gittens.

J'en restai bouche bée.

— Gittens a toujours eu des indics, mec. Quand il était aux stups, on aurait dit qu'il en savait plus long que n'importe qui. Le roi de Mission Flats, qu'il était. Artie et moi, quand on a débarqué aux stups, il lui est arrivé de nous aider, de nous filer un tuyau donné par une de ses balances. Il nous donnait un coup de main pour nous permettre de faire quelques prises, d'accord ? Faut comprendre, personne ne parle dans les Flats. Personne. C'est la loi du silence, comme la Mafia ou Dieu sait quoi. Nous sommes donc allés voir Gittens pour lui demander s'il pouvait nous aider. Nous lui avons expliqué qu'il fallait qu'on ferme cet endroit à la porte rouge, mais que nous ne pouvions pas trouver d'informateur confidentiel. Il faut une balance pour un mandat. Gittens répond qu'il va se renseigner. Quelques jours plus tard il revient et il dit que ce Raul lui a tout raconté à propos de la porte rouge et de Braxton. Il nous a tout donné. Alors nous l'avons utilisé. Nous avons tout recopié et nous l'avons utilisé. C'était un bon tuyau. Ce mandat était bon.

— Comment vous savez que c'était une bonne balance ? Peut-être que Gittens l'a inventé.

— Ce n'était pas nécessaire. Gittens avait des types prêts à parler. Tout le monde parle à Gittens. Il a un truc. En plus, j'avais déjà entendu parler de Raul. Gittens l'avait utilisé dans d'autres affaires. Je ne crois pas que Raul était son vrai nom, mais je sais que Gittens s'en est servi dans d'autres affaires, et qu'il l'appelait Raul.

La voix de Vega était atone.

— Vous avez attendu dix ans pour raconter ça ? (Kelly était furieux.) Pourquoi n'avez-vous pas dit la vérité et laissé ensuite Gittens trouver Raul ? Bon Dieu, vous avez laissé filer un tueur de flics !

Vega secoua la tête. Ses pupilles bougèrent avec sa tête comme les yeux en bouton d'une peluche. Il ne voyait rien.

— Il le fallait. Il fallait qu'on s'en tienne à ce qu'on disait dans la demande de mandat. Si cela s'était su que nous avions menti pour le mandat, ils auraient classé toute l'affaire. Mon équipier s'est fait tuer, mec. C'était mon frère. Est-ce que je pouvais les laisser classer l'affaire ? Il fallait s'en tenir à l'histoire. On avait besoin de ce mandat.

« Quelle importance d'où venait le tuyau ? Quelle différence ça faisait ? Le tuyau était vrai. Chacun des mots était vrai. Qu'est-ce que j'étais censé faire ? Avouer que nous avions un peu arrangé le mandat ? Braxton s'en serait tiré les doigts dans le nez !

Mais cela n'amadoua pas Kelly pour autant.

— Pourquoi n'avez-vous pas demandé à Gittens de vous filer Raul ? Il suffisait de dire : il faut qu'on dénonce la balance parce que c'est un assassinat de flic et les promesses ne tiennent plus. Gittens aurait compris.

— Je le lui ai dit. Il a répondu qu'il ignorait le vrai nom de Raul, qu'il ne connaissait que son surnom dans la rue.

— VF, insistai-je, me rappelant le dossier dans le bureau de Danziger.

— C'est ça. Vieille Fripouille, une connerie comme ça. Gittens et moi, on a cherché ce type, Raul, VF. Il avait filé. Il ne voulait pas être pris en sandwich entre les flics et le gang. À sa place, j'aurais fait pareil. Raul était mort, qu'un camp ou l'autre lui mette la main dessus. Même si les flics l'avaient déniché, nous savions que nous ne pouvions pas le protéger, surtout après le procès. Alors il a filé. On était coincés.

— On ?

— Gittens et moi. Enfin surtout moi. Gittens n'avait rien à voir là-dedans.

Kelly lâcha un soupir las.

— Je suppose qu'il n'y a pas moyen de garder ça pour nous ? demanda Vega.

— Aucune chance.

— C'est bien ce que je pensais. (Une des mains de Vega chercha son front et entreprit d'en pétrir la peau molle.) C'est pas comme vous avez dit, vous savez. C'était pour Artie. J'essayais de sauver l'affaire. J'aurais fait n'importe quoi...

J'acquiesçai. Il n'y avait rien à lui dire, aucun réconfort à lui offrir.

— J'aurais fait n'importe quoi.

— Julio, finis-je par dire, peut-être y a-t-il une solution. Vous pouvez nous ramener à ce soir-là.

33.

Le trois-étages du 52, Vienna Road, dans les Flats, avait fait l'objet d'une réhabilitation frénétique. Ce qui avait jadis été une forteresse avec un commerce de crack au dernier étage était à présent un petit immeuble propret avec des mamans couleur d'octobre devant.

Sur le palier du deuxième étage – où des drogués au crack avaient glissé des billets roulés par une fente dans la porte rouge – un paillasson permettait aux visiteurs de s'essuyer les pieds. La porte rouge n'était même pas rouge. Mais beige. La belle porte rouge enfoncée, trouée par des balles de mon imagination avait été remplacée par une porte blindée. Le palier était minuscule, environ un mètre vingt sur un mètre vingt – bien plus petit que je ne l'avais vu – et nous fîmes tous les deux quelques pas de cha-cha-cha en nous intéressant à différents détails. Puis Kelly et moi montâmes quelques marches, vaguement soulagés de sortir de la zone de tir dans l'axe de la porte.

Vega qui avait été obligé d'attendre plus bas dans l'escalier se planta sur le petit palier.

— Mec, ils ont vraiment nettoyé cet endroit, s'exclama-t-il avec appréhension, comme si nous n'allions pas le croire. Cela n'avait rien à voir.

— C'est bon, Julio, le rassurai-je. Racontez-nous seulement ce qui s'est passé du début à la fin.

Vega décrivit la descente en détail. Il nomma les flics de l'équipe de la rafle, expliqua leurs positions, évoqua la chaleur étouffante de ce soir d'été, et même la solidité apparente de la porte elle-même. Mais tout cela du ton creux que j'avais remarqué lorsqu'il m'avait accueilli une heure plus tôt. On aurait cru entendre un mort.

— Quand Artie s'est fait tirer dedans, je n'ai rien vu au départ. J'ai seulement entendu le bruit. Un boom. On dit toujours que les armes produisent un son de pétards. Là, non, c'était un boom. Je regardais la porte quand le panneau supérieur a explosé, comme poussé de l'intérieur. Je me rappelle avoir pensé : Bizarre, la façon dont le panneau supérieur a explosé. Étranges les pensées qui nous viennent. J'étais agenouillé près de la porte, comme ça. J'ai levé les yeux et Artie avait viré, en quelque sorte, et il me tournait le dos. Et puis il s'est effondré. Il y avait plein de sang. Vraiment plein. (Vega se frotta les yeux, qui étaient éteints et las.) Je me suis dit que le type devait se tenir juste derrière la porte, tout près pour pouvoir viser la tête d'Artie. Il avait dû attendre de se faire une idée de l'endroit où Artie cognait dans la porte pour être dans sa ligne de mire. Sauf que cela ne tient pas debout, parce que, s'il voulait être sûr de le tuer, il aurait visé la poitrine d'Artie, où la cible était plus large. C'est comme s'il savait qu'Artie portait un gilet... Quelquefois je me dis : Artie était tellement énorme. Un mètre quatre-vingt-sept, un mètre quatre-vingt-dix, dans les cent trente kilos – une masse, quoi. Et le tireur, il a visé si haut, que peut-être il ne voulait pas le toucher, juste lui foutre la trouille. Sauf qu'il savait pas qu'Artie serait aussi grand...

— Racontez-nous ce qui s'est passé ensuite.

Je m'exprimai d'une voix calme, apaisante.

— Il ne s'est rien passé. J'ai, euh, essayé de toucher Artie pour voir si tout allait bien. Au début je n'ai pas compris qu'il était mort. Je veux dire, je savais qu'il l'était mais je n'en étais pas complètement sûr, vous voyez ? Alors j'ai pris ma radio, j'ai appelé pour leur dire que nous étions dans la merde. Je ne savais pas quoi faire. Les autres étaient dans l'escalier comme vous maintenant, de chaque côté du palier. Aucun de nous ne savait quoi faire.

— Vous avez entendu quelque chose dans l'appartement ? Des bruits de pas ? Des voix ?

— C'était la folie ici. Tout le monde criait et ma radio marchait et j'avais les oreilles qui tintaient et tout ce sang qui coulait vers moi par terre. Je n'ai rien entendu.

— Quelqu'un a-t-il regardé par le trou dans la porte pour voir qui était dans l'appartement ?

— Non, mec. Personne n'allait se planter devant cette porte.

Je mesurai de nouveau la petite surface du palier. À peine assez grande pour contenir le corps démesuré de Trudell. Pas étonnant que Vega n'ait pu échapper à la flaque de sang. Il était paralysé, ni assez courageux pour s'approcher, ni assez lâche pour reculer. Une réaction tellement ordinaire, celle que j'aurais eue.

Vega se redressa en glissant contre le mur.

— Vous savez ce que je pensais ? Je pensais : Artie, pauvre con, tu l'as bien cherché.

— Qu'est-ce que vous voulez dire ?

— Je ne sais pas. Je ne sais pas ce que je veux dire. J'ai juste eu cette sensation pendant les deux semaines qui ont précédé tout cela, comme quoi quelque chose clochait. Cela ne tient pas debout. Je savais que ce n'était pas la faute d'Artie, mais c'était l'impression que j'avais. Je me disais : Pourquoi t'as fait ça ? Pourquoi t'as laissé ça se produire ?

Kelly qui n'avait pas pipé depuis notre entrée dans l'immeuble prit la parole.

— Pourquoi dites-vous que Trudell l'avait bien cherché ?

— Sa façon d'être : silencieux, comme s'il était inquiet, nerveux. Je savais que quelque chose le tracassait. Je lui ai même posé la question. Lui et moi on bavardait tout le temps. Mais il m'a juré que ce n'était rien. Je lui ai dit que, s'il avait une emmerde avec quelqu'un, je pourrais peut-être lui filer un coup de main. Parce que Artie, c'était mon pote. Je n'aurais jamais accepté que quelque chose lui arrive. Seulement il ne voulait pas d'aide. Peut-être que quand on fait la taille d'Artie, on s'imagine qu'on peut se débrouiller tout seul parce qu'on est intouchable. Comme les éléphants ? Ils sont si énormes que rien ne peut les tuer dans la jungle. Et puis ils se font canarder et ils sont surpris parce qu'ils pensaient être intouchables et voilà qu'un petit humain débarque avec son petit gourdin et, bang, ils sont à l'agonie. Cela doit les surprendre. Ils sont tellement forts !

L'histoire des éléphants m'échappait un peu, mais je n'en montrai rien. Je voulais que rien ne vienne couper l'élan du récit de Vega. Cela faisait dix ans qu'il gardait ça pour lui.

— Je me suis dit que c'était peut-être un truc chez lui, poursuivit Vega, que c'était pas mes oignons. Artie avait une femme et deux enfants. Maintenant je ne sais pas. Peut-être qu'il savait quelque chose qu'il n'aurait pas dû savoir. Il y a des trucs dont on ne parle pas. Quoi qu'il en soit, je me suis dit que, s'il voulait me raconter ce qui se tramait, il le ferait. Artie finissait par tout dire tôt ou tard. Pas le genre de type à garder des merdes secrètes. Je me suis dit : On laisse pisser. Nous étions tellement occupés à obtenir ce mandat pour la coke de la porte rouge et nous n'avions pas le temps. C'était le gros coup pour nous, mec. Le gros coup. Je me suis dit que quoi qu'il se passe, nous en parlerions plus tard.

Kelly me jeta un regard pour souligner l'importance de ce point. *N'oubliez pas ça.*

— Continuez, Julio, Artie s'effondre. Que se passe-t-il ensuite ?

— Eh bien, comme j'ai dit, nous étions environ dix, pas plus, sans renforts...

— Pourquoi cette absence de renforts ? l'interrompit Kelly.

— C'est comme ça qu'on procédait toujours. Il fallait qu'on débarque discrétos. S'ils nous avaient vus débarquer avec nos voitures de patrouille et le reste, on n'aurait plus rien trouvé le temps qu'on entre. Il fallait qu'on les surprenne. En plus, à l'A-3, personne disait jamais rien à personne, pas dans ce commissariat. C'était Silence ! Hôpital. On avait des gars là-bas qui étaient plus proches de Braxton que de nous. Certains touchaient des pots-de-vin, d'autres connaissaient un môme du quartier ou quelqu'un de ce genre. S'ils avaient entendu parler du mandat, ils auraient passé un coup de fil. Nous n'avons donc rien dit à personne de cette descente, jusqu'au soir fatidique, et nous avons choisi ces types parce que nous savions que nous pouvions nous fier à eux. Vous voyez ce que je veux dire.

Ce dernier commentaire s'adressait à Kelly.

— D'accord, on voit le tableau. Pas de renforts. Continuez.

Mais avant que Vega n'ait le temps de répondre, une voix masculine s'éleva derrière la porte.

— Je ne sais pas qui vous êtes, mais je m'apprête à appeler la police.

Aucun de nous ne pipa.

Le propriétaire de la voix entrebâilla la porte et nous dévisagea. Un Afro-Américain d'environ soixante-dix ans, à l'allure guindée. Un retraité chic, du genre à mettre une cravate tous les jours pour lire son journal à la table de la cuisine.

— Ce n'est pas un endroit où traîner. Qu'est-ce que vous faites ici ?

Je m'avançai (techniquement, j'étais responsable), montrai mon insigne et le priai de m'excuser de l'avoir dérangé.

— Personne n'a appelé la police.

Il se planta sur le seuil.

— En fait, c'est une vieille affaire. Il n'y a pas de souci à se faire.

L'homme ne réagit pas.

— Il y a eu un accident ici il y a longtemps. Un policier a été tué.

— Je suis au courant. Ils ont mis ça sur le dos de ce gamin.

Les yeux de Vega gonflèrent, une bulle de tristesse.

— Ce n'est pas nécessairement ce qui s'est passé, fis-je sans conviction.

— Hum. Cela vous ennuie si je reste ici ?

— Oui, lâcha Vega.

— Non. Non, je pense qu'il serait utile que vous restiez, monsieur...

— Kenison.

— Monsieur Kenison. Ben Truman. (Nous nous serrâmes la main.) John Kelly. Julio Vega.

Le vieil homme hésita avant d'accepter la main tendue de Vega – se rappelait-il le nom du paria ? – mais il la serra, puis retourna à son poste devant la porte tel un gardien de la Tour de Londres.

La présence de cet intrus parut gêner Vega. Il examina le sol comme s'il venait de perdre une pièce.

— Quoi qu'il en soit, comme je l'ai dit, j'ai la radio et il y a du sang partout et j'entends Gittens appeler le commissariat. Je savais qu'il serait dans le coin parce que c'était un peu son mandat. Dans un sens, c'était sa balance (un coup d'œil à M. Kenison), je veux dire son informateur. En plus il était notre ami, il veillait sur nous Artie et moi. Je l'ai entendu appeler et dire qu'il débarquait. Et paf, je le vois qui monte l'escalier. Comme tombé du ciel. On se serait cru dans un dessin animé. Gittens arrive derrière moi et dit : « Qu'est-ce qui s'est passé, bordel ? » Et je lui dis : « Artie s'est fait tirer dessus à travers la porte. » Ça a rendu Gittens furax. Il a pris le tuyau et il s'est mis à démolir la porte. Pas de gilet. Il se colle en plein devant la porte et il se met à cogner. Il arrêtait pas de glisser à cause du sang par terre et Artie gisait à ses pieds. Mais il s'acharnait sur cette porte. Cela a pris un moment, puis il a fini par la faire céder et nous sommes entrés à sa suite.

Vega fit mine d'entrer dans l'appartement, mais M. Kenison bloquait le passage.

— Pardon.

Le vieil homme fit un pas de côté. Sans quitter Vega des yeux.

Vega nous entraîna dans l'appartement tout comme Gittens avait mené l'équipe de perquisition dix ans plus tôt.

— On entre et c'est vide. Rien. Pas de tireur, pas d'arme, pas de coke. Pas même des meubles. Rien que des trucs qui traînaient dans les placards, des céréales, des conneries comme ça. Des papiers et des ordures partout par terre. Et il faisait noir. La seule lumière venait de la rue.

La description de Vega tranchait avec l'appartement lumineux et impeccable dans lequel nous nous tenions. Les murs étaient repeints de frais en un jaune crémeux, il y avait des appareils neufs dans la cuisine, même les fenêtres avaient été remplacées par des modèles à guillotine en vinyle à la mode.

— C'est vous qui avez fait tout cela ? demandai-je à M. Kenison.

— Oui.

Un soupçon de défi dans sa voix.

— C'est vraiment joli.

— Comme je l'ai dit, continua Vega, nous n'étions jamais entrés dans cet endroit. Nous ignorions l'allure que cela aurait. (Il s'adressa à M. Kenison :) C'est vrai, nous ignorions complètement à quoi cela ressemblerait. On entre, on sécurise, et je vois Gittens descendre un escalier de secours et tout le monde le suit. Nous ne savions même pas qu'il y avait un escalier de secours. Après je ne suis plus très clair. Je ne les ai pas suivis. Je suis reparti auprès d'Artie.

— Mais vous savez ce qui s'est passé ?

— Ouais. Gittens a trouvé l'arme dans l'appartement, près de la porte de service. Un gros fusil à pompe. La balistique a découvert qu'il s'agissait de l'arme du crime, et d'après les empreintes, elle appartenait à Braxton. Nous avons fouillé les lieux de fond en comble et trouvé toute sorte d'autres preuves du passage de Braxton. Il y avait un escalier de secours et une porte arrière, ce qui avait permis au tireur de s'enfuir. Une affaire simple. C'était Braxton, aucun doute là-dessus.

— Ce garçon a admis être venu ici à d'autres occasions. Vous avez donc trouvé ses empreintes ou Dieu sait quoi. Ça ne veut pas dire qu'il était là ce soir-là, murmura Kensison.

Son ton n'était ni furieux, ni déférent. Il énonçait simplement un fait, nullement déconcerté par notre qualité d'officiers de police.

— Ses empreintes étaient sur le fusil ! s'exclama Vega.

— Ils pouvaient avoir confisqué ce fusil au gamin à n'importe quel moment et le planter près de l'escalier de service.

— Et puis quoi encore ! fit Vega.

— Cela arrive.

— Vous y croyez vraiment ?

— Je crois que cela arrive, oui.

— Mais est-ce que vous croyez que c'est ce qui s'est produit ici ? Que nous avons sciemment placé le fusil dans l'appartement ? C'est vrai, vous vivez ici, vous voyez ce qui se passe. Vous pensez vraiment que c'est ce qui s'est produit ?

— Je ne sais pas qui croire. Je ne crois pas ce gamin et je ne crois pas la police. Cela le rend non-coupable.

— Vous pensez qu'il est innocent.

— Je n'ai pas dit innocent. J'ai dit non-coupable. Peut-être qu'il l'a fait. Mais vous autres officiers de police auriez dû faire du meilleur boulot.

Les épaules de Vega se tassèrent visiblement. Après tout, c'est l'idée reçue dans l'affaire Trudell. La culpabilité ou l'innocence de Braxton ne comptait pas vraiment. C'était devenu une affaire de droits civiques et de mensonges de la police – les mensonges de Vega – pas de meurtre. Une moralité pour les masses, Braxton en devenant le bénéficiaire accessoire.

Vega fit le tour de l'appartement, en quête de quelque chose de familier, une ouverture sur ce soir-là. Dans la cuisine, il passa la main sur les placards en Formica. On aurait dit que cet appartement rénové le désorientait. Qu'il se dressait entre lui-même et sa propre histoire. Vega avait reporté les coordonnées sur l'ordonnée pour se rendre compte que l'abscisse – le temps – était complètement bloquée, que la grille elle-même était inaccessible. L'instant de la fracture – le 17 août 1987, à deux heures vingt-cinq du matin – était perdu.

— Ce gosse a tué Artie, murmura-t-il.

Personne ne releva.

— Ce gosse a tué Artie.

Vega dégoulinait de remords et il me traversa l'esprit qu'il venait de prendre une décision terrible : il avait l'intention de tuer Braxton. Mais ce soupçon éphémère s'évanouit bientôt devant une préoccupation plus pressante.

Par les fenêtres de l'appartement, j'aperçus le clignotement du gyrophare d'une voiture de police dans la rue. Je jetai un coup d'œil : Martin Gittens et une voiture de renforts, trois flics en tout. Ils étaient là pour moi.

34.

— Ben, il faut qu'on discute de nouveau.

— Suis-je en état d'arrestation ?

Gittens hésita et je me sentis obligé de désigner les deux flics en uniforme et les clignotants des voitures de patrouille en guise d'explication.

— Non.

— Alors pourquoi ces renforts ?

— Les gens ont tendance à perdre pied quand les choses commencent à mal tourner.

— Cela commence à mal tourner ?

Il eut un haussement d'épaules désolé.

— Je suis sûr que vous pouvez vous expliquer.

Le commissariat de la zone A-3 était juste à quelques rues de là. Nous retournâmes dans la même salle d'interrogatoire en parpaings où j'avais eu affaire à Lowery et Gittens vingt-quatre longues heures avant. Cette fois Lowery n'était pas là. Kurth avait pris sa place.

— Je veux Kelly dans cette salle.

— Non, dit Gittens. Désolé.

— Alors je n'ai rien à dire.

— À vous de choisir les règles, chef Truman. Vous pouvez vous contenter d'écouter, si vous voulez. Ou parler. À vous de voir.

— Et si je partais ? En invoquant mon droit de garder le silence ?

— Alors nous nous interrogerons. Ce qui est notre droit, chef Truman.

— Et si...

Je pensais que j'étais un flic et que l'on me devait une certaine courtoisie professionnelle. Mais quelque chose dans l'attitude de Gittens m'avertit qu'il était trop tard pour ça. Quelque chose derrière tout ce déploiement de politesse, tous ces respectueux chef Truman.

— Et si Kelly observait derrière le miroir ?

Gittens réfléchit un instant avant de décider d'accepter.

Kelly me pressa de ne pas participer du tout à l'interrogatoire. Il n'y avait rien à y gagner. Mais j'avais le sentiment – stupide – qu'il n'y avait rien à gagner à tergiverser juridiquement. Je voulais prouver mon innocence ; je voulais aller jusqu'au bout. Surtout, les soupçons continus de Gittens à mon égard éveillaient ma curiosité. Pourquoi moi ? Qu'avait-il en main ? Toute l'affaire était inexplicable. Il fallait que je voie les preuves contre moi, que j'y prenne un plaisir morbide. Freud a décrit le plaisir comme la libération de la tension ; au moins maintenant la tension provoquée par le fait d'être maintenu dans l'ignorance pourrait se relâcher.

Mais une fois Kelly sorti de la salle, c'est Kurth et non Gittens qui mena l'interrogatoire. Ce changement me déconcerta. L'affaire n'appartenait plus à un inspecteur local de l'A-3 mais à un inspecteur de la criminelle. On venait apparemment de passer le relais. Kurth ne déploya rien de la fausse gentillesse de Gittens. « Nous venons juste de récupérer ça. » Il posa un sac en plastique scellé sur la table. Il contenait un verre que l'on avait enfumé et poudré pour y relever les empreintes. L'écusson doré à la feuille du Ritz-Carlton était souillé de poudre noire.

Je m'efforçai consciemment de ralentir mon corps, de maîtriser les sous-systèmes – respiration, métabolisme, battements du cœur. Ne cligne pas des yeux, ne rougis pas, ne fais pas d'hyperventilation, ne réagis en aucune façon.

— Cela vient de la chambre où on a trouvé le corps de votre mère. Ce sont vos empreintes. Le liquide à l'intérieur révèle des traces de barbituriques.

Regard fixe.

— Voulez-vous expliquer comment vos empreintes ont atterri là-dessus ?

— Pas pour l'instant.

— C'est une arme de crime.

— Non, c'est faux, et vous le savez.

— Elle a bu le mélange ? Je croyais qu'il s'agissait de gélules.

Pas de réponse.

— Danziger avait ce verre. Allons, vous deviez le savoir. Il vous a interrogé à son sujet ? (Kurth attendit un instant. Puis il enchaîna :) Et ce n'est pas tout. Vidéo de vous à l'hôtel avec votre mère, à l'arrivée et à votre départ. Une vidéo, chef Truman. Nous n'avons pas encore procédé à une analyse de l'écriture sur la fiche d'hôtel, mais cela ne paraît pas vraiment nécessaire maintenant. Vous y étiez avec elle.

J'arborai un visage impassible, le seul bien précieux dont j'aie hérité en tant que fils d'Annie Truman.

— Vous l'avez aidée à le faire, n'est-ce pas ? (Un silence.) Vous l'avez assassinée.

— Ce n'est pas un assassinat.

— Dans cet État, si. Est-ce que Danziger vous l'a dit ? Il s'apprêtait à vous inculper, n'est-ce pas ? Bien sûr que oui. Que serait-il allé faire dans le Maine sinon vous en parler ? Il s'apprêtait à convoquer un grand jury. Un flic impliqué dans un meurtre – pardon, un suicide. Comment Danziger aurait-il pu détourner le regard ? Pas pour ça, pas cette fois.

— Je n'ai assassiné personne.

— Pourquoi le dossier de Danziger vous concernant ne se trouvait-il pas avec le reste de ses affaires ?

— Je ne vois pas de quoi vous parlez.

— Son dossier sur la mort de votre mère, la chemise, il n'y est pas. Il a dû l'apporter quand il est venu dans le Maine, puisqu'il avait l'intention de travailler sur cette affaire là-bas. Nous avons été obligés de le reconstituer à partir de copies et de dossiers qu'il conservait dans son ordinateur. Où est le dossier d'origine ?

— Je n'en ai pas la moindre idée.

Il posa une feuille sur la table.

— Est-ce votre signature ?

Je jetai un coup d'œil au document avec une insouciance feinte, théâtrale, comme j'aurais regardé un journal de la veille ou un menu des desserts.

— Poste de police de Versailles, lut Kurth. Arme disparue. Glock 17 de 9 mm. Arme signalée manquante du placard des pièces à conviction par l'officier Dick Ginoux. Dick suit le dossier. Signé Chef Benjamin W. Truman. 29 septembre 1997. Laissez-moi deviner, chef Truman : on n'a jamais retrouvé le Glock.

— Non.

— Une idée de l'endroit où il a pu passer ?

— Non.

— Seriez-vous surpris d'apprendre qu'un Glock 17 de 9 mm correspond à l'arme qui a tué Bob Danziger ?

— Allons, Kurth, j'ai vu le corps. Il doit y avoir une bonne centaine de modèles qui correspondent à la scène.

— Étrange coïncidence, pourtant, ne pensez-vous pas ? Une grosse arme comme ça disparaissant du placard des pièces à conviction d'un petit poste rural comme le vôtre ?

— On n'est jamais à l'abri d'une emmerde.

— On n'est jamais à l'abri d'une emmerde, répéta-t-il. Alors pourquoi n'avez-vous pas donné suite ? Cela ne vous inquiétait-il pas qu'un semi-automatique de 9 mm se balade dans la nature ?

— Bien sûr que cela m'inquiétait. Nous avons cherché, enquêté. Nous n'avons pas réussi à retrouver sa trace.

— Vous aviez accès à ce placard, n'est-ce pas ? Vous auriez pu prendre cette arme.

Je ne relevai pas.

— Chef Truman, pouvez-vous me dire pourquoi vous vous êtes rendu au bungalow ce matin-là ? Quand vous avez découvert le corps. Que faisiez-vous là-bas ?

— C'est la routine. Nous vérifions tous les bungalows pendant nos rondes.

— Même en hiver ?

— Surtout en hiver.

Gittens intervint. Il s'assit en face de moi, posa les mains sur la table et croisa les doigts. Une attitude pensive.

— Ben, vous devriez lâcher un peu de lest, avant que cela n'aille trop loin. Tous ces détails, vous voyez où cela mène, non ? Mobile, moyen, occasion. Danziger vous a dit qu'il s'apprêtait à examiner l'affaire d'assistance au suicide, alors vous l'avez tué, vous avez balancé l'arme quelque part, probablement dans le lac. Et ensuite vous avez pris le dossier de Danziger.

— C'est votre théorie ?

— C'est notre théorie, oui.

— Ce n'est pas vrai. Martin, je ne suis pas un assassin. Que voulez-vous que je vous dise ?

Gittens secoua la tête, tristement. Il aurait voulu en entendre davantage.

— Gittens, vous allez poursuivre cette affaire ?

— C'est au procureur de décider.

— Alors je suis libre de partir.

— Vous êtes libre de partir. À moins que vous n'ayez quelque chose à ajouter.

— Je ne l'ai pas fait. Je ne l'ai pas fait.

Et je me le répétai – pour me rappeler la vérité : *Je ne l'ai pas fait.* Le message de Braxton me revint également à l'esprit, pressant : *Trouvez Raul.*

35.

Exemplaire miniature du style colonial avec des volets verts, la maison de Danziger faisait partie d'un groupe de quatre demeures identiques dans une rue verdoyante en arc de cercle à West Roxbury. Elle n'avait rien d'un dortoir de célibataire. Un tablier de parterres de fleurs ceignait la maison – à l'arrière-plan, des arbustes à feuilles persistantes, devant des chrysanthèmes et des œillets d'Inde. On aurait dit une photo de classe, filles tout sourire devant, garçons mal à l'aise derrière.

J'étais venu, affolé, à la recherche de Raul – en quête d'un indice laissant croire que Robert Danziger avait localisé l'informateur responsable d'avoir placé Artie Trudell devant cette porte rouge dix ans plus tôt. Résoudre l'énigme de Raul était à présent une solution plus désespérée. J'étais le principal suspect. Je sentais le poids des preuves peser sur moi. J'avais l'air coupable, même à mes propres yeux. La panique s'infiltrait en moi.

Le jardin de Danziger était un modèle d'ordre. Deux fauteuils Adirondacks peints en couleurs vives, une volière qui était une copie conforme de la maison.

La partie supérieure de la porte de derrière, vitrée, était équipée d'un simple verrou, un dispositif de nature à ne décourager que les rares cambrioleurs trop impressionnables pour enfoncer le coude dedans. Je n'hésitai pas : fracas de verre. Ni alarme, ni aboiements de chien, rien. Ma première effraction, et personne ne s'en souciait.

La porte ouvrait sur une cuisine. Des casseroles de prix

étaient suspendues à une crémaillère en laiton, des livres et des magazines de cuisine occupaient deux étagères.

— Oh ! mon Dieu, marmonnai-je. Je suis chez Martha Stewart.

Dans le salon, des photos encadrées encombraient le manteau de la cheminée. Danziger figurait sur la plupart, souriant derrière ses lunettes à monture en écaille et sa moustache à la gauloise. Un autre homme apparaissait sur ces clichés – beau, plus jeune que Danziger – et il me vint à l'esprit que Danziger était gay. Cette idée me coupa dans mon élan. C'était le premier détail humain que j'apprenais sur son compte.

Jusque-là Danziger n'avait été guère plus qu'une abstraction. De temps à autre, quand j'y pensais, je lui attribuais le titre de *victime*, mais une des bizarreries des affaires de meurtre, c'est que, la victime étant impossible à connaître, elle devient irréelle. L'inspecteur n'a que le corps, lequel doit être objectivé en *preuve* pour des raisons professionnelles et psychologiques, sinon comment l'inspecteur affronterait-il ce rappel constant de sa propre mortalité, de l'aisance avec laquelle on transperce la chair et on met un terme à la vie ? Les enfants assassinés semblent susciter une réaction plus viscérale, plus émotionnelle, mais en général l'enquêteur garde ses distances. Chez lui, cependant, pour la première fois, Bob Danziger cessait d'être une abstraction. Il devenait une présence vivante. On le sentait. Je me rappelai Danziger lorsqu'il m'avait abordé à Versailles. On aurait cru qu'il allait demander son chemin : *Chef Truman ? Je me demandais si nous pouvions échanger quelques mots.*

J'examinai les photos de famille. Sur une, Danziger et son partenaire se tenaient côte à côte dans une soirée, vêtus de smokings. Sur une autre, on les voyait à la plage, se tenant par les épaules comme de vieux copains. Danziger portait une croix de David ; on distinguait une bague Claddagh au doigt de son partenaire. Des images tellement lourdes de sens, si suggestives de l'infinie complexité de la vie de Danziger, de toute vie.

Je fis le tour de la maison, ouvrant tiroirs et placards. Je regardai dans l'armoire à pharmacie de la salle de bains principale. (Un inventaire partiel : une brosse à dents en plastique vert et un tube plein de dentifrice Crest Extra Whitening, une tondeuse à barbe, une pince à épiler, de la mousse à raser Edge, un rasoir jetable Gillette, une brosse à poils durs avec des cheveux roux coincés dedans, un peigne fin pour la moustache, une crème hydratante avec un indice solaire de 15 pour le teint pâle de Danziger, deux tubes contenant des comprimés de codéine prescrits en 1995 pour un mal de dos.)

Dans le bureau, je m'assis sur le fauteuil au siège aplati devant la télé. Une édition cartonnée de *Rabbit at Rest* d'Updike était posée près du fauteuil. Il s'était servi du rabat de la jaquette pour marquer sa page et j'ouvris le livre pour en lire quelques lignes. À l'intérieur de la couverture, en encre bleue, figurait l'inscription : *Robt. Danziger, 17/1/92.*

Je l'imaginai alors en ce 17 janvier 1992, écrivant son nom pour la postérité. Il ne pouvait pas savoir, n'est-ce pas ? Quand Bobby Danziger s'était penché sur cette page pour y apposer son nom, lorsqu'il avait décidé après quelque hésitation d'abréger son prénom en Robt. – un artifice calculé pour masquer l'attention qu'il accordait à sa signature – il ne pouvait pas savoir que la trajectoire fatale de sa vie était déjà tracée, la chaîne de coïncidences déjà en mouvement, l'amenant dans ce bungalow du Maine cinq ans et demi plus tard. En fait, la chaîne de causalité avait commencé encore plus tôt, en 1977 avec le meurtre de flic au Kilmarnock Pub – un événement que j'avais déjà relié avec les premières cellules meurtrières se divisant et se métastasant dans le cerveau de ma mère. Peut-être Fasulo avait-il tiré la balle mortelle dans la tête du policier à l'instant exact où la première cellule maligne s'était divisée en deux. Il devait exister un schéma dans ces événements, un système, sinon tout se réduit au hasard et à l'absurdité, non ? Sinon c'est juste de la stupidité – les camions passant par-dessus des garde-fous, des plaques envahissant les artères des cœurs masculins, des systèmes hydrauliques tombant en panne au-dessus de l'Atlantique Nord. Chacun de nous s'avançant sans le savoir vers sa propre arrivée aléatoire, gratuite. Et pourtant, par une journée pareille – bruissant de feuilles mortes avec un avant-goût d'odeur d'hiver, vivante du sentiment de dégénérescence et de régénération ; ce genre de journée si particulière à la Nouvelle-Angleterre –, qui voudrait le savoir ? Qui inverserait la course d'une flèche ? Pourquoi Danziger voudrait-il prévisualiser sa propre extinction, quand, où et comment ? Pourquoi voudrait-il voir son propre corps sur le plancher de ce bungalow, les éclaboussures de sang et de fragments d'os sur les murs ? Pour choisir un chemin différent ? S'il avait vu la fin, aurait-il laissé le meurtre d'Artie Trudell non résolu ? Se serait-il précipité dans un monastère pour échapper à son destin ? Peut-être. Mais il ne le savait pas. Il a suivi les ramifications jusqu'à ce qu'il arrive dans ce bungalow et que ce soit idiot ou non, il en est ainsi. Nul ne sait ce qui l'attend.

Dans un petit cabinet de travail au premier étage, je triai papiers et dossiers en quête de quelque chose ayant un rapport avec l'affaire Trudell. Je fouillai dans les papiers personnels de Danziger, épluchai des chemises étiquetées Auto et Impôts et Maison. Rien sur Raul, ni Trudell, ni rien d'autre. La pièce manquait d'air. Des particules de poussière flottaient dans le soleil.

Derrière moi, une voix rauque et grinçante – une voix sortie d'un film de gangster – dit :

— Qu'est-ce que vous fichez ici ?

Je sursautai.

Edmund Kurth se tenait sur le seuil.

— Bon Dieu, Ed, vous surprenez toujours les gens comme ça ?

— Qu'est-ce que vous faites ici ?

— Je... j'effectue une fouille.

— Une fouille ? Vous avez un mandat ?

— Je n'ai pas besoin de mandat pour fouiller la maison d'un mort.

— Vous n'avez pas besoin de mandat si vous êtes un flic. Comme vous n'êtes pas flic, c'est de la violation de domicile. Je pourrais vous arrêter.

— Vous voulez voir mon insigne, Ed ?

— Votre insigne ne veut rien dire ici. On vous a dit de partir.

— Alors vous allez m'arrêter pour violation de domicile.

— Peut-être.

Kurth s'attardait sur le seuil. Il était animé de la férocité flamboyante d'un boxeur pendant l'échange de regards avant le début du match. Le mauvais œil. Il dégageait une telle menace bestiale et naturelle – l'énergie tout juste maîtrisée – que sa présence même impliquait un danger.

— Ça ne va pas vous rendre service d'avoir été surpris ici. Vous ne faites qu'aggraver votre cas.

Je pressai mes poings contre mes tempes, l'image même, assurément, de l'homme coupable.

— Qu'est-ce que vous cherchez ?

— Je ne sais pas exactement.

— On a déjà fouillé cet endroit. (Il pénétra dans la pièce.) Il n'y a plus rien à trouver.

Sur le bureau de Danziger, Kurth prit une lame rudimentaire, un souvenir d'un vieux procès, certainement. L'arme se résumait à une lame d'une trentaine de centimètres de long avec du sparadrap enroulé à une extrémité en guise de manche.

— Vous avez déjà vu ça, chef Truman ?

— Non.

— On les fabrique en prison. On prend le pied d'un lit ou d'une table et on l'aiguise comme un couteau.

— Intéressant, Ed. Merci pour le renseignement.

Il ignora le sarcasme.

— Ce n'est pas un si bon couteau que ça, pas assez tranchant. Mais cela fait le boulot.

Il tenait la lame à une trentaine de centimètres de mon nez. Posée sur sa paume, probablement pour bien montrer qu'il n'avait pas l'intention de me suriner. Pas très réconfortant. Il resta là à réfléchir un instant, puis retourna l'arme et me la tendit par le manche. Voyant que je ne la prenais pas, il reposa soigneusement ce drôle de poignard à sa place.

— Encore une fois, chef Truman. Qu'est-ce que vous faites ici ?

— Vous ne me croiriez pas.

— Vous seriez surpris.

Que me restait-il à ce moment-là sinon lui faire confiance ?

— Je sais pourquoi Danziger a été tué.

— Oui ? Pourquoi ?

— Il étudiait l'affaire Arthur Trudell, de 1987. Je pense qu'il a découvert l'assassin de Trudell.

— Alors qui a fait le coup ? Braxton ?

— Je ne sais pas. Pas encore.

— D'où sortez-vous ce renseignement ?

Je tiquai.

— Braxton.

Aussi étonnant que cela puisse paraître, Kurth sourit. Il me regarda et sourit, et le soleil illumina les dépressions dans ses joues que des oiseaux semblaient avoir creusées avec leur bec.

— C'est trop parfait.

— Kurth, il faut que vous enquêtiez là-dessus. Il le faut.

— Pourquoi ?

— Parce que c'est la vérité. (Je cherchai une raison plus convaincante.) Et parce que c'est votre boulot.

— J'enquêterai sur ce que vous voudrez. À une condition : vous me dites tout ce que vous savez à ce sujet. Pas de conneries de cinquième amendement, pas d'avocat. Vous dites la vérité pour une fois, monsieur le péquenaud.

— Bien entendu. Je vous dirai tout ce que je sais. Mais jetez-y un coup d'œil, s'il vous plaît.

— D'accord, alors accouchez.

36.

Les points d'inflexion de l'histoire sont rarement visibles pour les acteurs qui vivent les événements en temps réel. Les méta-schémas n'apparaissent qu'avec le recul. Je comprends à présent que ce jour où Gittens et Kurth m'accusèrent fut un de ces instants charnières. Après cela, l'enquête parut se détourner de moi, du moins provisoirement. C'est un schéma assez courant dans les enquêtes criminelles. Les inspecteurs se ruent sur une cible possible, puis un nouveau suspect se présente, et les inspecteurs changent de direction comme des bancs de poissons. On a beau disserter sur la nécessité de « suivre la piste des preuves », généralement cela ne se passe pas comme ça ; il existe de nombreuses pistes possibles et les idées préconçues des enquêteurs influencent ce qu'ils verront et retiendront. Le fait que je ne tarderais pas à être rayé de la liste des suspects du meurtre de Robert Danziger ne m'était pas apparent à l'époque, et je passai un week-end d'incertitude atroce, à tenter de réprimer mon hystérie, à imaginer des scénarios de mon arrestation, de mon procès, de ma condamnation à la prison. Le lundi matin – le 3 novembre – j'avais les orbites creusées par l'épuisement et l'angoisse.

Ce matin-là John Kelly et moi retournâmes au tribunal de Mission Flats où, ne faisant plus partie de l'équipe de police, nous suivrions l'enquête de places moins bien situées.

— La cour.

À neuf heures une, il y eut un frémissement dans la salle

quand le public se leva alors que des retardataires se ruaient à l'intérieur pour trouver un bout de banc.

Un des officiers de justice, un homme énorme et bedonnant dans un uniforme de polyester bleu, gargouilla une proclamation, qu'il exhala en deux murmures grognons. « OyezOyez Oyezl'audiencedutribunald'instancedel'ÉtatduMassachusetts pourledistrictdeMissionFlatsestouverte – un temps – présidéeparl'honorableHiltonZ.Belljugeassesseurdutribunald'instance.

— Amen, soupira un des avocats.

Face au bureau du juge, des procureurs et des avocats de la défense murmuraient en souriant. Le bavardage quotidien.

Le juge Bell émergea d'une porte latérale côté cour et monta sur l'estrade, sa robe ouverte gonflée derrière lui.

— Commonwealth contre Gerald McNeese, troisième du nom ! s'empressa d'annoncer le greffier, comme s'il avait attendu tout le week-end l'occasion de le faire. Numéro quatre-vingt-dix-sept tiret sept-sept-huit-huit. Affaire présentée sur une requête de maître Beck.

McNeese s'encadra dans la petite fenêtre sans vitre sur le côté du tribunal, le banc des accusés. Une ombre de cheveux sur son crâne rasé. Il eut un sourire suffisant. Visiblement il savait ce qui l'attendait.

À l'opposé de la salle, Kurth et Gittens l'observaient.

— Je vous écoute, maître Beck, dit le juge, une note fataliste dans la voix.

Il savait ce qui venait de se passer, ce que Beck allait dire. Mais il y avait un protocole à respecter.

Beck traversa le tribunal pour se planter devant le banc des accusés, au rythme de cymbales des pièces cliquetant dans ses poches.

— Votre Honneur, j'ai présenté une requête de non-lieu fondée sur un changement tragique des circonstances. Depuis la mise en accusation, un homme du nom de Raymond Ratleff a été trouvé mort dans Franklin Park, apparemment assassiné.

Kurth changea de position.

— M. Ratleff était un témoin essentiel dans cette affaire, poursuivit Beck, l'unique témoin – la seule preuve d'aucune sorte – qui ait situé mon client sur le lieu du crime. Si vous vous rappelez bien, mon client aurait agressé M. Ratleff en lui cognant la tête contre le trottoir, accusation qu'il récuse avec énergie. Il semblerait que, sans M. Ratleff, aucune preuve ne vienne étayer cette accusation. Je demanderai donc à Ms Kelly si elle dispose d'éléments qui...

— Maître Beck, aboya le juge, nous sommes dans mon tribunal. Si quelqu'un doit demander quelque chose à Ms Kelly, c'est moi.

— Très bien, je demanderai donc à la cour de s'enquérir auprès de Ms Kelly si cette affaire risque un jour de passer en jugement. Sinon, l'accusation devrait être annulée et mon client libéré sur-le-champ.

— Sur-le-champ, répéta le juge pour lui-même. Qu'en pensez-vous, Ms Kelly ? Disposez-vous d'éléments probants ?

Caroline se leva.

— Il y a du sang, dit-elle sans conviction. Il était sur les chaussures de l'accusé. Il est au labo maintenant.

— Juste du sang ? Rien d'autre ? Aucun moyen de déterminer quand ou comment le sang est arrivé là, même en supposant qu'il s'agisse de celui de la victime ?

— Non.

— Voulez-vous vous exprimer sur la requête ?

Caroline secoua la tête.

— Non.

C'est la première et dernière fois que je l'ai vue abandonner.

Le juge Bell se massa le menton en une pantomime de profonde réflexion. En vérité, la décision était simple. Avec la mort de Ray Rat, G-Mac avait droit à une libération immédiate. Mais tout était si déplaisant, une trahison si maladroite. Le juge se voyait comme un gentleman juriste, un Holmes contemporain. Cette histoire était carrément indigne de lui. Il fronça le nez devant les manipulations de G-Mac et hésita. Mais il n'avait pas le choix.

— La requête est accordée, renifla-t-il.

McNeese poussa un hurlement de joie. Une femme assise près de nous au fond du tribunal l'imita.

— Maître Beck ! le réprimanda le juge. Dites à votre client...

Il ne se donna pas la peine de terminer. Quelle différence cela faisait-il si G-Mac laissait libre cours à sa jubilation ? Le mal était fait.

Un officier de justice déverrouilla les menottes et les fers du prisonnier et Beck escorta G-Mac hors du tribunal.

La femme, une très belle Hispano-Américaine qui semblait âgée d'une petite vingtaine d'années, sauta sur place avec un enthousiasme adolescent, puis suivit G-Mac dans le couloir où elle glapit de nouveau de contentement.

Là, Kurth péta les plombs. Il leur emboîta le pas. À la porte du tribunal, Kelly avança une main pour l'arrêter – « Ed, non » – mais Kurth le repoussa. Il sortit dans le couloir où McNeese attendait près des ascenseurs.

Kelly suivit Kurth. J'étais juste derrière Kelly.

Beck qui venait de donner des instructions à McNeese et la petite amie de McNeese qui lui caressait l'épaule levèrent les yeux avec des expressions perplexes. Qui c'est ça ? Un flic ? Le flippant à la peau grêlée ? Il vient vers nous. Veut-il nous dire quelque chose ? Avons-nous oublié quelque chose ?

Kurth avançait toujours malgré Kelly qui le suppliait de ralentir.

Beck, oubliant probablement qu'il tenait un bloc, leva la main pour arrêter Kurth.

Kurth arracha le bloc de la main de l'avocat. Il se planta à quelques centimètres de McNeese qui, bien que largement plus grand, se renversa en arrière et tourna la tête. Kurth lui enfonça un doigt dans la poitrine.

— Tu crois que c'est fini ? Tu crois que c'est fini ?

— Ed, pas ici, ce n'est pas le moment, dit Kelly.

Je posai une main sur le dos de Kurth, dans l'espoir de le calmer comme on le fait avec un enfant qui tousse. Son dos dégageait une dureté animale, une suggestion de force que je n'avais pas du tout envie de tester.

— Réponds-moi. Tu crois que c'est un putain de jeu ?

— Hé, éloignez ce dingue de moi.

Les gens commençaient à sortir du tribunal, attirés par le bruit.

Caroline se faufila jusqu'au premier rang de la foule.

— Oh ! mon Dieu, Ed.

À cet instant, la porte de l'ascenseur s'ouvrit sur une ravissante vieille dame en imperméable rouge. Kurth la fusilla du regard, G-Mac, aussi. Les yeux de la dame s'écarquillèrent. La porte de l'ascenseur se referma.

John Kelly se plaça entre les deux hommes et ordonna à Kurth de reculer.

Kurth pointa le doigt vers le vieil homme, puis il se reprit et recula.

— C'est ça, intervint McNeese, recule, connard.

— Ta gueule, fit Kelly.

McNeese se tut.

— Ben, dit Kelly, faites sortir maître Beck et son client d'ici.

— Hé, petite merde, siffla Kurth, dis à Braxton que c'était une grosse erreur. Dis-lui que ce n'est pas fini.

— Il est intouchable, ricana McNeese.

— Ben ! reprit Kelly. Faites-les sortir d'ici.

La porte de l'ascenseur se rouvrit et la dame aux cheveux argentés jeta un coup d'œil à l'extérieur.

— Excusez-moi, fit-elle, hésitante, où se trouve le bureau du tribunal des successions ?

Caroline leva quatre doigts.

— Quatrième, l'informai-je.

— Merci, monsieur l'agent.

Sur la place balayée par les courants d'air devant le tribunal, je pris Max Beck à part.

— Il faut que vous transmettiez un message à Braxton. (Des feuilles et des papiers de bonbon voletaient autour de nous.) Dites-lui que je veux le voir. J'ai besoin de davantage de renseignements.

— Vous plaisantez ou quoi ? Je ne dirai rien de la sorte à Harold. Vous avez entendu parler de la Constitution ?

— Maître, transmettez-lui juste ce message.

Je lui serrai le biceps.

McNeese objecta au nom de son avocat.

— Hé !

— Ta gueule, répliquai-je comme Kelly quelques minutes plus tôt. Et McNeese la ferma, ce qui nous surprit tous.

— J'ai besoin de l'aide de Harold, dis-je à Beck.

— Vous voulez bien me dire de quoi il s'agit ?

— Je ne peux pas. Désolé. Si je vous le disais, vous seriez obligé de l'utiliser.

L'avocat me contempla un instant.

— Est-ce que ça va, chef Truman ?

— Non. Prévenez Harold.

— D'accord. Je lui transmettrai le message. Puis je lui conseillerai de l'ignorer.

37.

Pendant que Kelly bavardait avec un des vieux habitués du tribunal, j'appelai Versailles d'une cabine pour prendre des nouvelles.

Dick Ginoux répondit. Je l'imaginai au poste, les pieds posés sur un tiroir ouvert, lunettes remontées sur son crâne chauve, *USA Today* étalé sur le bureau.

— Allô ?

— Dick ? C'est comme ça que tu réponds au téléphone ?

— Hé, chef Truman. Oui.

— Et la formule « poste de police de Versailles » ?

— Enfin, Ben, les gens doivent bien savoir qui ils viennent d'appeler.

— C'est pas ça l'important. L'important, c'est de faire professionnel.

— Pour qui ?

Une fois n'est pas coutume, Dick passa outre aux commérages de Versailles. Il brûlait de me révéler plus important.

— Jimmy Lownes – tu connais Jimmy – il m'a téléphoné l'autre jour et il m'a dit comme ça : « Il paraît que vous enquêtez sur une Lexus blanche. » J'avais pas réussi à le joindre avant. Il était parti aux lacs ou ailleurs pour le week-end. Alors quand il est rentré, quelqu'un lui a dit que j'avais posé des questions là-dessus. Quoi qu'il en soit, Jimmy dit avoir vu le type sur Three Miles Road. Ils se sont tous les deux arrêtés à un stop, au croisement avec la 2A et ils se sont regardés. Il dit qu'il a vu le môme. Il se rappelait pas bien son visage, mais le gamin avait une coiffure bizarre, genre rasé sur les côtés avec une petite queue-de-cheval style japonais. Tu vois, comme un samouraï ? Alors je l'ai fait venir au poste pour lui montrer les photos d'identité judiciaire de ce Braxton. Et Jimmy pense que c'est lui. Il en était presque certain. C'était ton Braxton, comme les autres ont dit.

J'étais abasourdi. Non seulement à cause de l'identification mais aussi parce que c'était l'œuvre de Dick.

— Dick, tu as fait tout ça ?

— Oui, chef.

— C'est génial.

— Je me suis dit que tu serais content de l'apprendre.

Nous parlions de choses différentes, mais ce n'était pas grave.

— Quitte pas, Ben, il y a quelqu'un qui veut te saluer.

Suivit une série de clics et de voix étouffées. Malgré la main que Dick avait posée sur le combiné, j'entendis un :

— Allez, dis-lui bonjour.

Une grosse basse jaillit du petit écouteur.

— Salut, Ben.

— Salut, papa.

— Tout va bien là-bas ?

— Ça va à peu près, papa.

Silence.

Une autre conversation était audible sur la ligne. Des voix de femmes, lointaines, qui échangeaient des paroles indistinctes sur un ton enjoué. Deux femmes inconscientes de l'existence de Claude et de Benjamin Truman et de toute notre histoire. Il devait y avoir des millions – des milliards – de voix murmurant sur le réseau.

— Qu'est-ce que tu veux dire, « à peu près » ? Il y a quelque chose qui cloche, Ben ?

— Oui, on peut dire ça.

— De quoi s'agit-il ?

Qu'est-ce que je pouvais lui dire ? Que son fils était soupçonné de meurtre ? Et quel effet la nouvelle lui ferait-elle ?

— Ce n'est rien, papa. Ne t'inquiète pas.

— Tu dis c'est rien comme si c'était peut-être important.

— Non, c'est vraiment rien. Je te raconterai tout à mon retour. Ne t'inquiète pas. Et ne bois rien.

— Ne... Je ne...

J'entendis son souffle sortir à grosses bouffées de ses narines pendant qu'il reprenait son calme. Il s'éclaircit la gorge.

— Je ne bois pas.

— Bien.

— Tu veux que je vienne, Ben ?

— Non, papa. Ne fais pas ça.

— J'ai l'impression que je devrais être là-bas avec toi. J'ai le sentiment de te laisser...

— Non. Reste où tu es. Il n'y a pas de quoi s'inquiéter. Ce n'est rien.

— Rien n'est jamais grave avec toi.

— Papa, il faut que tu fasses ce que je dis, rien que cette fois. Ne viens pas. Tu comprends ?

— Je peux venir rien que pour te voir, pour m'assurer que tu vas bien.

— Non. Je vais bien, je te le jure.

Je le voyais dans le petit poste, tenant la base de l'appareil d'une main et l'écouteur de l'autre, comme à son habitude.

— Tu ne peux pas intervenir, papa. Il faut que je me débrouille tout seul. Tout ira bien.

J'avais envie de lui en dire plus. J'avais envie de tout lui raconter. Et j'avais envie de l'entendre me dire que, pour m'atteindre, il faudrait d'abord lui passer sur le corps – et que personne ne passait sur le corps de Claude Truman. Mais c'était un problème qu'il ne pouvait pas régler. Il ne pouvait pas lui tordre le bras ou l'obliger à se soumettre. Il ne pouvait pas lui apporter de solution. J'étais tout seul.

Maintenant, avec le recul, je suis content de ne pas lui en avoir dit davantage. À peine quelques heures plus tard, l'affaire serait résolue et je serais lavé de tout soupçon. Il n'était pas nécessaire d'inquiéter le vieux.

Vers deux heures cet après-midi-là, Gittens m'appela en personne pour m'annoncer que c'était fini.

— Vous pouvez respirer de nouveau.

Je n'étais plus l'assassin de Danziger.

En fait, Gerald McNeese se trompait – Braxton n'était pas intouchable après tout.

38.

Conneries était le mot préféré de John Kelly, son expression pour désigner tout ce qu'il ne respectait pas. Les Kennedy, la règle du batteur désigné, le bureau du ministre de la Justice, la radio nationale – tout ça, c'était des conneries. Et il y avait pas mal de conneries en ce bas monde, selon John Kelly. On ne voyait pas toujours très bien ce qui était condamnable, mais Kelly s'y entendait pour tout diviser en deux catégories : les conneries et le reste. Le système était extrêmement simple pour lui, rien que des zéros et des un. Je ne possédais pas encore l'art de distinguer les conneries du reste, notamment dans l'univers non binaire qu'habitent les flics. Je fus donc surpris d'entendre Kelly qualifier le comportement de Gittens cet après-midi-là de conneries.

Il est vrai que lorsque nous le retrouvâmes au bureau de la criminelle vers deux heures, l'inspecteur fanfaronnait.

— Ben Truman ! s'exclama-t-il, radieux. On dirait que je viens de vous sauver la mise ! (Il me serra dans ses bras, fêtant le retour de l'enfant prodigue.) Sans rancune. Rien qu'un énorme malentendu.

Et cela ne s'arrêta pas à Gittens. Dans le bureau de la criminelle, tous les flics assis à leur bureau souriaient et riaient, leur gobelet de café à la main. L'angoisse réprimée d'une enquête au point mort venait de se libérer.

Gittens annonça à la cantonade :

— Je commence à en avoir marre de vous tenir tous à bout de bras !

— Conneries, me murmura Kelly.

Je n'en étais pas si sûr. Gittens n'avait-il pas le droit d'être exubérant ? Il avait plongé dans Mission Flats tel un pêcheur de perles avec un couteau entre les dents et en était ressorti avec la solution. Un vrai tour de force. Et le fait que – en trouvant le tueur de Danziger et peut-être aussi celui de Trudell – Gittens m'avait blanchi ne faisait que magnifier sa réussite. J'attribuai donc le commentaire de Kelly à un réflexe de vieux con et, intérieurement du moins, je me réjouis avec les autres.

La cause de toute cette autosatisfaction était assise dans une salle d'interrogatoire : un gamin terreux, couleur caramel, qui se tortillait à cause d'une crise d'hémorroïdes fantôme. Andre James me fit l'effet de ces garçons qui respirent la vulnérabilité, ces garçons sensibles au bord du terrain de jeux dont la mentalité de victime crève tellement les yeux qu'elle suscite à la fois la pitié et son contraire, un désir de prendre ses distances, pour éviter le crash à venir. Comment diable un gamin pareil se retrouvait-il impliqué avec une bande de malfrats comme celle de Braxton ? Le père du garçon était assis à côté de lui, sérieux, menu, un pratiquant à lunettes aux montures en écaille.

Gittens nous invita à « venir écouter l'histoire de ce gosse. De la putain de dynamite ».

Je serrai la main moite du gosse, puis celle de son père. Gittens nous présenta Kelly et moi comme « les agents menant l'enquête » et ordonna à Andre de nous raconter l'histoire « comme tu me l'as racontée ».

Andre gigota jusqu'à ce que son père le gronde.

— Fais ce que le policier t'a dit. (Le père nous assura :) Il désire vous aider.

Visiblement le môme désirait tout sauf ça. Il ne se décida à parler qu'après une nouvelle crise de gigotements et un regard sévère de son père.

— C'est comme j'ai dit à l'inspecteur Gittens. J'ai vu Harold il y a environ deux semaines. Sa mère vit dans l'appartement à côté du nôtre à Grove Park. Harold n'y habite plus, mais sa mère si. Je ne le connais pas vraiment. Je connais sa mère. C'est une gentille dame. Je connaissais un peu Harold, à l'époque, avant qu'il pète les plombs. Il passe encore de temps à autre, il aide les gens dans le quartier ; il donne parfois de l'argent à ceux qui ne peuvent pas acheter de quoi manger et le reste, comme les vieux, vous voyez ?

Gittens fit tourner un doigt. *Continue.*

— Donc je sors de l'ascenseur et je vois Harold en haut de l'escalier. Alors je lui dis comme ça : « Hé, Brax, qu'est-ce qui se passe ? » Genre « Pourquoi tu prends l'escalier ? » parce qu'on vit au septième étage, d'accord ? Il répond pas vraiment. Ou juste « Salut, Dre » ou un truc comme ça. Et il entre dans l'appartement de sa mère et je me dis : *et alors !* et je rentre chez moi.

— Est-ce que quelque chose vous a frappé dans son apparence ?

Il lança un coup d'œil nerveux à Gittens.

— Ça va, Andre, le rassurai-je. Je demande, c'est tout. Vous avez vu des marques sur lui ?

— Quel genre de marques ?

— Des égratignures, des taches, des vêtements déchirés.

— Non, je me souviens pas d'un truc comme ça. (Il jeta un nouveau coup d'œil à Gittens et poursuivit :) En tout cas, j'ai entendu Harold faire du boucan, comme s'il remuait des casseroles et des poêles, voyez. Parce que les murs sont très, très minces. On entend tout. Parfois on entend tellement bien qu'on peut suivre les émissions de télé chez le voisin.

Gittens leva les yeux au ciel et agita son doigt.

— Alors je me dis que Harold, il se conduit pas normalement, et puis je l'entends ressortir dans l'entrée. Ça me rend curieux, comme s'il se passait quelque chose. J'ouvre la porte et je trouve Harold sur le palier avec un seau et une bouteille de Javel. Super-étrange. Je savais que Harold s'était pas tapé tous les étages à pied rien que pour faire sa lessive dans le couloir.

Andre sourit de sa plaisanterie et vérifia d'un regard si on la goûtait aussi. Son désir de faire plaisir était aussi évident que la queue d'un chien qui remue.

— Alors Harold, il avait de l'eau dans le seau et il verse l'eau de Javel dedans et il y plonge les mains et il se met à les laver. Je me suis dit que ça devait brûler, mais il se lave les mains et les bras. Je sors une tête et je lui demande : « Brax, qu'est-ce que tu fais ? Ce truc va t'abîmer la peau » puis je lâche une blague du genre « le noir partira pas » et « Tu te prends pour

Michael Jackson ? ». Sauf que Harold ne répond pas, il me dit seulement : « Ferme la porte et occupe-toi de tes fesses. »

Je l'interrompis de nouveau.

— Vous avez vu quelque chose sur ses mains ? Qu'est-ce qu'il nettoyait ?

— J'ai rien vu du tout. Je sais pas ce que c'était, mais comme il devait pas vouloir en faire tomber par terre dans l'appartement de sa mère, il a sorti le seau dans le couloir. Quoi qu'il en soit, quand il a eu fini, il est rentré.

Je regardai Gittens et haussai les épaules. *Et alors ?*

— Continue, lui ordonna Gittens.

— Comme j'ai dit, ça me chiffonnait, alors j'ai continué à écouter. Et les murs sont vraiment minces, d'accord ? J'entendais tout. J'entends Harold au téléphone qui dit à quelqu'un : « On a plus à se soucier du proc. » Puis il continue à parler et il dit un truc comme : « Je lui ai filé une bastos et puis j'ai balisé. »

— Balisé ?

— Ouais, c'est ce qu'il a dit, balisé.

— Qu'est-ce que ça veut dire ?

— Je sais pas. Qu'il a eu la trouille.

— Il a ajouté autre chose ?

— Non, il a juste dit : « J'ai filé une bastos au proc, puis j'ai balisé, puis je me suis barré et j'ai balancé sa bagnole dans le lac pour que personne le trouve avant un moment. »

— Comme ça ?

— Comme ça.

Le môme regarda Gittens pour confirmer qu'il n'avait rien oublié.

— Qu'a-t-il dit d'autre ? insistai-je.

— Je ne sais pas. Je n'ai pas dû entendre le reste.

— Je croyais que vous entendiez tout.

— Oui. Je veux dire que je me rappelle pas toutes ses paroles.

— Mais vous vous souvenez de cette partie ?

— Ouais. Je me souviens de cette partie.

Kelly écoutait d'un angle de la salle.

— Vous avez raconté ça à quelqu'un avant aujourd'hui ?

— Non. Je voulais le dire à personne parce que c'est le gang et tout le monde sait qu'il vaut mieux pas se mêler de leurs affaires. Et puis l'officier Gittens est venu ce matin et il a demandé, alors j'ai décidé de dire la vérité.

— Vous avez attendu tout ce temps et puis tout à coup, vous avez décidé de dire la vérité.

— Personne m'a demandé avant.

J'étudiai la face de lune du gamin.

Gittens intervint.

— Andre a un peu travaillé pour moi. Il s'est fait arrêter pour une petite histoire de drogue. Il s'est laissé persuader de faire une bêtise. Les glisseurs recrutent les gamins bien pour jouer les mules parce qu'ils savent que les flics ne les embêteront pas. Andre s'est fait prendre avec un peu de coke. Je lui ai offert de se racheter en travaillant.

Le môme regarda Gittens avec ferveur.

— Il a fait un peu de travail incognito pour nous, des achats en dehors des Flats où personne ne le connaît. Parfois quand il apprend quelque chose, il nous le transmet. Il se débrouille très bien. Dans six mois, s'il remplit sa part du marché, nous abandonnerons l'accusation contre lui. Andre n'a pas de casier. Il a décroché des supernotes à l'école. Sa place est à l'université, pas en prison.

Le père posa sa main sur celle d'Andre pour le rassurer, le protéger.

Le môme regarda la main de son père. Il semblait comprendre que le vieil homme ne pouvait pas grand-chose pour lui maintenant.

— Andre, vous êtes sûr de tout ce que vous venez de nous dire ?

— Oui.

— Et vous seriez disposé à le répéter devant le grand jury. Et à un procès ?

— S'il le faut.

Dans le couloir, j'interrogeai Gittens.

— Ce môme viendra vraiment témoigner ?

— Laissez-moi vous dire un truc à propos d'Andre. Il faut que je le retienne. Il veut toujours en faire davantage. Nous ne pouvons même plus l'utiliser dans les Flats parce que tout le monde sait qu'il coopère. On le surnomme le Collabo. Personne ne veut lui adresser la parole, alors lui vendre quelque chose ! Maintenant il est impatient de faire d'autres achats dans d'autres quartiers, Roxbury, Dorchester. Il ne s'en lasse pas. Croyez-moi, Andre témoignera.

— Je m'inquiète pour lui. Braxton va le tuer.

— Eh bien, répondit Gittens, philosophe, comme on fait son lit, on se couche. Nous ne faisons que lui offrir une porte de sortie.

— Pour un premier délit de simple possession ? Est-ce qu'on ne l'aurait pas libéré de toute façon ?

— Peut-être. (Gittens haussa les épaules.) Mais il faut ce qu'il faut. Cela ne m'amuse pas non plus de mettre dans le pétrin un gosse comme ça. Andre est un bon gamin. Mais l'alternative, c'est de laisser Braxton en liberté et courir le risque qu'il tue quelqu'un d'autre. En plus, je n'ai pas transformé Andre en témoin. Il se trouve qu'il habite là-bas. Faut bien que quelqu'un y vive.

Kelly croisa les bras, apparemment satisfait de cette explication. C'était une partie pas simple qu'Andre avait choisi de jouer. Et cela deviendrait encore moins simple quand Braxton aurait vent de son témoignage.

— Ça vous ennuie si je lui parle seul ? demandai-je à Gittens.

— Je vous en prie. Mais Caroline Kelly va débarquer. Elle ne va pas apprécier qu'on prenne trop de dépositions. Cela crée des incohérences.

Dans la salle d'interrogatoire, Andre et son père avaient tous les deux les mains posées sur la table, doigts croisés, comme s'ils priaient.

— Monsieur, voyez-vous un inconvénient à ce que je m'entretienne seul avec Andre ?

— Non, bien sûr que non.

Il se leva lentement, répugnant à laisser son fils. M. James se tenait là debout avec ses lunettes et ses épaules étroites, hésitant auprès de son fils, impuissant, et je projetai sur lui toutes les vertus du salarié de base : humilité, dignité, décence, discipline, générosité. Je le vis se lever avant l'aube pour attraper un bus. Lire tranquillement le soir. Se vanter de son fils qui allait entrer à l'université. J'avais envie de lui dire : *Prenez votre fils par la main et sortez d'ici. Vite. Disparaissez. Arrêtez d'être aussi vertueux. Ne dites pas la vérité pour une fois. Restez en dehors de tout cela.*

— Tout va bien, lui dis-je. Je veux juste lui poser quelques questions de plus.

— Andre, repris-je dès que son père fut sorti, ce qui me tracasse, c'est que vous ayez attendu si longtemps pour confier cela à quelqu'un.

— J'avais peur.

— Mais vous n'avez pas peur maintenant.

— J'ai parlé avec l'inspecteur Gittens. Il m'a dit que c'était la chose à faire.

— C'est la chose à faire, Andre. Je veux juste être sûr. Je sais que Gittens vous fait travailler. Je veux juste être sûr que c'est la vérité.

— C'est la vérité. La vérité vraie.

— Et si je vous disais que je pourrais faire classer cette affaire de drogue et que vous n'auriez plus cette épée de Damoclès au-dessus de la tête – vous ne devriez rien ni à Gittens, ni au procureur, ni à personne – ce serait toujours la vérité ?

Il sourit pour me faire comprendre qu'il avait compris la question, qu'il pigeait la ruse.

— La vérité est la vérité.

Et c'est vrai.

Le temps que Kurth et Caroline arrivent, nous commencions à comprendre ce que les inspecteurs de la criminelle savaient déjà : on venait de résoudre l'affaire. Les preuves contre Braxton venaient d'atteindre une masse critique et, par une mystérieuse fission, une affaire très complexe était soudain devenue très simple. Harold Braxton avait assassiné Danziger. Il restait encore des détails à régler. Nous n'avions pas retrouvé d'arme ni d'autre preuve physique. Et le mobile restait flou. (Même là, nous avions réduit la liste à quelques rares candidats possibles. Choisissez votre mobile préféré : *a*) pour protéger un lieutenant de gang, Gerald McNeese, que Danziger s'apprêtait à poursuivre, *b*) pour protéger Braxton lui-même en s'assurant que G-Mac ne conclurait pas de marché avec Danziger pour éviter les poursuites en mouchardant, ou – la plus crédible – *c*) parce que Braxton avait agi viscéralement, en s'attaquant à un persécuteur comme il l'avait fait dans la rue.) Il restait encore du travail à faire. Mais la phase initiale inquiète et déroutante de l'enquête était terminée. Nous ne demandions plus *Qui a fait le coup ?* Nous étions passés à l'énigme moindre du *Comment le prouver ?* Toute l'agitation qui m'avait habité depuis ma découverte du corps de Danziger dans le bungalow – les palpitations, la confusion, la culpabilité, la mort de ma mère et la crainte hystérique de me voir accusé moi-même – tout s'évaporait et un sentiment enivrant de soulagement m'envahit. Je souris et, en regardant autour de moi, je vis ce même sourire idiot chez les flics.

Kurth lui-même se laissa gagner par l'euphorie, à sa manière reptilienne. Il tenta de s'excuser d'avoir pété les plombs au tribunal, ce qui peut passer pour un geste machinal, mais pour Kurth cela revenait à s'arracher le bras droit à la hauteur de l'épaule.

— Je suis désolé pour... ce qui s'est passé... Caroline, vous savez, ce matin... quand j'ai dit...

Inutile de le préciser, Caroline enfonça le clou.

— Eh bien, merci Boo Radley, comme c'était bien dit.

Notre groupe partit d'un gros rire, Gittens riant le plus fort. Je doute que Gittens ait su qui était Boo Radley, mais il en avait l'intuition et de toute façon il était le héros du moment.

Caroline donna une joyeuse accolade à Kurth qui réussit à sourire. Enfin, sa bouche se releva un peu sur les côtés.

Caroline me serra aussi dans ses bras. Fort, franchement.

— Je suis très, très contente pour toi, me murmura-t-elle. Je suis désolée que tu aies dû subir tout cela.

Pas terrible comme condoléances. Mais sur le moment, cela me parut profond.

Nous nous rendîmes dans le bureau de Kurth afin de réunir les preuves pour un mandat d'arrestation. Gittens rappela ce qu'Andre James avait entendu : « J'ai filé une bastos au proc, puis j'ai balisé et j'ai filé. » Kelly et moi racontâmes ensuite que Braxton avait été vu dans le comté d'Acadie au volant d'une Lexus blanche. La Lexus était enregistrée non pas au nom de Braxton mais à celui d'un ophtalmologue – I-DOC, disait la plaque – dans la banlieue de Brookline. Je qualifiai la voiture de prêt, ce qui se révéla ne pas être le terme approprié.

— C'est une cinq cents dollars, me corrigea Gittens. Les dealers les empruntent aux riches toxico des banlieues. Ils prennent la voiture pendant quelques heures au lieu de se faire payer en cash. Cela leur permet de se balader tranquilles. Pendant quelques heures les flics ne peuvent ni les repérer ni les embêter. Et le toxico touche une dose gratis avant de rentrer à Weston ou à Wellesley. Nous aurons besoin d'un mandat aussi pour cette voiture.

— Pas mal la bagnole, un coupé Lexus, dis-je.

— Oui, mais Harold avait du chemin à faire pour se rendre dans le Maine. Ces mômes adorent les Mercedes, mais la Lexus est plutôt cool. Personne n'achète plus américain. C'est une honte.

Caroline grillait d'envie de lui rabattre son caquet.

— Inspecteur, si vous voulez bien vous reprendre un peu, cela nous aiderait de savoir où trouver Braxton.

— Ben et moi allons le trouver, annonça-t-il.

Je souris, ravi de faire de nouveau partie du groupe, d'être accepté.

— Comment allons-nous procéder ?

— C'est le jour du ramassage des ordures, dit Gittens. (Il vérifia l'heure. Il était deux heures et demie.) Venez, Cendrillon, pendant qu'il est encore temps.

En sortant, Gittens et moi passâmes devant la salle d'interrogatoire où Andre et son père attendaient stoïquement. La seule réserve à notre bonne humeur du moment, la seule souillure de notre sentiment de triomphe était de savoir que quelqu'un allait payer pour tout ce bonheur.

39.

Nous ne songeons guère à nos ordures. Nous savons vaguement qu'elles atterrissent dans des décharges ou des incinérateurs, qu'elles disparaissent, rien de plus. Peut-être est-ce pour cette raison que le jour du ramassage, nous prenons tous nos secrets les plus intimes, les mêlons à quelques os de poulet et autres boîtes de thon, et les abandonnons au coin de la rue à la vue de tout le monde. Un policier ou quiconque fouille dans vos ordures peut récupérer vos factures de téléphone, vos relevés de cartes de crédit, des numéros de compte de toute sorte, des lettres, des mots. Il peut dire quels magazines vous lisez, ce que vous mangez, ce que vous gagnez. Et si vous êtes un peu négligent, il peut déterminer si vous vous droguez en cherchant les produits dérivés révélateurs : des sacs à sandwich avec les coins coupés, une balance, des lames de rasoir, des ustensiles pour couper la coke, de quoi l'empaqueter (du papier alu et du plastique pour emballer une brique ou un kilo de cocaïne ; des enveloppes thermosoudées pour de plus petites quantités, qu'on trouve souvent avec des traces de drogue au fond). Et voilà le plus beau : un flic n'a pas besoin de mandat pour ça parce que cela ne vous appartient plus. En posant votre sac d'ordures dans la rue, vous renoncez à en être propriétaire. Voilà pourquoi les flics adorent le jour du ramassage – surtout ceux des stups, comme Gittens.

Son plan était de déterminer où se trouvait Braxton en triant les ordures aux endroits éventuels. Tout ce qui suggérerait une piste – du courrier qui lui serait adressé, notamment, suffirait à nous guider. Simple, non ? Et nous pûmes sans grand problème embarquer des sacs devant deux maisons à la peinture écaillée où Braxton avait habité. À certains endroits, les éboueurs étaient déjà passés, mais nous pûmes accumuler environ une demi-douzaine de sacs que nous étiquetâmes au marqueur sur du ruban adhésif.

Malheureusement, selon Andre, notre fervent indicateur, Braxton avait également été vu à la cité HLM de Grove Park où vivait sa mère. Et les ordures ne sont pas ramassées chaque semaine dans ce genre d'immeubles. On n'y trouve que des vide-ordures qui se déversent dans une benne – et dans le tas figurait peut-être ce que Braxton avait jeté.

Gittens nous mena à la benne du sous-sol de l'immeuble C., propriété de la décharge de Mission Ave où Bobo s'était installé dans une autre benne, plus agréable que celle-ci.

— Allez, on grimpe, me dit joyeusement Gittens.

— Ça veut dire quoi, on grimpe ?

— Il faut bien que quelqu'un jette un coup d'œil là-dedans.

— Eh bien ce ne sera pas moi.

— C'est votre affaire. Cela s'est produit à Versailles.

— Mais c'était votre idée.

— Voilà pourquoi il faut que vous grimpiez là-dedans. Je ne peux pas tout faire.

Je cherchai une bonne excuse. Le seul argument qui me vint à l'esprit fut *Mais je suis l'invité.*

Gittens sortit une paire de gants en caoutchouc de sa poche de manteau.

— Allez, Ben, le temps nous manque. On grimpe.

J'examinai la benne. Tout autour, un liquide collant s'était cristallisé par terre. Je vérifiai mes semelles.

— Ce n'est pas ce que vous souhaitiez, dit Gittens, connaître les joies de la ville ?

J'enfilai les gants et me hissai dans la gueule béante de la benne. Le vide-ordures s'y déversait à l'arrière, si bien que l'avant était relativement vide. Je me laissai glisser dans l'angle avant jusqu'à ce que mes pieds touchent le fond en acier. Les sacs d'ordures se pressaient contre mes tibias d'une manière réconfortante, maternelle.

— Attention aux rats ! conseilla Gittens.

Mes yeux me sortirent de la tête.

— Je rigole.

Ce badinage était un vrai plaisir. Il donnait l'impression d'une offre d'amitié indirecte et virile. Une restauration, j'étais de nouveau accepté.

Je fouillai parmi les objets, journaux, papiers gras, restes. J'acquis rapidement une méthode : saisir, examiner, balancer hors de la benne ; saisir, examiner, balancer.

— Alors, dit Gittens, est-ce que vous avez une impression différente de votre ami Braxton maintenant ?

— Il n'a jamais vraiment été un ami. Mais oui. Vous deviez connaître la vérité à son sujet depuis le début. Ces dix dernières années du moins.

— Je connais la vérité sur Braxton depuis plus de dix ans.

— Depuis l'affaire Trudell, voulais-je dire.

— Qu'est-ce qui vous fait dire ça ?

Je sortis ma tête de la benne.

— J'ai parlé à Julio Vega.

— Vraiment ?

— Vraiment.

— Quand cela ?

— Il y a quelques jours.

Ce renseignement ne pouvait pas être une première nouvelle pour Gittens ; cela faisait longtemps que le procureur Lowery en avait eu vent. Mais Gittens afficha un air surpris – sourcils levés, froncement de tragédie – comme s'il découvrait la chose.

— J'ai examiné les dossiers de Danziger. Il s'avère qu'il étudiait l'affaire Trudell. Je me suis dit que je ferais bien de trouver ce qui l'intéressait tant.

— Et qu'est-ce que Julio avait à dire ?

— Que Raul était votre informateur.

Gittens eut un sourire énigmatique.

— C'est vrai ?

— Entre nous ? Oui, bien sûr que c'est vrai.

— Comment se fait-il que ni Julio ni vous ne l'ayez jamais révélé à personne ?

— À qui l'aurions-nous révélé ?

— Au juge, au procureur.

— Nous l'avons dit à tous ceux qui avaient besoin de le savoir.

— Dont le procureur ?

— Disons les choses ainsi, Ben : Julio et moi avons fait ce que nous jugions être le mieux pour l'affaire et pour Artie. Nous avons fait notre boulot, nous avons protégé l'affaire.

— Cela signifie-t-il que vous en avez parlé au procureur, oui ou non ?

— Cela signifie que nous avons fait ce que nous estimions juste.

Je tirai un exemplaire fripé de *Newsweek* et fis mine de déchiffrer l'adresse, en le brandissant devant la lumière. Un temps de réflexion. Finalement le magazine alla rejoindre le reste des ordures.

— Pourquoi ne vous êtes-vous pas contenté de dénoncer Raul ?

— Qu'est-ce que vous voulez dire, Ben ?

— Rien. Je dis seulement que si vous aviez dénoncé cet informateur, l'affaire n'aurait pas foiré.

Gittens me regarda.

— J'ai essayé de le dénoncer. J'ai passé ce quartier au peigne fin. Je n'ai pas réussi à lui mettre la main dessus. Julio l'a dit au juge.

— Et son nom ?

— Je n'avais pas son nom. Bon Dieu, Ben, ce n'est pas comme obtenir un tuyau de son agent de change. Ce sont des vagabonds. Ils apparaissent, ils disparaissent. Ils changent de nom comme vous de chaussettes. Raul n'avait pas de nom, il n'avait pas d'adresse, il n'avait pas de numéro de téléphone. Comment aurions-nous pu l'amener ? Qu'est-ce que nous étions censés faire ? Qu'est-ce que vous auriez fait ?

Je n'avais pas de réponse à ça.

— Nous avons fait ce qu'il fallait, insista Gittens. Le juge a merdé. Il n'a pas compris la situation.

— Peut-être. Mais vous n'avez pas dit la vérité.

— Allons, Ben, on n'est pas au jardin d'enfants.

— J'essaie juste de comprendre, c'est tout.

— Très bien, que je vous explique. Un flic était mort, un bon flic qui se trouvait être un ami. Harold Braxton a explosé la tête d'Artie Trudell. Qu'est-ce que j'étais censé faire ? Aller voir le juge et lui dire : « Votre Honneur, Julio Vega a peut-être omis un détail pour le mandat de perquisition. Raul était en fait mon informateur, et non le sien. Alors classez l'affaire, Votre Honneur, et laissez Braxton partir libre. » Est-ce qu'il aurait fallu faire ça, Ben ?

Aux pieds de Gittens, le sol en béton partait en morceaux. Il ramassa un bout de béton de la taille d'une pomme et le balança contre le mur où il explosa. Il secoua la tête.

— Qui êtes-vous pour me donner des leçons en matière de vérité ? Surtout vous. Vous avez dit la vérité quand vous êtes venu ici ? Vous nous avez tout dit sur l'affaire de votre mère ? Et pourquoi Danziger s'était rendu dans le Maine ? Non, vous avez fait ce que vous estimiez être juste. Vous avez essayé d'arranger les choses.

— Vous avez raison. Désolé.

— Vous devriez apprécier ce que j'ai fait pour vous, Ben. C'est un de mes informateurs qui a révélé la vérité dans cette affaire. Sinon vous seriez peut-être à Walpole.

— Vous avez raison. Je suis désolé. J'ai raté une occasion de me taire.

Les mains sur les hanches, Gittens hésitait visiblement entre rester ou partir. Avec sa veste de sport ouverte, on voyait l'étui en Nylon à sa ceinture. Il me traversa l'esprit que, s'il me descendait ici dans cette benne et la refermait, on ne me retrouverait probablement jamais. On m'emporterait dans une décharge où je finirais enfoui sous les sacs en plastique. Je chassai cette image. Trop dingue.

— Hé, Gittens, c'est de l'histoire ancienne. J'essaie juste de comprendre.

— Vous voulez savoir ce qui s'est passé ? Je vais vous le dire. Julio voulait s'attribuer le mérite de la prise parce qu'il voulait présenter l'examen de sergent, voire sortir des stups un jour, voire carrément des Flats. Aussi simple que ça. Tout le monde en rêvait. Tout ce que j'ai fait, c'est de lui filer un tuyau. Ça se produit tout le temps – on apprend quelque chose, on fait passer. Les flics s'entraident. C'est comme ça que nous survivons.

— Je suis désolé d'avoir abordé ce sujet. Je ne vous accusais de rien, Martin.

Gittens haussa les épaules pour montrer qu'il pardonnait. Il n'y avait pas de mal. Mais il balança un autre bout de béton contre le mur.

— Il faut que je prenne l'air. Finissez ça, Ben.

Nous quittâmes Grove Park – les mains vides, hélas – et retournâmes à la zone A-3 pour trier les ordures que nous avions rapportées. Au commissariat, nous ouvrîmes les sacs en plastique un par un, en vidâmes le contenu sur une table de conférences couverte de journaux et cherchâmes des bouts de papier ayant un rapport avec Braxton. Plantés de chaque côté de la table, nous échangeâmes à peine trois mots.

— Est-ce que le travail de la police est toujours aussi prestigieux ? finis-je par énoncer.

Une invitation à une conversation.

Gittens accueillit le commentaire avec un sourire suffisant mais ne pipa mot.

Lui et moi n'avions jamais été vraiment des amis, et pendant un moment – quand il m'avait soupçonné dans l'affaire Danziger – nous avions même été des adversaires sur le plan professionnel. Mais ce petit frisson de tension entre nous avait quelque chose de nouveau. Cela paraissait plus personnel. J'avais brisé la confiance en mettant en cause son rôle dans l'affaire Trudell et l'ambiance entre nous était à présent du genre cordialité froide. Ma propre humeur en souffrit aussi et quand nous finîmes par découvrir un trésor d'ordures de Braxton – dont un relevé de carte de crédit portant sa signature – nous connûmes une sorte de chute de tension.

— On dirait que vous avez réussi de nouveau, le félicitai-je.

— Mais avec dix ans de retard, non ?

Nos rapports avaient changé.

40.

Une heure plus tard, à bord d'une voiture de patrouille banalisée, John Kelly et moi fixions un petit immeuble – enfin, nous le surveillions, pour reprendre les termes de Kurth. À un moment ou à un autre, selon les preuves trouvées dans les ordures, Braxton y avait habité. Notre mission était de vérifier s'il y entrerait ou en sortirait dans les heures précédant la descente de police. À quelques kilomètres de là, au tribunal de Mission Flats, Caroline attendait un mandat. Dès l'instant où elle l'obtiendrait, selon les règles paranoïaques qui présidaient à Mission Flats, nous nous ruerions à l'intérieur pour procéder à la fouille avant que quiconque du commissariat de la zone A-3 n'ait le temps d'avertir Braxton de notre arrivée. Dans l'intervalle, il ne restait plus qu'à attendre et à surveiller tout en espérant que les gargouillis dans mon estomac ne finiraient pas par se frayer un chemin jusque dans mes boyaux.

— Nerveux, Ben Truman ?

— Ouais.

— Excellent. Si vous n'êtes pas nerveux, c'est un signe de bêtise.

— Vous êtes nerveux ?

— Je suis trop vieux pour ça.

Nous étions en face du 111, St. Albans Road dans Mission Flats, un immeuble en planches à clins vert de moisissure avec deux entrées, chacune menant apparemment à plusieurs appartements. Le bâtiment se dressait sur des fondations en mortier et poudingue qui penchaient dangereusement vers la gauche de sorte qu'on l'imaginait très bien en glisser comme un œuf au plat d'une poêle.

Nous attendîmes un moment. Un bon moment.

Kelly sortit une pomme de la poche de son manteau et la croqua. Il regardait à travers le pare-brise, joyeusement indifférent au 111, St. Albans Road et au reste, apparemment. C'était difficile de se concentrer avec ces bruits de mâchoires. Je tirai mon arme de son étui. Je vérifiai le chargeur, le remis en place, fis jouer la glissière. Une balle engagée. Mieux vaut être sain et sauf que mort. Je visai une boîte aux lettres.

— Rangez cette arme, dit Kelly au pare-brise. (Il coinça sa pomme entre ses dents pour se libérer les mains, prit le pistolet, retira le chargeur et la balle engagée et me le rendit vide.) Votre arme va bien, fichez-lui la paix. (Il reprit son mâchonnement, les yeux toujours fixés sur le pare-brise.) Tout se passera bien, Ben Truman.

— Combien de temps cela va lui prendre à votre avis ? (Je parlais de Caroline.) Combien de temps il faut pour obtenir un mandat ?

— Le temps qu'il faut.

— Vous avez déjà tiré sur quelqu'un, monsieur Kelly ?

— Bien sûr.

— Combien ?

— Je ne sais pas. Sur plein.

— Plein ?

— En Corée. On ne tenait pas les comptes.

— Je veux dire quand vous étiez flic.

— Rien qu'une personne.

— Vous l'avez tuée ?

— Grand Dieu, non. Je lui ai tiré dans les fesses.

— Cela ne m'est jamais arrivé, vous savez.

— C'est bien ce que je me disais.

— Je ne suis même pas fichu de tirer sur un cerf. Vous avez déjà vu un cerf touché ?

— Non.

— Eh bien, moi, si, une fois. C'est sanglant. Je pensais qu'il allait tituber, grimacer et s'effondrer. Dans le genre, « Bonne nuit, doux prince » et le tour est joué. Pas du tout. Je tire dans un gros mâle, on s'approche et il gît là, toujours vivant. Il n'arrêtait pas de gigoter, cherchant à se relever. Il clignait des yeux. Il était terrifié, ça se voyait. J'étais censé l'achever. Je n'ai pas pu. Un de mes copains a dû s'en charger.

— Ce n'est pas comme de tirer un cerf, Ben.

— J'aime même pas la pêche...

— Ben !

Je glissai le chargeur dans le Beretta et le fourrai dans l'étui à ma ceinture.

— J'ai parlé avec Gittens aujourd'hui, repris-je après un silence. Il a craché le morceau, il m'a avoué que Raul était son indic, comme l'avait dit Vega. Je pensais : peut-être que cela n'a pas d'importance. Il y a dix ans, Gittens a filé un tuyau – et alors ? Et puis je me dis comme ça : Danziger n'a jamais su que Gittens était impliqué.

Kelly se tourna vers moi, l'air interdit.

— Vous vous souvenez que vous avez dit que les bons flics commettent de mauvaises actions pour de bonnes raisons et que les mauvais commettent de mauvaises actions pour de mauvaises raisons ? Eh bien, arrêter Braxton est une mauvaise action.

— Pourquoi dites-vous cela ?

— Cela ne me dit rien qui vaille.

— Écoutez, reprit-il les yeux toujours fixés sur le pare-brise, Gittens est un bon flic. Attendons de voir ce qui se passe. Pour l'instant, assurez-vous seulement de rentrer chez vous ce soir en un seul morceau. Cela devrait être votre unique souci. (Il ouvrit sa portière pour lâcher le trognon de pomme sur le trottoir et ajouta, la tête dehors :) Caroline me tuera s'il vous arrive quelque chose.

— Quoi ? Qu'est-ce que ça veut dire ?

Il me jeta un coup d'œil.

— Ben Truman, vous êtes peut-être trop bouché pour réussir une carrière d'inspecteur.

— Quoi ? Dites-moi !

— Cela veut dire qu'elle a trente-sept ans, qu'elle a un fils. Il y a plein de types qui ne veulent pas de ça. Ce n'est pas facile pour elle. Où est-ce qu'elle va rencontrer un homme ?

— Vous savez, monsieur Kelly, ne le prenez pas mal, mais peut-être qu'elle ne tient pas à rencontrer un homme.

— Vous croyez qu'elle est gay ?

— Non. C'est juste qu'elle n'a peut-être pas envie de se marier. Peut-être qu'elle aime sa vie telle qu'elle est.

— Bon Dieu, vous pensez qu'elle est gay.

— Faites-moi confiance, elle ne l'est pas. Je veux dire, je ne la sens pas comme ça. Et j'ai une assez bonne intuition pour ce genre de trucs.

— Alors elle ne vous intéresse pas.

— Je dis seulement que je pense qu'elle a envie d'être seule pour l'instant. Elle réagit comme un homme sur ce plan.

— Elle réagit comme un homme ?

— Pour l'indépendance, pas... le reste.

— Je la regarde et elle est belle. Vous ne la trouvez pas belle ?

— Oh elle est... (Je gonflai les joues et exhalai bruyamment, à la manière du mécanicien à qui vous demandez combien cela va coûter de changer le moteur de votre Saab.) Elle est très, très séduisante, oui, fis-je, prudent.

— Je ne veux pas la voir finir seule, c'est tout.

— Vous ne devriez pas vous faire de soucis pour Caroline. Je la crois capable de prendre soin d'elle-même.

— Tout le monde s'efforce d'en donner l'impression, Ben Truman, mais personne n'est vraiment capable de prendre soin de soi. Pas même Caroline.

— Peut-être. (Je haussai les épaules, ce sujet me mettait mal à l'aise.) En tout cas, si elle savait que vous parlez comme ça, elle vous tuerait. En plus, je ne pense pas qu'elle s'intéresse vraiment à moi.

Il secoua la tête : je le décevais.

— Ben, je parie que vous seriez capable de me dire de quelle couleur étaient les yeux de Martha Washington, mais si une vraie femme se tenait devant vous, vous seriez incapable de distinguer le devant du derrière.

— Martha Washington avait les yeux verts.

— Vous plaisantez.

— Non. C'est dans la correspondance.

Il grogna et secoua de nouveau la tête.

Nous reprîmes notre surveillance du 111, St. Albans Road. Et notre attente.

Une heure plus tard, les ninjas débarquaient.

41.

Ils jaillirent de l'arrière d'une camionnette maquillée, dix mecs en tenue commando chic, tout en noir, de leur casque style Wehrmacht à leurs bottes de combat. Ils portaient même des gants pour que leurs mains roses n'attirent pas l'attention. Les ninjas longèrent le trottoir au petit trot, puis s'accroupirent derrière un muret, hors de vue de la maison.

Leur apparition provoqua un frémissement dans la rue. Les gamins regardèrent les hommes bouche bée avant de s'égailler avec force rires et cris aigus. Peut-être que les flics leur paraissaient drôles – des adultes déguisés en soldats jouant à des jeux guerriers – ou peut-être n'était-ce qu'un rire nerveux. Les adultes ne rirent ni ne fuirent. Il y avait surtout des femmes dans la rue, une dizaine en groupes de deux et trois. Vieilles et jeunes, des mères et des filles. La plupart restèrent plantées là, hypnotisées par la scène ou simplement curieuses. Mais à l'époque, j'eus la sensation qu'il se passait quelque chose de plus caractéristique et sinistre. La conscience de la race était en suspens dans l'air comme du brouillard. Ni du racisme, ni des tensions raciales, rien d'aussi grandiose. Juste une conscience raciale, ou peut-être vaudrait-il mieux parler de méfiance raciale – l'attention à la race qui bat sous la membrane de la civilité.

Kelly et moi bondîmes de la voiture et traversâmes la rue au pas de course pour rejoindre les ninjas. Tout en agitant nos insignes au-dessus de nos têtes, au cas où.

Le chef du commando m'adressa une grimace. Sous tout ce

harnachement, il me fallut un moment pour reconnaître le visage à la Greco d'Ed Kurth.

— Il s'est manifesté ?

— Non, répondis-je distraitement. Tout cela est-il vraiment nécessaire ?

— Unité des opérations tactiques. Ils sont entraînés pour des situations dangereuses. Otages, émeutes.

— Mais nous n'avons ni otages ni émeutes.

— Nous sommes en présence d'une situation dangereuse, chef Truman.

J'examinai les flics. Leur équipement émettait des bruits de ferraille.

— Tout ça pour un môme ?

— Ce môme a tué un flic et un procureur. Il n'est pas question de délirer avec lui.

— Non, mais... À voir ces types, on croirait qu'ils s'apprêtent à envahir la Pologne.

Kurth cligna deux fois des yeux et me rassura :

— Nous n'allons pas envahir la Pologne.

Notre conversation en serait restée là faute d'inspiration si Gittens et sa propre équipe n'étaient arrivés à bord de trois berlines banalisées, quatre hommes par voiture. Ni gyrophares, ni sirènes, ni uniformes. Pas d'urgence particulière. Vêtus de jeans, de tennis et de gilets pare-balles, ils portaient des fusils. La plupart étaient ventrus et avaient le crâne dégarni. Mais il émanait d'eux une assurance musclée et désinvolte qui laissait penser qu'ils avaient fait ça des centaines de fois.

L'un d'eux, un cinquantenaire de forte carrure avec une couperose d'ivrogne et une cigarette au coin des lèvres, salua les types du commando par le traditionnel sarcasme d'écolier :

— Bonjour, mesdames.

— Vous êtes là pour nous donner un coup de main ? lança Gittens à Kurth, sa vieille arrogance retrouvée. Et vous, Ben ? Vous en êtes ?

S'il était encore contrarié par mes commentaires de la matinée, il n'en montrait rien.

Je répondis que je suivrais, me voyant déjà complètement réhabilité, passant de l'état de suspect à celui de policier en charge en l'espace d'une journée.

Gittens ordonna qu'on nous donne des équipements, à

Kelly et moi. Le rougeaud à la cigarette nous escorta jusqu'à une des voitures et sortit des fusils et des gilets pare-balles du coffre. De près, son visage était fascinant, déformé par un nez en patate et un réseau de capillaires éclatés. Je voyais mal ce type rattraper Braxton dans une pièce, et encore moins dans le quartier.

— Vous savez vous en servir ? dit-il en me tendant un fusil.

— Oui, on appuie sur ce truc, là, hein ?

Le type eut un sourire idiot, ravi d'avoir trouvé un petit malin comme lui.

Mais Kelly ne se laissa pas tromper par ma bravade.

— Soyez prudent.

Équipés convenablement, nous rejoignîmes Gittens et Kurth à la tête de ce qui constituait à présent un contingent important.

— Nous entrons les premiers, annonça Gittens.

— Non, fit Kurth. C'est moi qui ai le plus d'ancienneté à la criminelle ici. Nous entrons les premiers.

— Conneries, riposta Gittens. Ces types connaissent le quartier, ils connaissent Braxton. On y va.

Kurth retira son casque.

— Gittens...

— Je garantis que nous entrons sans problème.

Kurth secoua la tête.

— Ed, comment croyez-vous qu'il va réagir si vous lui tombez dessus avec la putain de 82e aéroportée ? Ne soyez pas idiot.

Si Kurth était l'officier responsable, le fait est que dans la police ce n'est pas comme dans l'armée, la politique compte autant que la hiérarchie. Kurth n'allait pas rebattre les oreilles des inspecteurs du commissariat avec qui il devait travailler chaque fois qu'il y avait un homicide aux Flats. Il remit son casque, résigné.

— D'accord. On y va tous les deux.

C'était une mauvaise décision. Condamnée à semer le chaos. Mais avec le recul, peu importait quelle équipe passait devant, les cavaliers sans peur de Gittens ou les ninjas de Kurth. Les émotions étaient trop à fleur de peau. On cherchait les emmerdes.

L'entrée du 111, St. Albans Road était plutôt bruyante vu qu'il n'y avait personne dedans. Des bruits débordaient de l'escalier : des cris de bébés, des télés poussées à fond. Quelque part un couple se disputait. (Voix masculine : *Tout de suite ! Qu'est-ce que je viens de dire ? Tout de suite !*) Le rire en boîte des télés se mêla à mon adrénaline pour créer une atmosphère vaseuse d'asile de fous. *Ha ha ha ha...*

L'escalier, Gittens et Kurth en tête.

Au deuxième étage, un petit couloir s'étendait devant nous, bordé de quatre portes métalliques cabossées. L'une d'elles disparaissait sous les décorations de Halloween.

Gittens désigna la porte du fond à gauche, le numéro 3C.

— C'est celle-là. Braxton est là-dedans. Venez, mon pote. L'excitation de la grande ville. (Y prenait-il plaisir ?) Vous voulez frapper et vous annoncer, Ben ?

— Moi ?

— Braxton a l'air de vous faire confiance. Nous certainement pas.

— Il ne me fait pas tant confiance que ça.

— Hé, vous êtes pas obligé.

Pour on ne sait quelle raison, j'en avais envie. Je voulais me planter à la place qu'avait occupée Artie Trudell, voir l'effet que cela faisait. Stupide comme raison, bien sûr, mais c'est comme ça. Les jeunes gens font des bêtises, cela s'arrête là.

Kurth objecta, mais Gittens passa outre.

— Il en a envie, laissez-le.

— Pas question, intervint Kelly. Ça ne va pas la tête, Gittens ?

— Ben a envie de le faire.

— Ça va. J'y vais.

Je me plaquai contre le mur à droite de la porte. Comme le 3C se trouvait dans un angle, il était impossible d'échapper à l'axe de la porte de ce côté. Les autres se dispersèrent le long des murs. Quelques-uns se déployèrent dans le couloir pour avoir la porte dans leur champ de vision.

Seul Kelly vint me rejoindre sur le côté droit exposé. Il me colla le bras en travers de la poitrine comme s'il s'apprêtait à me retenir, m'empêcher de me planter devant la porte.

— Ne faites pas d'idioties.

Le mur était frais contre l'arrière de mon crâne.

Une odeur sucrée s'échappait d'un des appartements. Des cacahouètes ? Non, de la sauce de cacahouètes.

Allongeant un bras, Gittens me tendit le mandat, six feuilles agrafées et pliées en trois. Il tapota sa montre : l'heure avait sonné.

Respirant profondément, je me plantai devant la porte.

Il y eut un instant d'incertitude, surréaliste, un point d'orgue pendant lequel j'entendis une réplique d'un sitcom à la télé quelque part – *Ne vous inquiétez pas, monsieur, on vous fera danser la Lambeth Walk en deux temps, trois mouvements* – suivie de ce rire d'asile de dingues, *ha ha ha ha.*

Le point d'orgue arriva à sa fin et tout se précipita.

Je cognai à la porte.

— Police. Ouvrez. Nous avons un mandat.

Ma respiration, sifflante.

Ne vous inquiétez pas, monsieur, on vous fera danser la Lambeth Walk en deux temps, trois mouvements.

Kelly me tira contre le mur.

— Harold, c'est Ben Truman ! Ouvrez, s'il vous plaît.

Bruits de pas traînants à l'intérieur de l'appartement mais pas de réaction.

Un temps. Deux temps.

— D'accord, attendez une seconde, fit une voix masculine à l'intérieur. Une seconde.

Gittens fit une grimace. Accroupi près de la porte, il lâcha :

— On y va !

Deux types surgirent avec un bélier. Muni d'une plaque carrée en acier soudée à l'avant.

— Attendez. Gittens, il vient de dire...

— Pas le temps, Ben, c'est trop long. On peut pas prendre le risque. Foncez, foncez.

Ils veulent le tuer.

La porte s'ouvrit à la volée, cédant à la hauteur de la poignée.

Gittens se colla contre le chambranle et entra, plié en deux, fusil en main.

Je m'avançai pour être aussitôt repoussé par la déferlante de flics.

— Police ! Police ! Police !

Je les suivis, mon fusil sur l'épaule.

À l'intérieur le chaos régnait. Mouvements. Cris. Des flics courant dans tous les sens – « Police ! Police ! Police ! On ne bouge plus ! À plat ventre ! À plat ventre par terre ! » –, se ruant d'une pièce à l'autre.

La silhouette floue d'une petite fille traversa la pièce en hurlant. Un des ninjas la ramassa d'une main gantée de noir et la porta à l'extérieur. Ses cris résonnèrent dans l'escalier, de plus en plus lointains.

— On ne bouge pas ! On ne bouge pas !

Les flics inondaient l'appartement, pièce par pièce.

— Les mains en l'air ! J'ai dit les mains en l'air !

Les cris provenaient d'une chambre à l'arrière. Je partais dans cette direction quand un coup de feu fit vibrer l'appartement.

Ne vous inquiétez pas, monsieur,

Kurth et deux ninjas jaillirent d'une pièce pour s'engouffrer dans une autre. Je les suivis.

Le lit une place était bien fait, avec un dessus-de-lit en chenille. Une croix et une image du Christ sur le mur. Les flics se pressaient épaule contre épaule au pied du lit. Kurth les écarta, puis tomba à genoux en travers d'un corps. Je me faufilai derrière lui.

L'homme à terre était un Afro-Américain, âgé d'environ soixante-dix ans. Il portait une chemise cramoisie avec un col de prêtre. Il avait le visage gris.

— Une ambulance, vite ! hurla Kurth.

Le prêtre roula sur le flanc. Il cherchait son souffle. Kurth tripota le col, trouva le bouton derrière et l'ouvrit. Cela ne fit aucune différence. Le prêtre continuait à se contorsionner en suffoquant.

— Reculez, bordel ! Reculez !

Nous nous exécutâmes.

Dans le couloir derrière moi, un des hommes du commando gémit :

— Je ne lui ai pas tiré dessus, je ne lui ai pas tiré dessus.

Je cherchai du sang sur le prêtre. Il n'y en avait pas.

— Je ne l'ai pas tué ! Pourquoi ce con n'a-t-il pas levé les mains en l'air ? Je lui ai dit de le faire !

Le prêtre ne luttait plus.

Kurth lui tâta le cou. Il le fit rouler sur le dos, remonta sa chemise et son maillot de corps et colla une oreille contre sa poitrine.

— Merde !

Kurth entreprit un bouche-à-bouche.

Gittens se frotta les yeux comme s'il était épuisé.

— Bon Dieu !

Une femme s'encadra dans la porte et hurla. Personne ne réagit. Elle se jeta sur le corps, ce qui obligea Kurth à se détourner de la bouche ouverte du prêtre le temps de cracher : « Faites-la sortir ! » Deux ninjas l'attrapèrent par les bras et la tirèrent.

Kurth continua le bouche-à-bouche pendant plusieurs minutes. De longues minutes, d'une heure chacune. Il devait vouloir tenir jusqu'à l'arrivée des urgences. Il continua à souffler de l'air dans la trachée de l'homme alors que, un à un, nous prenions conscience qu'il était trop tard. Mais personne ne pipa et, un temps, les seuls bruits dans la pièce furent le souffle de Kurth et les prières sanglotées de la femme. Puis Kelly s'avança pour dire à Kurth que l'homme était mort.

Le prêtre, je l'apprendrais par la suite, était le révérend Avril Walker, pasteur en retraite de la Calvary Pentecoastal Church of God in Christ dans Mission Ave, jadis protecteur de Braxton, mort sans une égratignure. Cause du décès : crise cardiaque.

42.

Pendant un bon moment après la mort du prêtre, la douzaine de flics présents dans la pièce fixèrent leurs pieds, comme des mômes qui viennent de briser un vase, savent qu'il est irréparable et que cela va leur coûter très cher. Gittens transmit la nouvelle par radio au commissariat de l'A-3. Après, le bruit se répandit plus vite que je ne l'aurais cru possible. Le temps que nous descendions, une petite foule s'était massée sur le trottoir. Vingt minutes plus tard, ils étaient une centaine. Dans le bourdonnement des lampadaires, on installa le ruban rituel entre les poteaux. La foule grossit, ce qui exigea davantage de policiers, ce qui attira des camions de télévision avec des lampes à arc, ce qui attira encore plus de badauds. L'équipe de la descente traîna un moment dans l'entrée, à l'abri des regards et des caméras.

Puis les questions commencèrent. Elles finiraient par se résumer à une seule : la police de Boston avait-elle tué le révérend Walker ? Mais dans les premières heures suivant sa mort, procureurs, inspecteurs et membres du commando posèrent des centaines de questions différentes. Était-il confirmé que Braxton se trouvait là ? Nous étions-nous sentis obligés de procéder à une arrestation ? Le mandat tiendrait-il ? S'agissait-il d'un mandat de perquisition ? Avions-nous frappé en nous annonçant ou avions-nous fait irruption à l'intérieur tout de suite ? Qui avait tiré ? Je répondis le plus patiemment possible, même quand les questions devinrent plus accusatrices. Que faisiez-vous là ? Vous êtes-vous senti obligé par un flic de Boston de faire quoi que ce soit que vous jugiez déplacé ? Ou tentiez-vous de prouver quelque chose ?

Je mesurai mes mots, révélai autant de vérité qu'il semblait nécessaire.

— Non, nous ne nous sommes pas sentis obligés de procéder à une arrestation. Oui, nous avons frappé et nous sommes annoncés (mais alors ces foutus cow-boys de l'A-3 ont tout de même décidé d'enfoncer la porte). Oui, je pense que nous avons respecté les procédures.

Je répétai ces demi-vérités parce qu'elles étaient aussi vraies que tout ce que j'aurais pu dire d'autre et, à force de recycler mes réponses, elles devinrent la vérité, ou du moins une version. Je finis par adopter un ton râleur et impatient. « Je crois avoir répondu à cela », et « j'ai déjà évoqué ce point ». Quelqu'un de la police de Boston m'assura que je ne trinquerais pas pour ça, ce qui me mit d'autant plus mal à l'aise – il ne m'était pas venu à l'esprit que quiconque puisse trinquer. Et si on en arrivait là, aucun doute là-dessus, ils sacrifieraient le plouc de Versailles, Maine, plutôt que l'un des leurs.

Une question me surprit. « Avec le recul, auriez-vous procédé différemment ? » C'était une autre manière de demander qui était fautif et je commençais à me dire que je connaissais la réponse. Le tueur de Danziger était le responsable. Pour tout cela – la descente, la mort du prêtre, toutes ces questions. C'était exactement ce que Bobby Danziger avait confié à Caroline – il ressentait de la répulsion à l'encontre de l'accusé, non parce qu'il avait commis le délit, mais parce qu'il avait déclenché tout le processus, cette machine irrésistible. Et de la répulsion à son propre égard aussi, pour avoir participé.

Une heure plus tard, je rentrais à l'hôtel, complètement épuisé, et sombrais dans un sommeil lourd et noir.

Pendant la nuit, je sentis une présence dans ma chambre, très vague, comme un minuscule point lumineux qui ne cesse de grossir jusqu'à ce qu'il ne soit plus possible de l'ignorer et que je me réveille en sursaut. Je n'aurais su dire quelle heure il était ni combien de temps j'avais dormi. La seule chose dont je sois sûr, c'est qu'à l'instant précis où mes yeux s'ouvrirent j'entendis un bruit, que je reconnus comme étant le Velcro de mon étui. Je soulevai la tête de l'oreiller de deux centimètres, pas plus, avant de la reposer, repoussé par le canon d'une arme. Le rond d'acier glissa sur mes cheveux. À ce jour je le sens encore me renifler le cuir chevelu comme à la recherche d'une odeur familière.

— Je t'ai fait confiance, salaud, dit une voix.

La voix de Braxton, venant de l'autre bout de la pièce, près de la fenêtre.

— Non, non, murmurai-je.

— Je croyais qu'on était amis, toi et moi.

— Amis, nous sommes amis.

— C'est comme ça que tu traites tes amis ? Tu tues le révérend Walker ? Salauds de putains de merdes de flics, vous l'avez tué. Pourquoi ?

— Nous ne l'avons pas tué. Il a fait une crise cardiaque. Il est mort comme ça. Nous ne l'avons pas touché, nous n'avons rien fait.

— Vous avez fait irruption dans son... Il y avait une petite fille. Tu l'as vue ?

— Oui.

— Où est-elle ?

— Elle courait. Quelqu'un l'a prise dans ses bras. Je ne l'ai pas revue après.

— C'est ma fille.

L'arme se remit à me renifler le crâne. Je m'enfonçai dans le matelas pour y échapper. Le seul bruit était le murmure de ma respiration.

— Je peux essayer de la retrouver, proposai-je. Je vais essayer de la récupérer.

Bruit méprisant.

— Comment s'appelle votre fille ?

— Tamarrah.

— D'accord, où devrait-on l'amener ?

— Chez sa grand-mère. Je vais noter l'adresse.

— D'accord. Bien. Je vais essayer.

Silence, puis Braxton reprit :

— Lâche-le, cousin.

L'arme s'éloigna et je m'assis lentement au bord du lit.

Braxton se tenait près de la fenêtre, gris et flou à la lumière phosphorescente de la ville. Mais sa silhouette sèche et musclée était caractéristique avec sa petite queue-de-cheval en touffe. Il avait les bras croisés et il tenait une arme – la mienne, certainement. L'autre, son gros bras, était planqué dans l'obscurité près de la porte. Je ne distinguais que l'ombre énorme de sa masse, une veste en Nylon, et la bande blanche d'une calotte enfoncée jusqu'aux yeux.

Je voulus me lever, mais l'ombre près de la porte pointa son canon sur moi.

— J'enfile mon pantalon. Je peux ?

L'homme ramassa mon jean par terre, le fouilla et me le lança.

— Merci.

Braxton se tourna vers la fenêtre. Les lumières du South End clignotaient en dessous.

— Jolie vue.

— Je n'ai pas eu le temps d'en profiter.

— Tu devrais le trouver. Je veux récupérer ma petite fille ce soir. Tu m'entends ? Ce soir. Je ne veux pas qu'elle échoue dans une famille d'accueil ou une connerie de ce genre. Tu peux arranger ça.

— Elle est probablement déjà rentrée. Les flics n'ont pas trop envie de jouer les baby-sitters avec une gamine de quatre ans.

— Elle en a six. Et elle n'est pas rentrée.

— Très bien, je vais voir ce que je peux faire.

— Et à propos de Fasulo, Raul et tout ça ? Tu as vérifié ?

— Si j'ai vérifié ? Non, je n'ai pas vérifié.

— Pourquoi pas ? Qu'est-ce que tu as foutu de ta journée ?

J'arrêtai d'enfiler mon pantalon pour le regarder en face.

— Ce que j'ai... Harold, je vous ai cherché. Toute la ville vous cherche. Ils ont un mandat d'amener.

— Pourquoi ? J'ai rien fait.

— Pour avoir tué Danziger. Ils ont un témoin qui prétend que vous avez avoué.

— Qui raconte ça ?

— Je ne peux pas vous le dire.

— Oh, c'est comme ça ? T'es avec eux maintenant ? Écoute-moi, mec, je ne sais pas ce qui se trame, mais j'ai pas descendu ce type et j'ai rien avoué. On te raconte des salades. Où sont les preuves ?

— Il y a des preuves, Harold ! Le témoin !

— Voilà qu'on recommence avec ces conneries. Qui est le témoin ? Raul ? Tu l'as vu ?

— Je l'ai vu, oui.

— En vrai ?

— En vrai. Et il y a d'autres preuves. Le mandat est valable, Harold.

Braxton secoua la tête et se retourna vers la fenêtre.

— Alors pourquoi tu m'arrêtes pas ?

— D'accord, vous êtes en état d'arrestation. Et vous aussi, lançai-je au géant près de la porte. Si vous pouviez jeter vos armes par terre, j'apprécierais. (Le géant ne sourit pas.) Non, je le pensais pas.

— Il faut que tu avances là-dessus, mec.

— Harold, comment le pourrais-je si vous refusez de me donner quoi que ce soit ?

— Je t'ai déjà tout filé. Je t'ai dit, ça concerne Fasulo.

— Quoi, Fasulo ? Qu'est-ce qu'il a à voir avec ça ?

— Je ne sais pas exactement.

— Vous ne savez pas ? Tout ça et vous ne savez pas ? Alors comment savez-vous que Fasulo a un rapport avec tout ça, bordel ?

— Je peux pas te le dire.

— Oh, allons, Harold. Vous ne me donnez rien. Rien que les mêmes conneries.

L'empoté près de la porte émit un grognement, une sorte d'avertissement indistinct, mais je savais maintenant qu'ils n'avaient pas l'intention de me faire de mal. Mort, je ne pourrais pas aider la fille de Braxton. Une pensée libératrice, comme lorsqu'on se rend compte que le pit-bull qui gronde contre vous est attaché.

— La ferme, d'accord ? lâchai-je, méprisant, au gros bras.

Toujours devant la fenêtre, Braxton pesait encore le pour et le contre.

— Danziger avait tout compris. Ce truc avec Fasulo, Raul et Trudell. Il avait tout compris.

— Bon Dieu, pourquoi ne pas simplement me dire ce qui se passe...

— Parce que je ne sais pas ! (Il hocha la tête d'un coup sec.) Voilà ! Je ne sais pas.

— Comment savez-vous ce qu'étudiait Danziger ?

— Je peux pas te le dire.

Cette fois c'est moi qui grognai, de contrariété.

— J'ai mes sources, c'est tout. Il faut que je découvre des trucs.

— Alors vous saviez ce sur quoi travaillait Danziger lorsqu'il a été tué.

— Exact.

— Je ne vous crois pas.

— Rien à foutre de ce que tu crois ou non.

— Harold, qu'est-ce que vous fichiez dans le Maine ? Un témoin vous y a vu juste avant l'assassinat de Danziger.

— Je peux pas en parler.

— Mais vous y étiez ? Vous l'admettez ?

— Tu veux me lire mes droits ?

— Bon Dieu, soupirai-je. J'ai besoin d'un verre d'eau.

— Apporte-lui, cousin, ordonna Braxton.

— Hé, il y a pas écrit larbin sur mon front. Je sers pas d'eau à des flics. Pourquoi je le ferais ?

— Parce que j'ai soif.

— Tant pis, connard.

— Apporte ! (Braxton leva une main pour se calmer.) Apporte-lui de l'eau, c'est tout.

Le géant entra pesamment dans la salle de bains et en revint avec un verre d'eau dans une main, un pistolet dans l'autre.

— L'atmosphère dans ces hôtels est très sèche.

Le type m'adressa une grimace et retourna se poster près de la porte.

— Tu devrais laisser un verre près du lit, suggéra Braxton.

— Harold, même si je vous croyais quand vous prétendez que Fasulo a un rapport quelconque avec ça, je ne peux pas faire grand-chose sans preuve. Ces types vont pas vraiment vous prendre au mot. Ils vous cherchent pour deux assassinats de flic.

— J'ai jamais buté un flic.

— Allons, Harold.

— J'ai dit : j'ai jamais buté un flic. Jamais.

— Vous n'avez pas descendu Artie Trudell ?

— Pourquoi je l'aurais fait ? Je savais même pas qui c'était.

— Parce que vous étiez pris au piège dans l'appartement. Les flics ont débarqué et ils se sont mis à défoncer la porte. Vous ne pouviez vous en sortir qu'en tirant.

— Comment j'aurais pu me faire piéger là-dedans ? Il aurait fallu que je sois débile non ?

— C'était votre appartement. Pourquoi il aurait fallu que vous soyez débile ?

— Parce que je savais qu'ils venaient.

— Quoi ?

— Je savais que ces connards allaient débarquer. (Il haussa les épaules. Il y avait une touche de fanfaronnade dans sa voix, mais c'était surtout une affirmation neutre.) Je t'ai dit. J'entends des trucs. J'en fais mon affaire d'entendre des trucs.

— Des trucs de qui ? De flics ?

— C'est tout ce que j'ai à dire.

— Est-ce que vous êtes en train de dire que quelqu'un vous a rencardé ?

— Je dis juste que j'entends des trucs.

— Harold, qui vous a rencardé ?

— Hé, chef Truman, je viens de te le dire – je peux pas le dire. Je vais te dire un truc quand même : il y avait plein de gens qui tenaient pas à ce que cette affaire en arrive au procès, plein de gens.

— Alors qui a tué Trudell, Harold ?

— Comment je le saurais ? Un junkie, un mec assez con pour être là à l'arrivée des flics.

— Mais ce junkie n'était pas vous.

— Ce n'était pas moi.

Nous nous dévisageâmes un moment, chacun jaugeant la crédibilité de l'autre. Je n'avais aucune raison de croire Braxton et il n'avait aucune raison de penser que je le croirais.

— Si je pars d'ici, tu vas essayer de m'arrêter, chef Truman ?

— Ouais. Il y a un mandat contre vous.

— Même si tu sais que cela ne vaut rien.

— Cela reste à prouver.

— Mais vous chercherez ma fille ?

— J'ai dit que je le ferais.

Braxton soupira de nouveau.

— D'accord, ligote-le, ordonna-t-il. Désolé, mec. C'est juste histoire de te retarder un peu, le temps qu'on se tire.

Le géant fourra son .45 dans son manteau et s'approcha de moi avec un sourire suffisant et ce fut ce sourire qui plus qu'autre chose toucha un nerf chez moi – cet irrespect affiché,

la supposition que j'allais me soumettre, que je pouvais être dominé, qu'on pouvait me priver des gens et des choses, que mes propres désirs ne valaient pas un pet de lapin, tout ce que j'avais cru perdu quand il avait semblé que je serais accusé du meurtre de Danziger et tout ce que j'avais perdu avant, la pression, la contrariété, l'angoisse –, tout cela, en ce moment mal choisi, déborda. Avec la résolution à retardement du faible, je décidai : *je ne me laisserai pas faire.* Je bondis du lit, avançai de deux pas et balançai le marron de ma vie dans l'œil du géant. Sous mon poing je sentis le moelleux d'œuf mollet du globe oculaire et les os délicats de l'orbite. L'homme s'aplatit contre la porte et glissa par terre.

Tel un courant électrique la douleur darda de mes jointures au dos de ma main. Je glapis et secouai le poing.

Braxton arma un pistolet – le mien – pour attirer mon attention.

— Enculé, fit-il d'une voix traînante.

Enculé pouvait apparemment se parer de nombreux sens. Dans ce contexte, prononcé avec un étonnement innocent, cela signifiait ; *Bon Dieu, mais regardez-moi ça.* Braxton braqua l'arme sur moi tout en filant des petits coups de pied à son gros bras.

— Ho, ça va, cousin ?

— Je vois rien, gémit l'autre, les deux mains pressées contre son œil.

— D'accord, prends l'arme.

— Je t'ai dit : je vois rien.

— Sers-toi de ton autre œil, bordel. (Braxton était exaspéré.) Le bon personnel se fait rare de nos jours.

Le type se releva, prit le pistolet, mais resta le bras ballant. Braxton me menotta les mains dans le dos, enroulant la chaîne autour du dossier de la chaise.

— Ce n'était pas nécessaire.

— J'ai eu une longue journée, Harold.

Ils me laissèrent menotté à ma chaise, la main palpitante. Braxton m'adressa un petit geste ambigu avant de sortir. Il pointa les deux index vers moi comme des six coups, ce que je traduisis par *Je compte sur toi,* mais cela aurait aussi bien pu vouloir dire *Fais gaffe ou je te bute !* et là-dessus il ferma la porte derrière lui.

43.

Je m'attardai sur les preuves dans la chambre, gravant les détails dans ma mémoire – une traînée de sang sur la porte, une odeur corporelle, la douleur dans mon poing – comme pour me convaincre de ce qui venait de se passer. Ce sang, cette odeur, cette douleur étaient bien réels. C'était la preuve. Et pourtant je ne ressentais pas de peur, je n'avais ni les nerfs à cran, ni le cœur battant, pas l'ombre d'une preuve émotionnelle. Juste ce sentiment d'irréalité et d'épuisement. Les survivants d'accident d'avion connaissent ça. Ils ne fêtent pas leur survie. Ils errent dans les champs de maïs choqués, paumés, et en proie à un vague remords.

Mais j'avais donné ma parole à Braxton. Après avoir fixé le vide un moment, je roulai sur le lit avec la chaise accrochée à moi comme un enfant jaloux. Mes clés étaient dans la poche de mon manteau et je finis par les en extraire et à ouvrir les menottes. Il n'était que minuit et quart, à ma grande surprise.

J'appelai Caroline chez elle pour m'enquérir du sort de la petite fille. Juste un jour plus tôt, elle n'avait pas eu de mal à croire que je pouvais être l'assassin de Bob Danziger. Ses mots étaient frais dans mon souvenir, une boucle audio que j'entendais encore :

Ben, qu'est-ce que tu veux que je te dise ?

Que tu me crois.

Je ne te connais même pas.

C'était difficile de lui reprocher d'être prudente. Elle était procureur et moi, un suspect. Effectivement elle ne me connais-

sait pas ; elle n'avait aucune raison de me faire confiance. À sa place, j'aurais peut-être réagi de la même façon. Ce qui n'aurait pas forcément eu d'importance. Il était peut-être trop tard pour que je puisse simplement effacer Caroline Kelly de ma mémoire. Le cœur se rappelle ce que la tête préférerait oublier. Mais où en étions-nous à présent ?

Je lui téléphonai donc, la réveillai et lui résumai l'incident, en omettant l'arme collée contre mon crâne.

Caroline fut aussitôt parfaitement claire.

— Braxton quoi ? Il quoi ? répéta-t-elle pendant mon récit.

— Écoute, est-ce vraiment la peine d'en faire tout un plat ? Je suis vanné. Je rédigerai un rapport demain.

— Pas la peine d'en faire un plat ? Tu es dingue, ou quoi ?

Je ne répondis pas.

— Ben ça va ? Tu as l'air un peu nase.

— Ça va. Il se passe quelque chose et je ne sais pas ce que c'est. Tu vas vérifier pour la gamine ?

— Ben, j'arrive.

— Non.

— Tu laisses Braxton venir mais pas moi ?

— Caroline, s'il te plaît. Je suis fatigué. Je n'ai pas envie de me taper tout le rituel. Je ne veux pas rédiger de rapport ; je n'ai pas envie de voir débarquer vingt flics dans ma chambre. Nous parlerons demain.

— Je ne le dirai à personne. Je viens, rien que moi.

J'avais envie de voir Caroline, mais pas maintenant. J'avais besoin de temps pour me reprendre, trier mes pensées.

— Caroline... Écoute, il faut qu'on parle tous les deux. Qu'on parle vraiment. Je n'en ai pas l'énergie maintenant.

— Je veux juste vérifier que tu vas bien.

— Je sais. Mais – ne le prends pas mal – tu es une vraie plaie.

Au bout du fil, le combiné bruissa contre son menton.

— Ce n'est pas vrai. (Silence.) Je viens juste vérifier que tu vas bien et je repars.

— Caroline, je viens de t'expliquer...

— Je sais, Ben, mais tu vois, je ne te demande pas ton autorisation. Je te dis que j'arrive. Pense que je suis une garce si tu veux.

— Je n'ai pas dit ça.

— Tu as besoin de quelque chose ?

— Une injonction.

— Ha ha.

— Caroline, tu sais que nous n'allons pas... tu vois.

— Oh bon Dieu, chef Truman ! Ne vous inquiétez pas, je ne profiterai pas de la situation.

— C'est ce que j'entends par vraie plaie.

— Quoi ? Je suis désolée. Je te taquinais.

— Eh bien, je n'ai pas envie qu'on me taquine, d'accord ? Je viens de passer d'assez sales moments ici, au cas où tu n'aurais pas remarqué. (J'avais un ton pleurnichard.) Tu ne peux pas débrancher rien que pour une nuit ?

— J'arrive.

Autant interdire à un chat de grimper sur le canapé.

— D'accord, viens. Apporte du carburant, puisque tu te déplaces.

Une demi-heure plus tard, Caroline se présentait à ma porte avec une bouteille de Jim Beam.

Elle me servit un verre, me le tendit, puis battit en retraite dans un coin, s'assit et leva les mains, doigts écartés, en un geste de soumission, comme pour dire : je garde mes distances.

J'étais devant la fenêtre, à la place de Braxton. Cette vision de la ville était d'une simplicité atavique. Sous la pleine lune, le South End n'était qu'une succession d'immeubles bas en pierre du XVIIIe siècle dominée par la flèche de la cathédrale Holy Cross. Quelque part au nord-ouest se trouvait Mission Flats. Et superposé là-dessus le reflet de mon propre visage dans la vitre.

— Tu saignes ? demanda Caroline.

Elle désigna une traînée de sang sur la porte.

— Ce n'est pas le mien. C'était un monstre qui accompagnait Braxton.

— Que s'est-il passé ?

— Tu ne vas pas le croire, mais je l'ai frappé.

— Je suis impressionnée.

— Pas de quoi. Je crois que je me suis cassé la main.

Le whisky me brûla un peu le gosier mais me réchauffa le ventre.

— Tu t'es occupée de la petite fille ?

— Tout est réglé. Ils l'amènent chez sa grand-mère. Ils

n'ont pas pu lui tirer un mot au commissariat. Ils ne savaient pas quoi faire d'elle.

— Bien, je suis content. Merci de t'en être occupée.

Je continuai à regarder par la fenêtre.

— Ben, quelque chose te préoccupe ?

— Non, ça va. Ils ne m'ont pas touché.

— Je veux dire, quelque chose te contrarie ? (Mais elle choisit de ne pas insister.) Peut-être n'as-tu pas envie d'en parler, reprit-elle en se penchant en avant. Je vais partir si tu veux. Tu n'es pas blessé apparemment.

— Non, reste. Enfin je veux dire, si tu veux, tu peux rester.

Caroline se cala dans son fauteuil et replia les jambes sous ses fesses. Simplement vêtue d'un jean et d'une veste de baseball, elle parvenait encore à insuffler du chic à cette tenue banale. La façon dont cette femme pas tout à fait belle portait ses vêtements forçait mon admiration. Je ne doutais pas une seconde que revêtue du T-shirt que j'avais sur le dos – une relique, aussi miteuse et fine qu'une aile de mouche – elle aurait été élégante aussi.

— À quoi penses-tu ?

— Je me sens un peu perdu, c'est tout.

— Pourquoi perdu ? Dis-le, insista-t-elle.

— Ma mère est morte.

Elle inclina la tête, par sympathie, et je m'empressai d'enchaîner avant qu'elle ne m'offre les inévitables condoléances débiles.

— Je commence juste à m'habituer à cette idée. Ma mère est vraiment morte.

Caroline attendait que je poursuive, mais comment expliquer ? Comment transmettre la réalité en trois dimensions – la peau, le souffle chaud, la voix – de la personne disparue ? Quel sens aurait l'obscure histoire perdue d'Annie Truman pour quelqu'un qui ne l'avait pas connue ?

— Il y a un lac à Versailles, dis-je à la fenêtre. Le lac Mattaquisett, très beau, très froid au printemps. Nous avons un film de ma mère flottant dessus sur une bouée. Elle porte un maillot de bain jaune et elle est enceinte de moi. Les jours de pluie, on sortait le projecteur et on le visionnait. Dans le film, elle est jeune, la trentaine, un peu plus âgée que moi maintenant. Elle

rit, elle est heureuse. Cette image est gravée dans ma mémoire. Je ne sais pas trop pourquoi.

— Parce qu'elle te manque.

J'acquiesçai.

— Je suis sûre qu'elle était fière de toi, de ce que tu es devenu.

— Oui, peut-être.

— Ben, je suis une mère moi aussi. Fais-moi confiance, elle serait fière de toi.

— Je crois qu'elle serait heureuse que je sois revenu, dans cette ville. Ce que nous faisons ne lui déplairait pas non plus.

— Qu'est-ce que nous faisons ?

— Nous flirtons. Ou le contraire. Elle adorerait.

— Est-ce que nous flirtons, Ben ?

— Je ne sais pas... Ce n'est pas le cas ?

Elle fit mine de tripoter un fil.

— Tu sais que ton père se rend sur la tombe de ta sœur tous les jours ?

— Oui.

— Tous les jours. Encore.

— Cela s'arrange, Ben. Cela prend du temps.

— C'est exactement ce que ton père m'a dit.

Je bus une autre gorgée ; la chaleur du bourbon m'envahissait à présent.

— Ben... je n'ai pas le sentiment de te devoir des excuses pour la semaine dernière. Mais j'espère que tu comprends. Il fallait que je sois prudente. Sur le moment, Gittens avait l'air d'avoir raison pour Danziger et toi. Tu avais le mobile, les moyens, l'occasion.

— Parfois il vaut mieux oublier toutes ces conneries à la Agatha Christie, Caroline. Il faut aussi s'intéresser à l'individu.

— Tu dois avoir raison.

— Autre chose, quand ma mère s'est tuée...

— Ben, je ne veux pas que tu m'en parles. Tu me mets dans une position intenable.

— Il faut bien qu'on dépasse ce stade un jour.

— Ben, non, s'il te plaît. Je suis sérieuse.

— D'accord. (Je tapai contre la vitre.) Tu sais, l'hiver dernier, ma mère a eu un accident de voiture. Elle n'était pas censée conduire. Nous n'étions pas censés la laisser faire. Je débran-

chais la batterie pour empêcher la voiture de démarrer. Mais, Dieu sait comment, elle a réussi à la mettre en marche. Ou j'ai oublié, ou elle a compris le truc. Peut-être que quelqu'un l'a aidée à rebrancher la batterie, quelqu'un qui ignorait ce qui se passait. Ma mère était du genre... insistant. Quoi qu'il en soit elle est allée jusqu'à la I-95. Dieu sait comment. Elle a dû continuer à conduire. Peut-être s'était-elle égarée. Ou peut-être essayait-elle de venir jusqu'ici, à Boston, de rentrer chez elle. Elle était née ici, je te l'avais dit ? Elle adorait cette ville.

Mes yeux s'embuèrent.

Caroline était silencieuse.

— Elle s'est retrouvée du mauvais côté de la route. Elle roulait vers le nord sur les voies du sud. Elle a dû prendre le mauvais embranchement ou mal comprendre les panneaux. Cela a dû être affreux, toutes ces voitures qui lui arrivaient dessus. Elle s'est encastrée dans une pile de pont en béton.

Caroline lâcha une légère exclamation de surprise.

— Elle n'avait rien. Que des bosses et des bleus. Un œil au beurre noir. Qui a mis un temps fou à guérir. La voiture était foutue. Mon père a piqué une crise. C'est là qu'elle s'est décidée. Elle m'a dit : « Je ne veux pas être un légume, Ben. Je serais mortifiée. » C'est le terme qu'elle a utilisé, mortifiée. Elle m'a dit qu'elle ne voulait pas le faire seule et que mon père n'était pas celui vers qui elle pouvait se tourner, pas pour ce genre d'aide. Elle était...

— Ben, s'il te plaît. Arrête.

— Elle s'est procuré un livre. Typique d'Annie Truman : elle a fait des recherches. Le Seconal, elle avait un ami médecin. Je ne te dirai pas son nom. Il lui a aussi donné un antinauséeux, pour qu'elle puisse tout garder.

— Ben, je ne veux pas entendre ça. Impossible.

— Il y avait quatre-vingt-dix gélules. Nous avons dû toutes les vider dans un verre d'eau. Quatre-vingt-dix gélules rouges, une par une. Elles refusaient de fondre. Nous avons dû remuer et remuer encore.

— Ben...

— C'était censé avoir un goût amer. D'après elle, il fallait le couvrir avec quelque chose. De la gelée ou de la compote de pommes. Elle a pris du bourbon.

Caroline s'approcha de la fenêtre. Elle se planta devant moi, tout près et dit :

— Ben, arrête. Je ne peux pas entendre ça.

— J'ai besoin que tu comprennes.

— Je comprends.

— Maman a dit : « Ben, tiens-moi la main. » Alors je lui ai pris la main. Et elle a dit : « Mon Ben, mon Ben », et elle s'est endormie.

— Ben, ça suffit. Pour ton bien. S'il te plaît, je comprends.

Je m'essuyai les yeux.

— Vraiment ?

— Je comprends, murmura-t-elle.

Nous nous embrassâmes, appuyés contre la fenêtre. Un baiser différent – meilleur – parce que cette fois Caroline s'y abandonna complètement.

44.

Réveillé tôt le lendemain matin, juste après l'aube, je me plantai devant la fenêtre. La ville était grise, le ciel une ardoise rechignant à s'éclairer. D'un doigt, je traçai un cercle sur la vitre, un petit cercle gras autour de la zone que je pensais être Mission Flats.

— Qu'est-ce que tu fais debout ? dit Caroline.

— Il faut que j'en apprenne davantage sur l'affaire Trudell.

— Pourquoi ?

— Parce que Braxton a dit... Où puis-je trouver d'autres renseignements ?

Elle grogna.

— Tu as déjà vu les dossiers.

— Il y a forcément autre chose.

— Ben, il est trop tôt...

— Je n'arrive pas à dormir. Je n'arrête pas de me dire qu'il y a forcément autre chose.

— Il faut vraiment qu'on en parle maintenant ?

— Non. Désolé, rendors-toi.

— Essaie les carnets des inspecteurs.

— Bien. (Je réfléchis un instant.) Attends... quels carnets des inspecteurs ?

— Les inspecteurs de la crim' tiennent des carnets sur chaque enquête. C'est la routine. Parfois ils consignent dans des carnets des renseignements qui ne se retrouvent pas dans les rapports. Tu y découvriras peut-être quelque chose.

— Où sont-ils ?

— Aux archives, j'imagine.

— D'accord, donc il faut que je voie ces carnets. Tu peux me faire entrer aux archives ?

— Pas dans la seconde.

— D'accord, quand ce sera ouvert alors.

Sans lever la tête ni ouvrir les yeux, elle enchaîna :

— Ben, tous les dossiers Trudell sont confidentiels. Ils ne circulent pas. Lowery y a veillé. Il va falloir que tu déposes une requête auprès des archives, laquelle ne te sera probablement pas accordée. Tu pourrais déposer une requête en vertu de la liberté de l'information auprès du procureur, mais cela prendrait du temps.

— Combien de temps ?

— Six mois. Voire un an.

— Un an ! Nous ne disposons pas d'un an.

— Que veux-tu que je te dise ?

— Comment je peux parvenir à consulter ces carnets aujourd'hui.

Caroline ouvrit un œil. Elle se hissa sur un coude.

— Chef Truman, commença-t-elle avec précaution, si cette affaire passe un jour en jugement, il sera important que le procureur ne soit pas au courant d'une quelconque irrégularité dans la manière dont les preuves sont obtenues. Et il serait pour moi contraire à l'éthique de te dire comment contourner les lois des archives.

— D'accord. Désolé. Je ne devrais...

— Voilà ce que je peux te dire : Si – hypothèse – tu avais besoin d'obtenir ces dossiers sans autorisation digne de ce nom, le meilleur moyen serait d'aller avec mon père voir un dénommé Jimmy Doolittle dans Berkeley Street. Et tu n'apprendrais jamais au procureur que tu as consulté illégalement ces carnets, parce qu'alors il aurait une obligation éthique de le signaler au tribunal.

— Hum, que pourrais-je dire au procureur ?

— Tu pourrais dire au procureur qu'une personne anonyme t'a fourni les carnets, ou mieux encore une personne décédée comme, par exemple, Bob Danziger. Et tu devrais être prêt à le déclarer sous serment. Est-ce clair ?

— Comme de l'eau de roche. Merci, maître.

Elle reposa la tête sur l'oreiller.

— Mon père était un bon inspecteur. Il te fera entrer. Si tu voulais avoir accès au tiroir des sous-vêtements du pape, il pourrait t'y aider.

— Je garderai cela à l'esprit. On ne sait jamais.

— Ben, peut-être devrais-tu te recoucher. Les archives n'ouvrent qu'à neuf heures.

— Je ne me sens pas fatigué.

Les yeux clos, elle sourit et dit :

— Justement, moi non plus.

45.

Jimmy Doolittle, l'archiviste de la police de Boston, régnait sur une salle en sous-sol puant le renfermé et encombrée de cartons et d'étagères métalliques. À quelques jours de la fermeture du QG de Berkeley Street, la salle des Archives était encore plus chaotique qu'à l'habitude. On avait rangé les dossiers dans des cartons et empilé lesdits cartons pour les camions de déménagement. Ces mêmes cartons connaîtraient bientôt une nouvelle inhumation dans les nouveaux locaux ou dans des archives de l'État, mais pour l'instant l'ensemble formait un désordre sympathique. On se serait cru dans un magasin d'antiquités – on avait envie d'ouvrir un de ces cartons poussiéreux rien que pour voir ce qu'il contenait. Bien entendu, un jour très prochain, les cartons de ce genre disparaîtront carrément puisque les rapports de police sont de plus en plus souvent conservés sur ordinateur, mais la plupart des flics de Boston continuent de rédiger leur prose à la main ou de la taper sur IBM Selectrics, ce qui me paraît une excellente chose.

John Kelly appuya sur la sonnette, du genre qu'on voit encore dans de vieux hôtels, et une voix perdue dans ce dédale de cartons grommela :

— J'ai entendu, j'ai entendu.

À son arrivée, Doolittle retira ostensiblement la sonnette du comptoir.

— Vous êtes Jimmy Doolittle ? demandai-je.

— Oui.

Pour on ne sait quelle raison – probablement le nom

héroïque (ou antihéroïque) du pilote de bombardier – j'avais supposé que Doolittle dégagerait un certain charisme. En fait, je découvris un boxeur, petit et râblé, avec des jambes drôlement arquées. Son visage, assez beau, était gâché par un nez écrasé qui ressemblait à une boule de mastic. En plus il était plus âgé que je ne l'aurais cru. La soixantaine, bien trop vieux, selon moi, pour utiliser le diminutif de son prénom. Même dans l'environnement riche en testostérone d'un commissariat de police, où des Bobby, Billy et Johnny de quarante à cinquante ans sont relativement courants, il était surprenant de rencontrer un homme de soixante se faisant encore appeler Jimmy.

— Nous avons besoin de consulter un dossier.

Doolittle plaqua un formulaire de demande de document bleu pastel devant moi. J'y inscrivis les maigres renseignements dont je disposais. Numéro affaire/dossier : INCONNU. Accusé/suspect : HAROLD BRAXTON. Victime : ARTHUR TRUDELL. Accusation : MEURTRE (1er degré). Date du délit : 17 août 1987.

Doolittle étudia le document d'un œil critique.

— C'est un dossier noir. Désolé, me dit-il en me rendant le formulaire.

— Un dossier noir ? Qu'est-ce que ça veut dire ? Il faut que je le voie.

— Un dossier noir ne peut être diffusé qu'avec l'autorisation du divisionnaire. J'ai besoin d'une autorisation écrite.

— De qui ?

— Je viens de vous le dire, du divisionnaire. Dès que vous l'aurez, je vous chercherai ce dossier.

— C'est Caroline Kelly qui m'envoie.

— Qu'est-ce que je viens de vous dire ? Je n'ai pas lu le journal aujourd'hui. Est-ce que le divisionnaire est mort et a été remplacé par Caroline Kelly ? Je ne crois pas.

Je secouai la tête, incrédule. J'avais été menacé par des flics et des gangsters, on m'avait collé un flingue contre la tête – après tout cela, j'avais du mal à concevoir que je puisse me heurter à un fonctionnaire intransigeant.

— Monsieur Doolittle, je n'ai jamais dit qu'elle était la divisionnaire.

— Bon, je ne vais pas discuter avec vous. C'est un dossier noir. Je ne peux rien faire.

— Cela ne suffit pas. Il faut que je le consulte.

— Je ne peux rien faire.
— C'est une enquête sur un homicide.
— Sans aucun doute, monsieur.
— Mais je ne peux pas voir le dossier ?
— Le règlement, monsieur.
— C'est des conneries. Des vraies conneries.

Doolittle me jeta un regard furieux et tourna les talons pour battre en retraite parmi ses piles.

— Jimmy, intercéda Kelly, puis-je me servir de votre téléphone ?

Doolittle lui adressa un regard soupçonneux, comme si le téléphone aussi était interdit.

— Vous ne pouvez pas joindre l'extérieur. C'est juste un interphone.

— Cela ne fait rien, Jimmy, je téléphone juste à l'étage.

Doolittle fit glisser l'appareil vers lui et Kelly composa un numéro à deux chiffres.

— Divisionnaire Evans, s'il vous plaît, ici l'inspecteur Kelly. C'est ça... Oh, Margaret, ça va, très chère, comment allez-vous ? C'est ça, toujours là, oui. Caroline va bien, merci. Non, pas de bébé pour l'instant. On y travaille... Oui, j'attends. (Kelly tapota le comptoir d'un ongle, l'air de s'ennuyer ferme. Il adressa un sourire rassurant à Doolittle. Au bout d'un moment, il colla le combiné contre son oreille.) « Paul ? Oui... Très bien, et toi ? Je suis désolé de te déranger, cher ami. J'ai un petit problème. Je suis en bas dans la salle des Archives et j'ai besoin de consulter un dossier noir, mais on me dit qu'il me faut ton autorisation. Vous avez un employé très efficace ici du nom de Jimmy Doolittle... » (Kelly bavarda un moment avec le divisionnaire, puis tendit le téléphone à Doolittle.) Il désire vous parler, Jimmy.

Jimmy prit le combiné à contrecœur, comme s'il risquait de lui exploser dans la main. « Allô ? » Il rougit en reconnaissant la voix du divisionnaire. Un instant plus tard, il raccrochait, commotionné.

— Il dit que c'est d'accord, marmonna-t-il. J'ai un boulot à faire, c'est tout. Je ne voulais pas...

— Allons, le rassura Kelly, il n'y a pas de mal. Ne vous en faites pas, Jimmy. Un simple malentendu.

Doolittle récupéra le dossier – les huit cartons – et les étala dans un petit bureau donnant sur le couloir.

— Excusez-moi, dis-je, toujours furax, qu'est-ce qu'un dossier noir exactement ?

— C'est un dossier qui ne peut être diffusé, un dossier sensible.

— Et comment un dossier devient-il noir ?

— C'est le divisionnaire qui décide. Vous savez, comme lorsqu'un juge ordonne que quelque chose ne soit pas diffusé – comment on dit ? – saisi. Parfois c'est juste que des gens les réclament pour les mauvaises raisons, comme lorsqu'une célébrité est accusée, une star de cinéma ou un sportif ou Dieu sait quoi, cela deviendra assurément un dossier noir. Le genre Chappaquiddick, vous voyez ? Les dossiers des affaires intérieures sont tous noirs. Comme les mauvais traitements sur enfants.

— Et si un dossier n'est pas noir ?

— Alors n'importe qui peut l'obtenir. Enfin un flic ou un procureur. Ils sont rares à venir les réclamer. Il ne s'agit que d'affaires classées. Tout le monde s'en fout.

— Et si quelqu'un essayait de consulter ce dossier ?

— Il lui faudrait obtenir l'autorisation du bureau du divisionnaire. Généralement un adjoint le signe.

— Il y a une trace de cela quelque part ?

— Ici, sur le premier carton. Là.

Doolittle désigna une feuille. Une lettre de pure forme du divisionnaire sur un papier à en-tête de la police de Boston :

> *Selon la requête du procureur, le substitut Robert M. Danziger et/ou l'un de ses désignés est habilité à examiner, photocopier et/ou photographier tout document, preuve ou autre matériau du dossier ci-référencé dans l'année à partir de cette date.*

— Alors personne n'a ouvert ce carton à part Danziger ?

— Pas depuis qu'ils ont classé l'affaire. Des centaines de gens l'ont peut-être feuilleté avant qu'il ne soit transféré ici. Je n'ai aucun contrôle là-dessus, vous savez.

— Y a-t-il un moyen de savoir qui a demandé que ce dossier soit classé noir ?

— Bien sûr. (Il souleva le formulaire pour en révéler un autre.) Lowery, le procureur général. (Doolittle tourna les

talons, puis s'interrompit.) Vous voulez boire quelque chose ? Un café ?

Incroyable les portes que peut ouvrir un appel du divisionnaire.

— Non, merci, Jimmy. (Kelly sourit. Il attendit que l'employé sorte pour continuer :) Bon, maintenant, qu'est-ce qu'on cherche ?

— Les carnets des inspecteurs de la criminelle. Tout ce qui n'apparaît pas dans les rapports, tout ce qui relie Trudell à Frank Fasulo.

— Et nous faisons cela parce que Braxton l'a dit ?

— Vous avez une meilleure idée ?

Nous fouillâmes les cartons qui contenaient surtout des papiers. Les preuves physiques – vêtements ensanglantés, balles extraites des murs, matos de drogués – étaient enterrées dans d'autres archives, probablement. Il restait quelques objets, dont un épais dossier de photographies horribles. Quant aux papiers, j'avais vu les photocopies de la plupart dans le propre dossier de Danziger sur cette affaire. Il avait apparemment créé un duplicata contenant des photocopies du moindre bout de papier dans ces cartons. Une seule chose manquait à son dossier : les carnets des inspecteurs. L'absence de ces carnets était un avertissement. Manifestement si la théorie de Danziger était que les inspecteurs étaient passés à côté de quelque chose la première fois, leurs notes constitueraient une preuve cruciale.

— Danziger a photocopié les carnets, dis-je à Kelly. Quelqu'un les a pris dans son bureau. J'en suis sûr. Danziger ne les aurait pas ignorés.

Les carnets en soi n'avaient rien d'extraordinaire. La plupart était du genre à spirale qu'utilisent les étudiants. Quelques-uns tenaient dans une poche. Seul un inspecteur avait consigné ses notes dans un classeur. Kelly et moi lûmes les carnets pendant la plus grande partie de la matinée. Chacun retraçait des tâches de routine, l'élimination méticuleuse des fausses pistes (entretiens avec des voisins, des amis, des suspects, des indics) et les rapports quotidiens avec d'autres forces de maintien de l'ordre (coups de téléphone avec des procureurs, des laboratoires médico-légaux, d'autres flics). Du travail de fantassin qui ne révélait rien. À la fin de l'été 1987, Mission Flats avait été frappé d'amnésie et de mutisme. Les preuves obtenues par les

enquêteurs, dont l'arme du crime, avaient été récupérées dans les minutes suivant la fusillade.

L'aiguille dans la meule de foin était la note suivante, gribouillée par un certain inspecteur John Rivers le lendemain de la tuerie Trudell :

> *Pour JV* [Julio Vega ?] *V* [victime, c'est-à-dire Trudell] *bouleversée, « pas dans son assiette », consulta FB* [Franny Boyle]. *JV pas sûr de la raison. Nature du problème ?*

Il était temps d'avoir une nouvelle conversation avec Franny Boyle.

Alors que Kelly et moi nous dirigions vers le Governement Center, où était situé l'Unité des enquêtes spéciales – le bureau de Boyle –, je me dis que j'avais presque oublié l'autre révélation de la matinée.

— Je ne savais pas que vous étiez ami avec le divisionnaire.

Il me lança un regard sceptique.

— Non, vraiment. Je suis impressionné.

— Ben Truman, vous êtes débile ou quoi ? Je ne reconnaîtrais pas le divisionnaire s'il était planté devant moi. C'était Zach Boyages de l'Administration.

Je me raclai la gorge.

— Oh.

46.

Me voyant à la porte de son bureau, Franny Boyle tenta de récupérer un peu de son ancienne présence musclée. Il enfonça sa tête dans son cou épais de grenouille-taureau et gonfla ses pectoraux.

— Qu'est-ce qui se passe, Opie ? Vous m'avez l'air bien sérieux.

Mais le numéro de Franny avait cessé d'être convaincant. Il avait beau tenter de bomber le torse, il parut rétrécir sous mes yeux. Il était assis derrière un énorme bureau en chêne, un vrai porte-avions, ce qui le faisait paraître d'autant plus petit.

— Franny, il faut qu'on parle.

— Oh, mon Dieu, ça, c'est du sérieux. Rien de bon ne suit jamais le « Il faut qu'on parle ». La dernière fois qu'on me l'a dit, je me suis retrouvé divorcé.

Il m'adressa un sourire complice. Une invitation à l'imiter, que je repoussai.

Je fermai la porte derrière moi.

— Où est le vieux ? Kelly ?

— Il est dehors. Je me disais que nous pourrions parler, vous et moi.

— Vous allez me lire mes droits ?

— Vous avez besoin de les entendre, Franny ?

Il fit la moue, déçu de ne pouvoir me distraire de ma solennité.

— Eh bien, asseyez-vous au moins. (Il désigna une chaise couverte de dossiers.) Balancez donc cette merde par terre.

— Ça va, Franny. Je suis bien ici.

Il croisa les doigts au sommet de son crâne chauve, révélant deux auréoles sous ses aisselles.

— Franny, je ne vais pas vous raconter de conneries. Kelly et moi rentrons juste des Archives dans Berkeley Street. Nous avons étudié le dossier Trudell. Nous savons qu'Artie Trudell est venu vous consulter à propos d'un problème.

— Des tas de flics venaient me consulter pour des problèmes. J'étais le seul avocat que beaucoup connaissaient – personnellement, je veux dire. Les gens accordent trop de crédit aux avocats. Ils s'imaginent que nous pouvons résoudre n'importe quel problème. J'ai vu des flics me consulter pour des divorces, des prêts immobiliers.

— Franny, cela ne concernait pas des prêts immobiliers.

— Non ? Comment le savez-vous ?

— Mon petit doigt me le dit.

— Et d'après vous cela concernait quoi, petit génie ?

— Frank Fasulo.

Franny sourit.

— Frank Fasulo ?

— Exact.

Il arrive qu'un joueur de poker révèle la valeur de sa main par une expression fugitive. Ce fut visiblement le cas de Franny Boyle. Pour masquer sa préoccupation, il sourit trop vite et trop largement.

— Où avez-vous dégotté Frank Fasulo ?

— Un tuyau.

— Un tuyau ? De qui ?

Je songeai un instant à nommer Braxton. J'avais promis à Franny de ne pas lui raconter de conneries. Mais j'étais également tenu par d'autres promesses.

— Disons qu'il me vient de Raul.

— Non, vraiment. Qui ?

— Je ne peux pas vous le dire, Franny.

— Bon Dieu, vous apprenez vite. Qui vous file des tuyaux ? Pas Gittens, je le sais.

— Pourquoi dites-vous cela ?

— Gittens joue généralement serré et il ne vous connaît pas assez bien. Non, selon moi, ce doit être Ms Kelly. Il paraît que la princesse Caroline et vous êtes... proches.

Il m'étudia, en quête d'un indice révélateur.

— Franny, avant de mourir, Artie Trudell est venu vous consulter pour un problème. Nous le savons parce qu'il l'a dit à Julio Vega. D'après Vega, il était bouleversé, il « n'était pas dans son assiette ». Voilà ma question : qu'est-ce qui préoccupait donc tant Artie Trudell ?

— Je ne sais pas.

— Vous voulez dire que vous ne vous rappelez pas ? Ou que cela ne s'est pas produit ?

— Je ne sais pas de quoi vous parlez.

— Franny, vous voulez un avocat ?

— Je suis avocat.

— Alors arrêtez de déconner et répondez-moi ! De quoi Artie Trudell avait-il aussi peur ?

— Je vous l'ai dit, je ne sais pas de quoi vous parlez. (Il recula son fauteuil et se leva.) Je ne sais pas de quoi vous parlez et je n'apprécie peut-être pas ce que vous sous-entendez...

— Asseyez-vous, Franny.

— Je suis dans mon bureau.

Je lui filai un coup de poing dans l'épaule, puis un autre, plus fort dans la poitrine. Il s'écroula dans son fauteuil. Il se redressa et je le repoussai de nouveau.

Kelly ouvrit la porte. Je dominais Boyle écroulé sur son siège.

— Désolé, dit-il. J'ai cru qu'il y avait un problème.

Il disparut.

— Vous n'aimez pas ce que je sous-entends, Franny ? Laissez-moi combler les blancs pour que vous sachiez exactement ce que je sous-entends. Je ne crois pas qu'Artie Trudell soit venu vous consulter pour un problème immobilier. Je crois qu'il est venu vous voir parce que vous êtes un substitut et la seule raison de s'adresser à un substitut est de signaler un crime.

— Quel crime ?

— Je ne le sais pas encore, mais je vais le découvrir.

— Ah oui ? Et comment vous allez vous y prendre ?

— Pour commencer, je vais parler à Julio Vega. Quoi qu'ait su Trudell, Vega le savait. Ils étaient équipiers, souvenez-vous.

— Vega est complètement givré. Toute la ville le sait.

— Au moins il n'est pas véreux.

Cela me valut un regard mauvais.

— Petit, vous ne savez pas de quoi vous parlez.

— Peut-être. Mais je sais que Trudell avait des informations sur Frank Fasulo et ce flic qui s'est fait descendre au Kilmarnock, la cocaïne de la porte rouge et Raul. Trudell avait tous ces renseignements et il vous les a livrés en croyant que vous agiriez. Il vous faisait confiance ; il pensait que vous feriez votre boulot. Mais vous n'avez pas fait votre boulot, du moins pas assez vite et Trudell s'est fait tuer. Et je crois que Danziger avait tout compris.

Boyle sourit.

— C'est ce que vous pensez ?

— Ouais, c'est ce que je pense. Et je crois que lorsque cela sortira, tout le monde saura que toute l'affaire n'était pas la faute de Vega.

Sourire.

La porte se rouvrit. Cette fois, c'était Gittens. Il photographia la scène – à ce moment-là j'avais l'index brandi sous le nez de Boyle – et il haussa les sourcils comme s'il était légèrement mais pas désagréablement surpris.

— Tout va bien ici ?

— Oui. Franny et moi, on bavarde, c'est tout.

Gittens nous examina et dit :

— Lowery veut vous voir, Ben.

47.

— Vous devez estimer avoir été victime d'une grave injustice.

— Je ne sais exactement que penser, monsieur Lowery.

— Voilà une réponse judicieuse. Vous cherchez à être judicieux avec moi, chef Truman ?

Planté devant la fenêtre, Lowery regardait dehors. Mais en posant cette question, il pivota en ne bougeant que le torse comme si ses chaussures sur mesure étaient clouées au sol.

— Ou serait-ce de l'honnêteté ?

— De l'honnêteté, monsieur.

— Je ne suis pas sûr de vous croire. Je vous soupçonne d'en savoir plus long que vous ne voulez bien l'admettre.

Lowery se retourna vers la fenêtre. Une belle vue, avec les immeubles du centre autour du City Hall au premier plan et une barre de tours de bureaux derrière.

— Le rat des champs vient faire la leçon aux rats des villes, rumina Lowery. Nous ne l'avons pas volé, je suppose, après tout ce que nous vous avons fait subir, soupira-t-il. Chef Truman, je veux que vous compreniez ma position.

— Vous ne me devez pas d'explications, monsieur Lowery.

— Vous avez raison – je ne vous dois rien. Ce n'est pas une question de dette, mais de responsabilité, chef Truman. Vous étiez aux Archives ce matin en train de fouiller dans le dossier Trudell.

— Oui, monsieur.

— Je suppose que vous pensez qu'il y a un rapport avec le meurtre de Danziger.

— C'est possible.

— C'est possible. Je vois. Vous ne pensez pas que Braxton soit le coupable.

— Je n'en suis pas certain à cent pour cent, non.

— Vous vous attendiez à en être certain à cent pour cent ?

— Dans l'idéal, oui.

Il réfléchit.

— Ben, je suis un vieil avocat pénal et, à la fin de chaque procès, savez-vous ce que le juge dit aux jurés ? Il leur dit qu'ils doivent juger coupable l'accusé « avec une quasi-certitude ». Il n'existe pas de certitude à cent pour cent. Le doute est intégré dans le système. C'est un merveilleux système mais comme il est géré par des humains, il y aura toujours des doutes et des erreurs. Il nous faut l'accepter. Nous n'avons pas le choix. Personne n'a le monopole de la vérité, personne ne dispose d'une fenêtre sur le passé. Nous examinons les preuves, nous faisons notre meilleure supposition et nous prions pour que nous ne nous soyons pas trompés. C'est une responsabilité impressionnante, Ben.

— En effet, monsieur.

— Nous arrêtons l'homme que nous allons accuser et là peu importe si nous sommes sûrs à cent pour cent ou seulement à cinquante et un pour cent. Une fois que nous choisissons l'homme, une fois que nous choisissons notre version de l'affaire, cela devient notre évangile, notre credo.

— Oui, monsieur.

Je jetai un coup d'œil à Kelly assis dans le fauteuil en cuir voisin du mien. Il fixait le plafond comme s'il avait un objet en équilibre sur le nez. Un petit sourire de monsieur-je-sais-tout dansait aux commissures de ses lèvres. Le procureur général aurait aussi bien pu disserter sur le traité de Gant ou les habitudes de reproduction des tortues des îles Galápagos pour ce que Kelly s'en souciait.

— Vous avez des doutes sur la culpabilité de Harold Braxton, chef Truman ?

— Oui.

— Oubliez-les.

— Pardon ?

— Oubliez-les. Braxton est notre homme.

— Comment le savez-vous ?

— Je le sais parce que cela fait longtemps que je suis dans la partie. Nous disposons de suffisamment de preuves pour inculper trois fois Braxton du meurtre de Bobby Danziger. Bon Dieu, j'ai gagné des affaires moitié moins solides. Vous n'avez pas besoin de l'affaire Trudell. Laissez tomber. Croyez-moi, c'est une affaire qui coule de source ; pas la peine de déterrer une affaire vieille de dix ans qui n'a rien à faire avec ça. C'est plus clair pour le jury et c'est mieux pour la ville. (Le procureur général se tourna vers moi pour jauger ma réaction.) Ce que nous avons ici a une dimension politique, Ben. Vous le comprenez certainement. Actuellement les races s'entendent à merveille dans cette ville. La criminalité est en baisse, la police est respectée, les communautés afro-américaines s'en tirent mieux que jamais. En attendant, dans d'autres villes, à New York, à LA, on se méfie de la police – non, on la hait. C'est une décision politique, Ben, et je l'entends au sens le plus noble.

« Maintenant, quand je présenterai mes conclusions – et même si cette affaire est jugée dans le Maine, il faudra bien que je dise quelque chose aux gens de cette ville – j'expliquerai simplement ce que démontrent les preuves : que c'était Braxton et personne d'autre. Je ne vais pas déterrer le passé.

— On déterre toujours le passé, monsieur.

— Ben, je vous demande d'oublier l'affaire Trudell. Laissez-la tranquille. Il y a dix ans, elle a divisé la ville en deux. Elle a touché tous les points sensibles : accusé noir, victime blanche appartenant à la police. C'est pareil à une grosse cuve d'essence, Ben. Pour le bien de cette ville, ne jetez pas d'allumette enflammée dedans.

— Je crois que nous comprenons, dit John Kelly. (Il réussit malgré tout à y injecter un « Allez vous faire foutre » implicite. Il avait vu passer des Lowery ; celui-là disparaîtrait aussi) Il se leva. Allons-y, Ben.

Lowery nous tourna de nouveau le dos pour contempler la ville. Il secoua la tête.

— Cela menace constamment.

Devant le tribunal, un gosse afro-américain jouait d'une batterie de fortune. Assis sur un casier à lait, il était entouré